PSICOPATOLOGIA
LACANIANA

Antônio Teixeira • Heloisa Caldas (Orgs.)

PSICOPATOLOGIA LACANIANA

5ª reimpressão

autêntica

Volume 1 • Semiologia

EDITORA RESPONSÁVEL
Rejane Dias

EDITORA ASSISTENTE
Cecília Martins

REVISÃO
Aline Sobreira

CAPA
Alberto Bittencourt (sobre imagem de Hedzun Vasyl [Shutterstock])

DIAGRAMAÇÃO
Larissa Carvalho Mazzoni

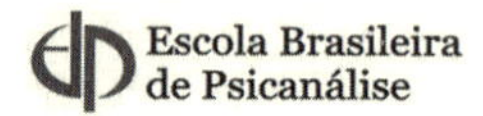

Dados Internacionais de Catalogação na Publicação (CIP)
(Câmara Brasileira do Livro, SP, Brasil)

Psicopatologia lacaniana I : semiologia / organizadores Antônio Teixeira e Heloisa Caldas. -- 1. ed. , 5. reimp. -- Belo Horizonte : Autêntica, 2021.

Parceria: Escola Brasileira de Psicanálise
Vários autores.
Bibliografia.

ISBN 978-85-513-0206-4

1. Lacan, Jacques, 1901-1981 2. Psicanálise 3. Psicopatologia 4. Semiologia I. Teixeira, Antônio. II. Caldas, Heloisa.

17-02793 CDD-150.195

Índices para catálogo sistemático:
1. Lacan, Jacques : Teoria psicanalítica 150.195

Belo Horizonte
Rua Carlos Turner, 420
Silveira . 31140-520
Belo Horizonte . MG
Tel.: (55 31) 3465 4500

São Paulo
Av. Paulista, 2.073, Conjunto Nacional,
Horsa I . Sala 309 . Cerqueira César
01311-940 São Paulo . SP
Tel.: (55 11) 3034 4468

www.grupoautentica.com.br
SAC: atendimentoleitor@grupoautentica.com.br

Sumário

Nota dos organizadores

Este primeiro volume de *Psicopatologia lacaniana*, dedicado ao tema da semiologia, nasceu de uma constatação empírica. À exceção do livro fundador de *Psicopatologia Geral* de K. Jaspers, que se estrutura explicitamente a partir do paradigma fenomenológico compreensivo, a literatura clínica dedicada ao tema da Psicopatologia disponível em língua portuguesa assume uma perspectiva predominantemente descritivista na abordagem dos fenômenos mentais. O que explica, em nosso entender, a lassidão que acomete os alunos de Psicopatologia no estudo da doutrina é justamente a ausência de um esforço deliberado de ultrapassar o plano descritivo dos fenômenos clínicos, a fim de situar logicamente o mecanismo do sintoma como resposta subjetiva construída pelo paciente. Por isso julgamos premente propor um tratado lacaniano de psicopatologia, destinado não a acrescentar novas descrições de fenômenos mentais, mas sim a iluminar o mecanismo interno do que se encontra superficialmente descrito. O discurso lacaniano é aqui tomado não como escolha circunstancial de uma visão particular do fenômeno clínico, mas sim enquanto efeito de uma decisão forçada: julgamos que não há como entender o mecanismo do delírio, da alucinação, das alterações de humor, nem tampouco das funções da consciência, da percepção, da inteligência e do juízo de realidade sem passar pela doutrina de Jacques Lacan. Essa decisão prescreve, portanto, a orientação deste livro.

Ao meditar sobre a necessidade dessa orientação, pensamos no projeto epistêmico desenvolvido na França pela equipe que se nomeou Bourbaki, gestada como resposta à insuficiência dos manuais destinados à transmissão da disciplina de Lógica Matemática no período em que esse grupo se constituiu. Essa equipe desenvolveu um método de elaboração dos artigos que nos inspirou: um participante redigia um trabalho de pesquisa sobre determinado problema lógico, o qual era intensamente criticado pelos demais em reuniões destinadas a essa discussão; em seguida, o que permanecia do texto inicial era retomado por um outro participante que produzia sua versão final assinada por Bourbaki, apagando a assinatura individual. Tentamos, dentro das limitações particulares de nosso meio, criar um livro que não fosse composto de textos individuais, mas que seguisse uma orientação precisa: mostrar a necessidade epistêmica do discurso lacaniano no campo da psicopatologia. Para tanto, buscou-se adotar, a nosso modo, a orientação bourbakista: um determinado participante era convidado a redigir a primeira versão de um determinado capítulo de semiologia, o qual era, em seguida, intensamente debatido pelos demais participantes de nossa equipe, e finalmente retomado por uma segunda pessoa convidada. Todos os capítulos foram debatidos pela equipe de autores, em reuniões ocorridas em Belo Horizonte, Rio de Janeiro e São Paulo, ao longo de dois anos de intensa colaboração. Distintamente, contudo, de Bourbaki, os capítulos foram assinados pelo primeiro e pelo segundo autores, e às vezes até mesmo por um terceiro. Trata-se, portanto, de uma experiência de escrita coletiva que, no entanto, não pretende apagar as marcas da assinatura de cada um.

Este livro não viria à luz sem a participação de nosso colega e amigo Marcelo Veras. Foi Marcelo Veras quem nos convidou a produzir o primeiro tratado de Psicopatologia lacaniana, no momento em que assumiu a direção da Escola Brasileira de Psicanálise, três anos atrás, disponibilizando todos os meios necessários à consecução deste trabalho, cuja continuidade foi decisivamente apoiada pela gestão de Ana Lúcia Lutterbach. Marcelo Veras foi a enzima que catalisou a reação epistêmica materializada neste primeiro volume de nossa *Psicopatologia lacaniana*; a ele rendemos nossa mais sincera homenagem.

Antônio Teixeira e Heloisa Caldas
16 de março de 2017

Prefácio

Ram Mandil

O que este livro nos apresenta? A retomada de um termo caro à prática clínica – a psicopatologia –, associado ao nome de Jacques Lacan, psicanalista de sólida formação em psiquiatria. À primeira vista, pode parecer haver algo de forçado, e mesmo de provocativo, no sintagma "psicopatologia lacaniana". No entanto, como o leitor poderá conferir, existem boas razões para isso.

Considerar a psicanálise como tributária da clínica psiquiátrica é algo que não causa espanto, ainda que um olhar mais atento possa reconhecer a descontinuidade entre essas duas práticas. Este livro, no entanto, oferece-nos a perspectiva de um movimento inverso: iluminar os temas clássicos da psicopatologia a partir dos conceitos e da prática da psicanálise, tal como fundada por Freud e retomada e prolongada por Jacques Lacan.

O que se entende por psicopatologia? É uma questão que atravessa todos os capítulos deste livro, cada um deles considerando um aspecto crucial da "*summa*" psicopatológica.

Uma primeira leitura sobre o fenômeno psicopatológico nos induz a considerá-lo como elemento das patologias do psíquico ou do mental que afligem o ser humano. Na linguagem de hoje, essas afecções são descritas como sendo da ordem de um "transtorno mental". Seja como for, o ponto de partida é sempre o isolamento do psíquico ou do mental em relação ao que chamamos de corpo. No prolongamento dessa perspectiva, o psíquico, ou mental, passa a ser considerado como um órgão complementar, que permite à espécie humana se orientar e se adaptar ao meio que ela habita. Vale lembrar que um dos aspectos da anamnese psicopatológica visa verificar se o paciente está "orientado no tempo e no espaço". Daí a importância de uma avaliação do aparato sensorial, como aquele que daria as condições para um bom funcionamento do aparelho psíquico ou mental.

Curiosamente, Freud introduz o termo "psicopatologia" num contexto estranho ao campo psiquiátrico. O patológico é relativizado em sua *Psicopatologia da vida cotidiana*, ao serem incluídos em seu estudo os esquecimentos, os lapsos de língua, os atos falhos, as superstições e os erros. Esses acontecimentos ordinários da vida humana indicam que o campo do que se vê afetado na dimensão psíquica necessita ser ampliado e aprofundado, para além da dimensão patológica entendida como doença. A epígrafe que inaugura seu estudo, retirada do *Fausto*, de Goethe, dá o tom do alcance da questão: "O feitiço que agora, tanto, está no ar/ Não há quem saiba como evitar".

Lacan, que num dado momento considera a prática inventada por Freud como sendo "a última flor da medicina", subverte a consideração da psicopatologia a partir de uma separação entre mente e corpo para situá-la numa perspectiva mais ampla, a saber, a do homem afligido pela linguagem em seu corpo e em seus pensamentos.

Ao introduzir a dimensão do real – que não se confunde com a noção de realidade, como é demonstrado num dos capítulos deste livro –, Lacan nos incita a reconsiderar a clínica levando em conta aquilo que se apresenta ao ser falante como sendo da ordem do que não tem relação, lei ou sentido, e os afetos que acompanham o encontro com essa dimensão radical da experiência humana. Um encontro que, a bem dizer, apresenta-se sob a forma de um reencontro.

Podemos dizer que a subversão lacaniana aprofunda a crítica inaugurada por Canguilhem em relação ao que se designa como "normal" e como "patológico" no campo das ciências, bem como nos faz desconfiar da noção de saúde mental "como ideal de uma relação com o real que cessaria de ser insuportável" (*apud* MILLER, 1997).

É, portanto, nos termos desse estatuto radical do real que as noções clássicas da psicopatologia podem ganhar novas perspectivas de leitura. O que seria dar um enfoque à debilidade quando vista não como uma deficiência, mas como uma defesa em relação a esse real, circulando entre discursos sem se fixar em nenhum, ou se fixando numa unidade precária na relação, por exemplo, com seu próprio corpo? Como entender o delírio na perspectiva de um esforço de tratamento desse real, tendo por horizonte a construção de uma unidade de sentido com valor universal? E que consequências para a prática clínica poderíamos extrair se considerássemos a mentalidade – na linha do que Aristóteles estabeleceu em termos de alma – como um modo de procurar assegurar a consistência do corpo do ser falante, consistência sempre fugidia e instável?

São essas algumas dentre as várias questões que a leitura deste livro poderá suscitar ao leitor.

Por fim, cabe assinalar a importância deste livro na retomada do debate clínico a partir dos elementos clássicos da psicopatologia numa era em que a abordagem dos chamados transtornos mentais tende a ser considerada a partir de protocolos referidos a um *Manual Diagnóstico e Estatístico* (DSM) e aos pressupostos da Medicina Baseada em Evidências.

Este livro contribui, de maneira decisiva, para que a clínica psicopatológica possa levar em conta o que se apresenta de incomparável no sofrimento humano e que escapa à inscrição no campo das estatísticas, seja pela singularidade do que afeta um ser falante, seja porque aquilo de que ele fala, bem como o que o faz falar, pode se manifestar por outras vias que não aquelas que hoje se legitimam sob o nome de "evidência".

Referência:

MILLER, J.-A. *Lacan elucidado*. Rio de Janeiro: Jorge Zahar, 1997.

Enigma, objetivação e diluição da loucura

Sérgio Laia, Adriano Amaral de Aguiar

Nos séculos XV e XVI, Bosch e Bruegel retratavam a loucura sem circunscrevê-la a um único elemento, nem sequer mesmo aos homens, pois suas pinturas, intensamente enigmáticas, apresentavam uma relação com a animalidade e deformações que escapavam à domesticação pelos valores humanos, desvelando para o homem "um dos segredos e uma das vocações de sua natureza" (Foucault, [1961] 1972, p. 31): as trevas, a perdição, o desvario. Em seus quadros, a loucura fascina e anuncia o destino, porque é, ela mesma, saber enigmático, que diz respeito não só ao homem, mas ainda aos segredos e às verdades subterrâneas do cosmos, a tudo que é vivo. Neles, toda espécie de objeto, até mesmo os anjos, os mortos e os santos, encontram-se invadidos por enigmas que ganham corpo, especialmente nessa deformidade que Foucault ([1961] 1972) destaca como *grylle*. Mas, se na glíptica greco-romana é orgânica a união de partes que se encontram normalmente separadas nos corpos, se nela é possível ainda apreender uma continuidade (embora deslocada) entre cabeça e pernas que se colam sem a intermediação do tronco, nos *grylles* criados por um Bosch as partes dos corpos "permanecem no seu lugar, mas sem formarem um organismo" (Baltrusaitis, [1983] 1993, p. 20, 50), favorecendo, então, uma espécie de anamorfose, ou seja, uma decomposição articulada do corpo humano.

Na maneira como as pinturas de Bosch e Bruegel abordam a loucura, reina um silêncio que dá vazão ao que ela tem para dizer. A loucura comparece detendo ainda a força primitiva da revelação oracular que lhe será paulatinamente confiscada, uma vez que a psiquiatria passa a designá-la como mera doença mental. Ao contrário do que acontece em vários quadros desses pintores, o humanismo renascentista e toda a valorização do homem inscrita a partir daí vão tentar apagar o que, tomando o nome de Morte, Destino ou Desejo, é maior que o Homem e o ultrapassa. Mais ainda, essa dimensão trágica ensina-nos que é apenas acatando esse ultrapassamento que o homem poderá experimentar alguma grandeza. No início do século XVII, todo o enigma e toda a dimensão trágica que inundavam as imagens de um Bosch ou de um Bruegel passaram a ser deslocados para uma região de sombras e de silêncio, diante da força dos discursos que pretendiam objetivar a loucura. Portanto, suas pinturas restam como um vestígio do que Foucault ([1961] 1972) pôde localizar como *experiência trágica e enigmática da loucura.*

Herri met de Bles. *Inferno (Visione apocalittica).* 1595. Óleo sobre tela (120 cm x 170 cm). Palazzo Ducale, Veneza, Itália (detalhe).

Por ter sido a última vez em que a loucura vagou, com uma extensão qualificável inclusive de cósmica, como essa experiência trágica e enigmática, no corpo sociocultural do Ocidente, o fim da Idade Média foi escolhido por Foucault ([1961] 1972) como o ponto de partida para uma investigação que, ao contrário do que se poderia supor, não pretende dar voz à loucura silenciada pela razão. Trata-se de um projeto que visa amplificar o enigmático silêncio que a loucura é, sobretudo quando confrontada com as ruidosas tentativas de circunscrevê-la ao diagnóstico de "doença mental", de transformá-la em objeto de conhecimento, destituindo-a de sua espessura enigmática, ou, mais recentemente, de diluí-la em dados estatísticos e em bases pretensamente genéticas.

Transformada em objeto do conhecimento médico, a loucura será organizada, classificada e medicalizada das mais diferentes maneiras, mas, desde Pinel até a psiquiatria biológica atual, podemos sustentar, com Foucault ([1961] 1972), a permanência de uma mesma perspectiva, embora com diferentes matizes: a espessura enigmática da loucura é destituída, e o dizer do louco torna-se desqualificado como, dependendo da época, mero erro da razão ou do cérebro.

Razão x loucura

Foucault ([1961] 1972) buscou estabelecer as condições históricas de possibilidade dos discursos e das práticas que formaram a percepção ocidental do louco como doente mental.[1] Ele mostra que a psiquiatria é um campo de saber recente e que a intervenção da medicina em relação ao louco é datada historicamente, tendo pouco mais de 200 anos. Então, rigorosamente, só podemos falar de doença mental após o século XVIII, quando se inicia o processo a partir do qual a loucura, tornando-se objeto de saberes e práticas médico-psiquiátricas, passa a ser concebida e tratada como doença mental. Foucault ([1961] 1972) consegue dar assim um golpe mortal no ufanismo dos historiadores da medicina que viam no surgimento da psiquiatria, com Pinel e seu humanismo terapêutico, um gesto libertador. Para eles, a psiquiatria teria finalmente possibilitado que a loucura fosse reconhecida e tratada segundo sua verdade, ou seja, sua natureza de doença. O que *História da loucura* ([1961] 1972) veio revelar de maneira inédita foram as reais dimensões desse gesto libertador, mostrando o caminho histórico através do qual o louco, mesmo livre de grilhões que o confundiam com outras formas da desrazão e, assim, o "desumanizavam", acabou aprisionado na categoria de doente mental.

[1] Para uma boa apresentação de *História da loucura*, conferir o capítulo "Uma arqueologia da percepção", em *Foucault, a ciência e o saber* (MACHADO, 2006).

No decorrer da Idade Média e mesmo do Renascimento, a ameaça do insensato era pressentida nos mais diversos pontos de fragilidade do mundo, mas essa presença avassaladora ainda não constituía uma percepção do louco como doente nem permitia sua localização precisa, ou sua segregação, junto a outras formas de desrazão. Não havia hospital ou prisão para o louco. Ele vivia solto, era um errante, vagando pelos campos, eventualmente expulso das cidades. Mas o que repetidamente aparecia na loucura como uma das formas da desrazão não era propriamente uma realidade social, mas o que ela situava como ameaça, irrisão e ilusão, no âmago da verdade e da razão. Portanto, o que aparece nas pinturas de Bosch e Bruegel como experiência trágica e enigmática era também experiência cósmica de uma verdade inacessível e secreta para os outros. A loucura, nessa perspectiva, comportava um saber. Um saber enigmático, esotérico, trágico, mas um saber positivo. E mantinha uma relação profunda com o mundo, capaz de lhe revelar as verdades mais secretas.

Na época clássica, entre os séculos XVI e XVIII, há uma progressiva destituição da loucura como saber que expressa a experiência trágica do homem no mundo. Teremos, cada vez mais, o confisco da experiência enigmática da loucura em proveito de um saber racional e humanista centrado na questão da verdade e da moral. Segundo Foucault ([1961] 1972), essa transformação tem em Descartes o grande marco filosófico: a primeira de suas *Meditações metafísicas* (2004) afasta a possibilidade de a loucura comprometer o processo da dúvida, excluindo-a da ordem da razão. Nessa perspectiva, se alguém pensa, não pode ser louco, e, se alguém é louco, não pode pensar.[2]

A relação com o louco na época clássica ainda não chegou a ser moldada pelas regras de um conhecimento supostamente científico, não havia ainda teorias elaboradas ou uma sistematização de um saber médico sobre a loucura. As instituições que recebiam os loucos, os critérios para designar alguém como louco e, consequentemente, excluí-lo da sociedade não dependiam de uma ciência médica, mas, sim, de uma "percepção social" da loucura produzida por diversas instituições, como a polícia, a justiça, a família e a Igreja. Os critérios que informavam essa "percepção"

[2] Jacques Derrida fez uma contestação à leitura de Foucault sobre esse ponto em "Cogito e história da loucura" ([1963] 2001). Por sua vez, essa contestação receberá, da parte de Foucault ([1972] 2001), uma resposta publicada como posfácio na edição de 1972 de *História da loucura*.

diziam respeito não ao saber médico, mas à transgressão das leis da razão e da moralidade.

O marco institucional desse novo momento do processo de dominação da loucura pela razão é a criação, em 1656, do Hospital Geral, por Luís XVI. Apesar desse nome, não se trata de uma instituição médica, mas de uma entidade assistencial e administrativa que se situa entre a polícia e a justiça, que tinha a função de abrigar e excluir da sociedade as figuras indistintas da desrazão. Esse fenômeno, reproduzido em toda a Europa, foi denominado por Foucault ([1961] 1972) de "Grande Enclausuramento".

Quatro legiões de proscritos foram, então, confinadas, segundo Foucault ([1961] 1972, p. 92-123, 125-176). A maior dessas legiões agrupava quem extrapolava o "bom uso" dos corpos: prostitutas, doentes venéreos, sodomitas, devassos. Outra legião congregava os blasfemadores, os praticantes de magia, feitiçaria ou alquimia, os suicidas, ou seja, todos esses profanadores do sagrado que, tomados pela desordem da alma e do coração, deslocavam-se para a região do erro, do engano e da ilusão. Uma terceira legião agregava, sob o termo "libertinagem", aqueles que, articulando a liberdade de pensamento com a força das paixões, subordinavam a razão aos desvarios dos desejos do coração. Por fim, havia a legião formada pelos loucos, e, nesse contexto, eles não tinham ainda o estatuto de doentes, tampouco eram designados como "doentes mentais". Assim, o Grande Enclausuramento não conferia ao louco um determinado perfil que o individualizava, porque o misturava com outras figuras igualmente proscritas para o campo da desrazão.

O que é característico da época clássica, nesse início do processo de enclausuramento do louco, é que este fica recluso numa instituição que não tem características médicas nem se fundamenta em um conhecimento ou teoria a respeito de uma natureza patológica específica. O que dá coerência à prática do enclausuramento é uma "percepção" que toma a razão como critério para distinguir, isolar e excluir uma população heterogênea, composta pelas variadas figuras da desrazão descritas anteriormente.

Na segunda metade do século XVIII, porém, a loucura ganharia autonomia e individualidade com relação à desrazão, segundo Foucault ([1961] 1972). Através da crítica ao Grande Enclausuramento, delineou-se, então, a nova realidade institucional da loucura. Com o capitalismo emergente, evidencia-se que o enclausuramento não constitui um recurso adequado frente aos novos problemas econômicos. A população adquire uma importância central para o novo pensamento econômico.

Antes, a população pobre, ociosa, vagabunda, desempregada constituía um estorvo inútil, que deveria ser enclausurada e excluída do circuito econômico. Com a emergência do capitalismo, a necessidade de mão de obra operária faz da população como um todo, mesmo a ociosa, vagabunda e desempregada, um valor, na medida em que é produtora de riqueza. Diferentemente da racionalidade determinante do enclausuramento, que acreditou que acabaria com a miséria colocando-a para fora do circuito social, o capitalismo que estava surgindo tinha como imperativo tornar a população uma força de trabalho produtiva.

A política assistencial da segunda metade do século XVIII distinguiu, então, duas categorias: os "pobres válidos" e os "pobres doentes". Enquanto os primeiros deveriam se tornar mão de obra trabalhadora, os segundos ficariam a cargo da assistência social. Diferentemente, então, das outras figuras da desrazão que foram voltando a encontrar lugar nas cidades para compor a força produtiva, os loucos – impossibilitados de trabalhar e vistos como perigosos – acabaram por restar como derradeiros remanescentes do Grande Enclausuramento. O resultado dessas transformações políticas, econômicas e sociais não foi a libertação dos loucos, mas a manutenção de casas de reclusão exclusivas para eles. Nascia, então, o manicômio e, com ele, a psiquiatria, em sua missão de constituir, pela primeira vez, um corpo de saber "científico" sobre a loucura.

Libertado dos grilhões e da animalidade em que a razão clássica o imobilizou, o louco, visto agora como doente mental, poderá cada vez menos circular pelo mundo sem essa espécie de porta-voz que – proveniente sobretudo da psiquiatria ou da psicologia – pretenderá, com frequência, dizer o que o louco quis dizer ou, então, que vai interpretar por que ele fez, ou deixou de fazer, um determinado ato: o que o "doente mental" ganha em humanidade o louco perde com relação ao poder de tomar, a seu próprio risco, sua própria palavra.

O louco como objeto e o objeto do louco

Mais do que simples marca restrita a uma época, o confronto entre a loucura como enigma e a loucura como doença acabou por se configurar numa hiância abissal. No âmbito dos discursos que passaram a tratar da loucura, foi preciso esperar Freud para que certa transposição desse abismo se processasse, resgatando das sombras sua dimensão enigmática e reinserindo-a, ainda que de modo circunscrito ao tratamento e às elaborações da psicanálise, no corpo sociocultural do Ocidente. É a essa dimensão trágico-enigmática que, mais tarde, Lacan ([1959-1960] 1986) vai retornar para ressaltar o quanto ela é inerente à ética da psicanálise.[3] Mas, considerando o tema deste livro, interessa-nos ressaltar especialmente como tal dimensão poderá ser também apreendida no modo como Lacan nos ensina a tematizar e tratar as psicoses.

Em uma conferência dirigida sobretudo aos psiquiatras, Lacan (1967) cita, renova e elogia a investigação empreendida por Foucault ([1961] 1972) ao longo da *História da loucura*.[4] É que, para esse psicanalista, o isolamento dos loucos com relação às outras formas de desrazão, ou seja, a psiquiatrização da loucura, sua objetivação como "doença mental", mesmo quando não se faz mais apenas na clausura de um hospício, poderá ser concebido como o reforçamento da construção de barreiras, de outras formas de muralhas com que os psiquiatras tentariam se proteger do que o louco nos impõe não simplesmente em decorrência de contextos histórico-institucionais, mas sobretudo em função do que diz respeito à própria estrutura da psicose.

Após a recusa de uma concepção deficitária e organicista a respeito da psicose na tese de doutorado intitulada *As psicoses paranoicas e suas relações com a personalidade* e, algum tempo depois, no escrito "Formulações sobre a causalidade psíquica", será realizada, no Livro 3 de *O seminário*, uma releitura do caso Schreber já estudado por Freud, e no escrito "Questão preliminar a todo tratamento possível da psicose" consolida-se a concepção lacaniana da psicose como uma estrutura subjetiva (Lacan, [1932] 1980, [1946] 1966, [1955-1956] 1981, [1958] 1966). Prestes a destacar a "foraclusão do Nome-do-Pai" como a pedra angular dessa concepção, Lacan ([1955-1956] 1981, p. 171) sustenta que, nas psicoses, o que acontece é a "rejeição, às trevas exteriores, de um significante primordial", de um

---

3 Para um detalhamento maior dessa proximidade entre a ética da psicanálise e a dimensão trágica, ver: Laia (1992, p. 249-384).

4 Considerando que essa conferência de Lacan foi proferida no dia 10 de novembro de 1967, no Círculo de Estudos Psiquiátricos, comandado por Henri Ey, destacamos que ela pode ser lida como um renovado prosseguimento de críticas que o próprio Lacan ([1946] 1966) já fazia com relação às propostas desse psiquiatra. Quanto ao desprezo que Lacan (1966) constata, da parte dos psiquiatras, em relação à *História da loucura* publicada por Foucault ([1961] 1972) aproximadamente seis anos antes, é importante lembrarmos que, em 1969, o próprio Henri Ey vai ser o secretário-geral das Jornadas Anuais da revista *L'Évolution Psychiatrique*, organizadas sob o tema "A concepção ideológica de *A história da loucura*". Apesar de ser o tema dessas jornadas, a investigação foucaultiana não deixou de ser desprezada pelos psiquiatras que a comentaram (L'ÉVOLUTION PSYCHIATRIQUE, 1971, p. 223-298).

elemento que, no campo da linguagem, seria o ordenador de uma narrativa, de uma história, de uma série de significações e até mesmo do que consideramos como realidade. Esse elemento ordenador e fundamental que Lacan ([1955-1956] 1981, p. 111) denomina de Nome-do-Pai é "não o pai natural", mas a intervenção "do que se chama o pai", ou seja, a imposição simbólica do Nome que articula uma linhagem familiar, uma série de gerações, uma narrativa, uma história – trata-se do Nome que, como verificamos com o que chamamos socialmente de "nome de família", antecipa, ordena e perpetua a existência de cada um de nós.

A foraclusão, no campo da linguagem, de um tal elemento organizador confere aos psicóticos uma sensibilidade maior ao que se apresenta como enigma, na medida em que eles passam a trazer no corpo, conforme pretendemos elucidar, um objeto do qual os chamados "normais" consideram-se quase sempre alheios, como se só pudesse ser encontrado, "normalmente", em Outro lugar, tal como se diz, em geral, que a perda de alguma coisa é o que a torna mais valiosa para quem a perdeu. Para elucidar o que é esse enigmático "objeto do louco", destacamos que Lacan ([1932] 1980, [1946] 1966), antes mesmo de localizá-lo e formalizar a concepção de que, nas psicoses, o Nome-do-Pai encontra-se foracluído, contrapõe-se a certa concepção psiquiátrica da doença mental porque já se interessava pelo que estamos chamando aqui, com Foucault ([1961] 1972), de dimensão trágico-enigmática da loucura. Assim, em vez de se manter na perspectiva de que o louco, arrebatado por delírios de influência, assolado por automatismos, deixa de reconhecer o que produziria delirante e alucinatoriamente, Lacan prefere questionar por que um louco teria de professar um tal reconhecimento e o que ele teria de conhecer de si nessas produções sem, no entanto, reconhecer-se nelas. Afinal, a experiência de Lacan com a loucura lhe permite mostrar-nos que, se um psicótico atribui uma realidade para fenômenos como alucinações, interpretações e intuições, mesmo se eles são vividos com grande perplexidade e estranheza, é porque "esses fenômenos lhe visam pessoalmente: eles o desdobram, lhe respondem, lhe fazem eco, leem nele como ele os identifica, os interroga, os provoca e os decifra" (Lacan, [1946] 1966, p. 165). Ora, se há tentativa de deciframento, de leitura, é porque há enigma, e, quando um louco tem dificuldade para expressar tais fenômenos, "sua perplexidade ainda nos evidencia, nele, uma hiância interrogativa" (Lacan, [1946] 1966, p. 165).

Com a concepção do objeto *a*, Lacan vai associar a exposição e a sensibilidade dos psicóticos ao enigma com a presença desse objeto no corpo, tal como evidenciam muitos delírios e alucinações perpassados, por exemplo, por essas formas desse objeto que são a voz e o olhar. O caso de uma paciente italiana evocado em *O seminário, livro 10* é elucidativo: após anos de mutismo, ela faz um desenho de uma árvore com três olhos e escreve – "sou sempre vista" (Lacan, [1962-1963] 2004, p. 89-92). Assim, ela não falava porque era "vista", ou seja, tanto uma paisagem composta, por exemplo, por uma árvore que, como tal, é muda, quanto porque é objeto de olhares e, assim, silencia-se como uma forma de proteção, de não-revelação. O que temos nesse caso é a presença do olhar, que, "normalmente", aparece velado, despistado, ausente do campo da realidade, e esse tipo de ocultamento estabiliza, para aqueles que não são psicóticos, esse campo[5]: o tempo todo, sabe-se que se é visto (sobretudo em nossa civilização, tomada pela "vigilância" como garantia de "segurança"), mas isso não é notado nem perturba o tempo a ponto de produzir um mutismo generalizado em todo o corpo social. Porém, na psicose, como o objeto *a* em sua forma de olhar não é extraído, tal olhar se torna visível, provocando como efeito subjetivo uma sensibilidade maior ao horrível, ao suspeito, ao enigma, tal como acontece com a paciente italiana citada por Lacan: embora seja considerada, por todos, na chamada realidade, uma mulher, subjetivamente ela se apresenta efetivamente muda como uma paisagem, completamente tomada pelo olhar. Assim, com a rejeição do significante do Nome-do-Pai, o que se impõe como fora de si – não tendo mais como comportar qualquer inscrição, inclusive inconsciente – deixa de vir a ser uma estranheza passível de se apresentar como familiar: o fora de si, nas psicoses, toma a forma de um enigma.

Assim, em circunstâncias que não são aquelas da psicose, na realidade normalizada, no encadeamento dos significantes, na própria atividade representativa da linguagem, o objeto *a*, como um resto, furta-se e se subtrai, tomando diversas dimensões: uma voz inaudível fisicamente, um olhar desconectado de todos os olhos, uma palavra incompreensível e alheia a qualquer referência a ser encontrada no mundo das coisas. Ora, a angústia se impõe diante do enigma corporificado pelo psicótico porque temos a experiência de um objeto que nos escapa, e, desse modo, esse campo que chamamos de "realidade" se organiza, mas, confrontados ao que nos falta, diante do vazio que se impõe a partir da não correspondência das palavras às coisas que elas parecem designar, o que esperamos, o que

[5] Para maior detalhamento sobre a constituição do campo da realidade e outras considerações importantes sobre essa paciente italiana, ver: Miller ([1984] 1996, p. 152-154).

demandamos do campo onde a linguagem se corporifica, do laço com os parceiros, é, justamente, uma voz assim, um olhar assim, uma palavra assim, jamais encontrados na realidade o tempo todo, mas que toma a forma desse objeto que um psicótico conserva consigo. Um louco, então, manterá sempre consigo um "objeto estranho, parasitário", que lhe dá uma liberdade bastante incomum, além de se impor como causa de angústia para os outros. Tal objeto se furta ao registro da representação e, assim, provoca angústia e estranheza naqueles que compartilham a realidade da qual os psicóticos parecem-nos alheios.

Assim, Lacan (1966) nos permite encontrar – na própria estrutura da psicose em sua apresentação do objeto *a* – o que Foucault ([1961] 1972) tematiza, com base em referências histórico-culturais, como a dimensão trágica e enigmática da loucura. E, graças ao furo que se destaca, na psicose, concernente à foraclusão do Nome-do-Pai (Lacan, [1958] 1966), bem como graças à presença do objeto *a* que não escapa aos psicóticos (Lacan, 1966), poderemos esclarecer por que a loucura, não apenas pelas referências histórico-culturais destacadas por Foucault ([1961] 1972) nas pinturas de Bosch, Bruegel, do último Goya ou de Van Gogh, nos textos de um Nietzsche, um Artaud ou um Hölderlin, jamais vai deixar de lançar, à razão, questões insondáveis, forçando-a a se justificar diante do que lhe escapa como fora de si e ganha espessura na loucura.

Com Lacan (1966), podemos perceber que as diversas formas sociais de barreiras protetoras contra o louco não se devem exclusivamente ao desvio social que lhe é impingido, nem ao perigo que, às vezes, ele pode encarnar para si próprio e para os outros. O ensino de Lacan permite perceber que a diversidade dos dispositivos de proteção reiteradamente acionados contra o louco decorre daquilo que sua própria presença encarna como causa de angústia: sua própria estrutura, determinada pela foraclusão do Nome-do-Pai e pela presença do objeto *a*, conserva algo da dimensão enigmática real, que tentamos segregar do campo da linguagem, uma vez que reduzimos esse campo ao plano das convenções sociais e da comunicação entre os falantes. Lacan (1966) vai ler, na investigação foucaultiana, a localização histórica dessa tentativa de proteção que ainda é encontrada entre os psiquiatras quando eles se apresentam como representantes e porta-vozes de um discurso que procura garantir o que consideramos "realidade" e ter um domínio sobre o que se apresenta como enigmático. Por isso, hoje em dia, verificamos que, embora os loucos possam estar cada vez menos isolados da sociedade pelas muralhas do manicômio, outros muros passam a ser erguidos para o Outro social se proteger da angústia que deles se impõe. Daí a tendência, sempre reiterada historicamente, de considerá-los "muito mais como objetos de estudo do que como ponto de interrogação" (LACAN, 1966, p. 25). Tratá-los como ponto de interrogação implicaria confrontarmo-nos com a dimensão enigmática que eles corporificam e que angustia.

A diluição da loucura

Vimos com Foucault ([1961] 1972) que o nascimento do manicômio e da psiquiatria são inseparáveis das transformações sociais e políticas relacionadas ao capitalismo emergente e à constituição do que ele denominou, em estudos posteriores à *História da loucura*, de sociedades disciplinares (FOUCAULT, [1976] 2002). Mas o próprio capitalismo também viria a reformular o seu funcionamento, sobretudo a partir da segunda metade do século XX, modificando a sociedade em que vivemos, e, nesse viés, transformações radicais no modo de funcionar da própria psiquiatria também vão acontecer. Se o campo da psiquiatria se constituiu, a partir do manicômio, buscando elaborar um saber e uma práxis clínica sobre a "loucura", poderemos verificar, nos últimos 40 anos, através de algo que chamaríamos de *diluição da loucura*, como o domínio da psiquiatria se expandiu, abarcando desde a esquizofrenia até a gestão cosmética das performances cotidianas dos indivíduos.

Em uma conferência dirigida aos médicos, constatamos como Lacan ([1966] 2001) conseguiu vislumbrar o essencial do que seria uma certa transformação na medicina, que hoje aparece de forma bastante clara para nós, e como essa mudança se articula com as transformações do mundo em que vivemos. Esse psicanalista apontava, já em 1966, que uma redefinição da democracia estava em curso, anunciando que no futuro o mundo seria estruturado de outra maneira. Que essas transformações tenham sido anunciadas em uma conferência sobre a medicina só confirma sua percepção aguda do lugar central que esta ocupa na subjetividade de cada época. Destaca-se, então, como o mundo por vir seria estruturado pela articulação do discurso da ciência com o capitalismo, implicando novas tecnologias de poder e gestão do social que passariam, por um lado, pela avaliação estatística generalizada e, por outro, pela intervenção direta na ordem da natureza e das "constantes biológicas":

> É no ponto em que as exigências sociais são condicionadas pelo aparecimento de um homem que sirva às condições de um mundo científico, que provido de novos poderes de investigação e de

> pesquisa, o médico encontra-se em face de novos problemas. Quero com isto dizer que o médico nada tem de privilegiado na organização desta equipe de peritos diversamente especializados nas diferentes áreas científicas. É do exterior de sua função, especialmente da organização industrial, que lhe são fornecidos os meios, ao mesmo tempo que as questões, para introduzir as medidas de controle quantitativo, os gráficos, as escalas, os dados estatísticos através dos quais se estabelecem, indo até uma escala microscópica, as constantes biológicas [...] O médico é requerido em sua função de cientista fisiologista, mas ele está submetido ainda a outros chamados. O mundo científico deposita em suas mãos o mundo infinito daquilo que é capaz de produzir em termos de agentes terapêuticos novos, químicos ou biológicos. Ele os coloca à disposição do público e pede ao médico, assim como se pede a um agente distribuidor, que os coloque à prova (LACAN, [1966] 2001, p. 9).

Lacan ([1966] 2001) parece-nos antecipar aqui, em uma década, as linhas gerais daquilo que Foucault ([1976] 2002) viria a designar como biopoder, e que seria retomado mais tarde por autores pós-foucaultianos, como Castel (1987) e Deleuze (1992), para caracterizar as sociedades pós-disciplinares como sociedades do risco (Castel) ou do controle (Deleuze). As transformações da medicina dão aqui testemunho de uma mudança mais ampla na estrutura social.

Em *O nascimento da clínica*, Foucault (1980) mostrou a importância da transformação ocorrida na medicina no início do século XIX: com o modelo anátomo-clínico, que consolida a prática médica na modernidade, não se diz mais "O que você tem?", mas sim "Onde lhe dói?". Na medicina atual, governada pelo "dinamismo farmacêutico", uma nova transformação se impõe. O médico de hoje diria: "Que medicamentos serão mais eficazes no seu caso?". Ou, ainda: "Que medicamentos estou autorizado a lhe dar?". A invenção e a arte da clínica desaparecem, deixam de estar do lado do médico e se transformam em produção dos medicamentos e seus protocolos pela indústria farmacêutica. A medicina torna-se, ela mesma, industrializada; e os medicamentos devem ser eficazes independentemente do médico e de qualquer relação terapêutica particularizada. É essa perspectiva que governa a medicina contemporânea e que Lacan percebeu muito bem desde 1966.

Trata-se de uma rearticulação que implica não apenas um novo modo de exercício da medicina, mas também um novo modelo de doença. A medicina atual não se ocupa das doenças apenas quando elas impedem o funcionamento normal dos organismos. Ela se encarrega de um monitoramento constante dos fatores de risco que abarcam dimensões cada vez mais extensas das nossas vidas. Duas anedotas ilustram bem essa transformação. Na primeira, relativa ao modelo tradicional de saúde como "silêncio dos órgãos", o médico diz ao paciente: "Sua pressão está alta, você está acima do peso, fora de forma, com níveis elevados de colesterol, ou seja, não muito diferente do que se supõe como perfeitamente normal!". Mas, hoje em dia, o médico diria ao paciente: "Tenho duas notícias: a primeira é que seus níveis de colesterol continuam os mesmos; a segunda é que o *guideline* mudou e, então, esses níveis não são mais normais". O conceito de normalidade, na perspectiva dessa segunda anedota, passa a ser estabelecido de acordo com protocolos de pesquisa estatística para gestão de riscos probabilísticos, e, nesse *guideline*, variações mínimas nos critérios de inclusão passam a abarcar parcelas populacionais gigantescas. Trata-se de um novo conceito de doença, no qual a normalidade é praticamente impossível. Mesmo que nenhum sintoma se apresente, deve-se estar o tempo todo vigilante, tendo de controlar constantemente os parâmetros biológicos do corpo para administrar os diversos fatores de risco aos quais estaríamos submetidos. Por sua vez, os limiares de risco tendem a se tornar cada vez baixos, mais inclusivos. Passamos, portanto, de um modelo de doença "individual" (mesmo que replicável para uma série de outros indivíduos em circunstâncias similares) para um modelo de doença que é estatístico, de massa, no qual a indústria farmacêutica estabelece, a partir dos ensaios clínicos que ela financia e realiza, os parâmetros a partir dos quais passamos a ser considerados preventivamente "doentes" (Dumit, 2012).

Na psiquiatria, na qual não têm sido encontradas evidências precisas dos chamados "marcadores biológicos", essa lógica – promovida pela diluição dos diagnósticos psiquiátricos nas classificações atuais – torna-se ainda mais perversa. Assim, o *Manual Diagnóstico e Estatístico de Transtornos Mentais* (DSM) ampliou tanto o número de "transtornos mentais" que esse tipo de designação tem uma assimilação mais aceitável, porque as "deficiências" que ela implica, por serem tão múltiplas, mostram-se como "mais normais" que a diferença enigmática e angustiante com que a loucura se apresenta. No DSM-V (Apa, 2013), essa *normalização* ganha, com relação às versões anteriores, uma amplitude ainda maior, porque os "transtornos mentais" passam a ser apresentados numa cronologia que vai da mais tenra infância até as últimas etapas da vida, ou seja, para cada parte da existência, temos "transtornos mentais" que lhe são específicos. Assim, um "transtorno mental" passa a ser mais uma norma que uma exceção, e isso parece lhe diminuir o peso segregatório, mas essa normalização das exceções as apaga como diferenças singulares, e, então, esse tipo de apagamento dá lugar a outro tipo de segregação.

Pesquisas mostram que nos Estados Unidos cerca de 15% dos jovens até o *high school*, ou seja, o ensino secundário, fazem uso de Ritalina (Schwarz, 2013), o que escandaliza a todos. Mas, ao mesmo tempo, outras pesquisas também revelam que há muitos casos de Transtorno de Déficit de Atenção e Hiperatividade (TDAH) não diagnosticados na sociedade, o que seria um problema de saúde pública (The Plos Medicine Editors, 2013). Cotejando esses dois "achados" de pesquisas, poderemos perguntar: há hipermedicalização ou um subtratamento da população? Na lógica própria ao discurso capitalista, que conjuga o excesso com a produção da falta, tanto a resposta relacionada à hipermedicalização quanto aquela relativa ao subtratamento da população afetada por tal transtorno são concomitantemente válidas. Assim, a indústria farmacêutica financia e ajuda a promover campanhas públicas de detecção de doenças "subdiagnosticadas", tomando a psiquiatria como um mercado ilimitado a ser expandido e que amplia, cada vez mais, o espectro da medicalização.

Há cerca de 35 anos, o principal executivo da empresa farmacêutica mais conhecida do mundo fez um comentário visionário. Quando estava para se aposentar, Henry Gadsden, executivo-chefe da Merck, disse em uma entrevista para a revista *Fortune* que um de seus principais desapontamentos era que o mercado potencial de sua empresa estava limitado às pessoas doentes. Seu sonho era de que a Merck pudesse vender remédios para todos (Moynihan; Cassels, 2006). Três décadas depois, tal sonho de Gadsden se tornaria bem próximo da realidade, e Vince Parry é um dos profissionais mais requisitados na área que hoje é considerada como uma das mais inovadoras no mundo do *marketing*: vender medicamentos para quem não necessita. Em um artigo que se tornou célebre, com o sugestivo título de "The art of branding a condition",[6] Parry (2003) apresenta a

[6] Uma tradução para esse título poderia ser: "A arte de fazer de uma condição uma marca", destacando que "marca" (*branding*, em inglês) comporta aqui uma utilização no âmbito da moda, do *marketing*, ou seja, o sentido de "rótulo" ou de "rotulação" é diluído nessa perspectiva, digamos, *fashion*, "da moda".

área na qual é especialista. Destaca que, em geral, o conceito de *branding* está relacionado a criar ou modelar ideias. No entanto, segundo Parry, a indústria farmacêutica conseguiu elevar o *branding* a um patamar acima e inteiramente novo, ao fazer o *branding* não do produto, mas sim de uma doença ou de uma condição clínica que um medicamento supostamente poderia tratar. Ou seja, são técnicas sofisticadas de *marketing* para promover na mídia doenças passíveis de sofrerem uma modelagem conceitual que permita alargar as suas fronteiras e expandir o mercado consumidor. Segundo ele, a área da medicina mais suscetível a esse tipo de estratégia é a psiquiatria:

> Nenhuma categoria terapêutica é mais suscetível ao *branding* que o campo da ansiedade e da depressão, onde a doença é raramente baseada em sintomas físicos mensuráveis, sendo, portanto, aberta à redefinição conceitual. Assistir ao *Manual Diagnóstico e Estatístico dos Transtornos Mentais* (DSM) inflar como um balão ao longo das décadas, até adquirir suas dimensões atuais de lista telefônica, poderia nos fazer pensar que o mundo é um lugar mais instável hoje do que antes. Na realidade, o número crescente de condições emocionais identificadas resultou da desmontagem dos problemas em suas partes componentes para torná-las mais acessíveis ao tratamento. Não surpreendentemente, muitas dessas novas condições foram cunhadas pela indústria farmacêutica através da pesquisa, da publicidade ou de ambos (Parry, 2003, p. 3).

Todo esse investimento da indústria farmacêutica tem como objetivo produzir o que poderíamos chamar de "fabricação industrial da demanda". Tal perspectiva encontra um terreno fértil com o empobrecimento da clínica após o DSM-III e o abandono de toda a perspectiva psicanalítica e fenomenológica na psiquiatria. A função do médico agora, tal como Lacan ([1966] 2001) já afirmava, é reduzida à de mero "agente distribuidor", implicando uma intensa medicalização da vida e generalizando o problema da toxicomania na clínica contemporânea, porque vivemos em um mundo onde se dissemina o uso muitas vezes indiscriminado de medicamentos. Um reposicionamento ético torna-se, portanto, urgente.

Podemos tomar como sintoma da "diluição da loucura" o fato de o próprio chefe da força-tarefa que criou o DSM-IV, o psiquiatra norte-americano Allen Frances, ter se tornado o principal crítico do DSM-V:

> Minha motivação para assumir essa tarefa desagradável [criticar o DSM] é simples – evitar que o DSM-V promova uma inflação geral

> de diagnósticos que resultará na rotulagem errônea de milhões de pessoas como portadoras de transtorno mental. Rotular alguém com um diagnóstico impreciso de transtorno mental muitas vezes resulta em um tratamento desnecessário com medicamentos que podem ter efeitos colaterais muito prejudiciais. Entrei na controvérsia do DSM-V só porque eu tinha aprendido lições dolorosas trabalhando na elaboração dos três DSMs anteriores, vendo como eles podem ser mal utilizados, com graves consequências inesperadas. Parecia irresponsável ficar à margem e não apontar os riscos evidentes e substanciais colocados pelas propostas do DSM-V (Frances, 2012, [s.p.]).

Com a consolidação do DSM, a partir de 1980, não apenas a loucura, mas também todo o campo das neuroses passou a ser submetido a um novo tipo de objetivação, na qual qualquer sintoma passa a ser visto como mera expressão de algum déficit neuroquímico ou biológico. O efeito disso na prática clínica é a transformação da avaliação diagnóstica em um *checklist* de sintomas (Tasman, 2002), para preencher os critérios preestabelecidos dos diagnósticos do DSM. Dessa forma, buscava-se realizar a tão sonhada integração da psiquiatria à medicina, almejando que a clínica psiquiátrica pudesse realizar o mesmo processo de "abstração" que permite à medicina classificar e tratar as doenças somáticas como entidades universais, transcendentes ao organismo vivo individual dos pacientes. Ao focar no nível dos sintomas, através de uma abordagem objetivista, o DSM possibilitou que os diagnósticos psiquiátricos fossem vistos como entidades mórbidas distintas, sendo classificados e analisados independentemente das particularidades dos sujeitos que os sofrem (Aguiar, 2004). Buscava-se eliminar assim a dimensão enigmática que se apresenta no sintoma, convocando a elaboração delirante, no caso das psicoses, ou a suposição de saber transferencial, no caso das neuroses. O efeito da eliminação dessa dimensão enigmática do sintoma tem sido um empobrecimento radical da clínica psiquiátrica. Segundo o psiquiatra Juan Mezzich, que foi presidente da World Psychiatric Association (WPA) entre 2005 e 2008, assistimos atualmente a uma desumanização da prática psiquiátrica, que segundo ele, "reduz os pacientes a códigos diagnósticos e os psiquiatras a técnicos que apenas prescrevem drogas" (Mezzich, 2007).

Uma faceta bem recente da diluição da loucura, mas ainda não tão difundida quanto aquela de "transtorno mental", é a almejada por outro crítico do DSM-V. Antes mesmo das inúmeras desaprovações públicas que o sistema DSM vem sofrendo, mas já prenunciando o que os formuladores do DSM-V não conseguiriam resolver, Insel (2010,

p. 749) lançou, pelo National Institute of Mental Health (NIMH), o Research Domain Criteria (RDoC), focalizado primordialmente no "circuito neural" e "com níveis de análise que processam em uma de duas direções: de modo ascendente, da mensuração da função dos circuitos rumo às variações clinicamente relevantes, ou, de modo descendente, rumo aos fatores genéticos, celulares/moleculares que influenciam tal função". Na próxima década, objetiva-se implementar a "classificação psiquiátrica baseada na neurociência" (Insel, 2010, p. 750), e, nesse viés, estimamos que a expressão "transtorno mental" – cunhada, difundida e consolidada amplamente no mundo pelo DSM – vá perder seu lugar em prol de outra, apresentada como "transtornos do cérebro" (*brain disorders*) (Insel, 2010, p. 749).

Nessa nova direção, estimulada ainda mais pelo fracasso do DSM-V, a psiquiatria insiste, mais uma vez, em realizar seu velho sonho de se consolidar efetivamente como uma especialidade médica distante do campo humano da psicologia e também do que, em um viés diferente, preconiza a psicanálise. Mas, como Lacan ([1946] 1966) já assinalava desde meados do século XX, ou seja, há mais de seis décadas, as tentativas de realização desse sonho pela destituição da dimensão da linguagem e da "insondável decisão do ser" que demarca nossa relação com a loucura acabam diluindo a psiquiatria no âmbito da neurologia. É certo que Insel (2010, p. 749) já parece estar atento a tal diluição quando nos propõe que, "em contraste com os transtornos neurológicos com lesões identificáveis", os transtornos mentais a serem diagnosticados, investigados e tratados psiquiatricamente são "transtornos dos circuitos do cérebro". Entretanto, é impressionante como a crítica e os alertas que Lacan ([1946] 1966) endereçava à orientação organo-dinâmica de Henri Ey em psiquiatria são perfeitamente aplicáveis ao que ainda hoje almeja Insel (2010, 2013).

A insistência do enigma

Sustentamos que tanto o DSM-V quanto o RDoC reiteraram o esmagamento do sujeito afetado pelo dito "transtorno mental", ou pelo ainda prometido "transtorno cerebral". Eles também anulam – por suas pretensões globalizantes, estatísticas e biologizantes – quem decide por um diagnóstico e se faz responsável pela direção do tratamento. Reforçam, assim, como um mero "agente distribuidor" aquele que deveria praticar a clínica e se apresentam, portanto, como o avesso do que se processa na experiência psicanalítica, que não dispensa a "entrega", feita por um analista, de seu corpo como um "objeto", que poderá localizar, inclusive enigmaticamente, o que afeta a vida de quem o procura.

A psicanálise de orientação lacaniana – que norteia este livro de psicopatologia – pode ter uma função decisiva em nossos dias. Nossa aposta na incomensurabilidade do que afeta um corpo perpassado pela linguagem e que se ressalta de modo ainda mais enigmático na loucura é certamente considerada como um "atraso científico" para os praticantes do DSM-V e do RDoC. Continua valendo, então, o impossível destacado por Freud ([1918] 2010, p. 66) quanto a "discutir com os que, trabalhando no campo da psicologia ou da neurologia, não reconhecem os pressupostos da psicanálise e consideram artificiais seus resultados": "Baleia e urso polar [...] não podem fazer guerra entre si, porque, cada um limitado a seu elemento, não chegam a se encontrar". Entretanto, neste século XXI, tomado pelo "aquecimento global" ou pelo enorme investimento global no que é cifrado, pode acontecer de um bloco de gelo, como uma espécie de "ilha flutuante", aproximar o urso polar e a baleia, tal como temos visto nessas tentativas não lacanianas de se localizar, nas imagens cerebrais, os achados freudianos. Para nós, da orientação lacaniana, a proximidade desses elementos não apaga o impossível de tal encontro: as cifras apresentadas pelo DSM-V ou que ainda serão produzidas pelo RDoC, reféns de uma concepção cartesiana do corpo como substância "*partes extra partes*", vão – mesmo sem ser esse seu propósito – justificar a proposição de Lacan ([1973] 2001, p. 553) de que "uma mensagem decifrada pode permanecer um enigma". Trata-se, então, de lidar com a reiteração do enigma mesmo quando as cifras são apresentadas sob a forma de quantidades que visam, enfim, a tudo explicar.

Nesse viés, conforme procuramos elucidar ao longo deste texto, se com Foucault ([1976] 2002) verificamos o quanto a dimensão enigmática da loucura insiste em colocar à razão questões que não encontram respostas na transformação do louco em objeto como "doente mental" ou, de modo mais diluído, como portador de "transtornos mentais", é com Lacan ([1946] 1966, [1962-1963] 2004, 1966) que cingimos o objeto de intensa potência enigmática que os psicóticos carregam consigo. Neste *Psicopatologia lacaniana*, cada capítulo se escreve então como uma aposta corajosa de fazer valer o enigma e, ao mesmo tempo, abordar e tratar a loucura em um mundo no qual se tenta diluí-la na profusão de "transtornos mentais" ou na promessa de, mais uma vez, localizá-la no cérebro, ainda que, desta vez, nessa dimensão não menos passível de diluição e que se apresenta sob a designação de "circuitos cerebrais".

Referências

AGUIAR, A. *A psiquiatria no divã: entre as ciências da vida e a medicalização da existência*. Rio de Janeiro: Relume Dumará, 2004.

AMERICAN PSYCHIATRIC ASSOCIATION. *Diagnostic and Statistic Manual of Mental Disorders*. 5th ed. (DSM-V). Arlington: American Psychiatric Association, 2013.

BALTRUSAITIS, J. *Le moyen âge fantastique: antiquités et exotismes dans l'art gothique* [1983]. Paris: Flammarion, 1993.

CASTEL, R. *A gestão dos riscos: da antipsiquiatria à pós-psicanálise*. Rio de Janeiro: Francisco Alves, 1987.

DELEUZE, G. Post-scriptum sobre as sociedades de controle. In: *Conversações*. Rio de Janeiro: Editora 34, 1992. p. 219-226.

DERRIDA, J. Cogito e história da loucura [1963]. In: DERRIDA, J.; FOUCAULT, M. *Jacques Derrida/Michel Foucault: três tempos sobre a história da loucura*. Organização de Maria Cristina Franco Ferraz. Rio de Janeiro: Relume Dumará, 2001. p. 9-67.

DESCARTES, R. *Meditações metafísicas*. Tradução de Fausto Castilho. Campinas: Editora da Unicamp, 2004. (Multilíngues de Filosofia Unicamp).

DUMIT, J. *Drugs for Life: How Pharmaceutical Companies Define Our Health*. Durham: Duke University Press, 2012.

FOUCAULT, M. *Em defesa da sociedade. Curso no Collège de France (1975-1976)* [1976]. São Paulo: Martins Fontes, 2002.

FOUCAULT, M. *Histoire de la folie à l'âge classique* [1961]. Paris: Gallimard, 1972.

FOUCAULT, M. *O nascimento da clínica*. Rio de Janeiro. Forense Universitária, 1980.

FOUCAULT, M. Resposta a Derrida [1972]. In: DERRIDA, J.; FOUCAULT, M. *Jacques Derrida/Michel Foucault: três tempos sobre a história da loucura*. Organização de Maria Cristina Franco Ferraz. Rio de Janeiro: Relume Dumará, 2001. p. 9-67.

FRANCES, A. Am I a dangerous man? 2012. Disponível em: <https://goo.gl/QwnBYQ>. Acesso em: 27 mar. 2014.

FREUD, S. História de uma neurose infantil [1918]. In: *História de uma neurose infantil ("O homem dos lobos"), Além do princípio do prazer e outros textos*. São Paulo: Companhia das Letras, 2010. p. 13-160.

INSEL, T. Research Domain Criteria (RDoC): Toward a New Classification Framework for Research on Mental Disorders. *American Journal of Psychiatry*, v. 167, n. 7, p. 748-750, 2010.

INSEL, T. Transforming Diagnosis. 29 Apr. 2013. Disponível em: <https://goo.gl/gWGjnS>. Acesso em: 27 mar. 2014.

L'ÉVOLUTION PSYCHIATRIQUE. Toulouse: Edouard Privat, t. XXXVI, avr.-juin 1971.

LACAN, J. *De la psychose paranoïaque dans ses rapports avec la personnalité* [1932]. Paris: Seuil, 1980.

LACAN, J. D'une question préliminaire à tout traitement possible de la psychose [1958]. In: *Écrits*. Paris: Seuil, 1966. p. 531-583.

LACAN, J. Introduction à l'édition allemande d'un premier volume des *Écrits* [1973]. In: *Autres Écrits*. Paris: Seuil, 2001. p. 553-559.

LACAN, J. *Le séminaire. Livre III: les psychoses* [1955-1956]. Texte établi par Jacques-Alain Miller. Paris: Seuil, 1981.

LACAN, J. *Le séminaire. Livre VII: l'éthique de la psychanalyse* [1959-1960]. Texte établi par Jacques-Alain Miller. Paris: Seuil, 1986.

LACAN, J. *Le séminaire. Livre X: l'angoisse* [1962-1963]. Texte établi par Jacques-Alain Miller. Paris: Seuil, 2004.

LACAN, J. O lugar da psicanálise na medicina [1966]. *Opção Lacaniana: Revista Brasileira Internacional de Psicanálise*, São Paulo, p. 9, 2001.

LACAN, J. *Petit discours aux psychiatres*. Paris: [s.n.], 1966. 32 p. Fotocopiado.

LACAN, J. Propos sur la causalité psychique [1946]. In: *Écrits*. Paris: Seuil, 1966. p. 151-193.

LAIA, S. *A lei moral, o desejo e o mal: Kant com Lacan*. 1992. Dissertação (Mestrado em Filosofia Contemporânea) – Faculdade de Filosofia e Ciências Humanas, Universidade Federal de Minas Gerais, Belo Horizonte, 1992.

MACHADO, R. *Foucault, a ciência e o saber*. Rio de Janeiro: Jorge Zahar, 2006.

MEZZICH, J. Psychiatry for the Person: Articulating Medicine Science and Humanism. *World Psychiatry*, v. 6, n. 2, p. 65-67, 2007.

MILLER, J.-A. Mostrado em Prémontré [1984]. In: *Matemas I*. Rio de Janeiro: Zahar, 1996. p. 150-154.

MOYNIHAN, R.; CASSELS, A. *Selling Sickness: How the World's Biggest Pharmaceutical Companies Are Turning Us All Into Patients*. New York: Nation Books, 2006.

PARRY, V. The Art of Branding a Condition. *Medical Marketing & Media*, v. 38, n. 6, 1 May, 2003.

SCHWARZ, A. The Selling of Attention Deficit Disorder. *New York Times*, p. A1, 14 Dez. 2013. Disponível em: <https://goo.gl/pulDLj>. Acesso em: 17 ago. 2014.

TASMAN A. Lost in the DSM-IV Checklist: Empathy, Meaning, and the Doctor-Patient Relationship. *Academic Psychiatry*, v. 26, n. 1 p. 38-44, 2002.

THE PLOS MEDICINE EDITORS. The Paradox of Mental Health: Over-Treatment and Under-Recognition. *PLOS Medicine*, v. 10, n. 5, 2013.

Introdução à psicopatologia lacaniana

Francisco Paes Barreto, Gilson Iannini

A clínica fundamental é a clínica psiquiátrica.
Jacques-Alain Miller

A psicopatologia é tributária da clínica psiquiátrica. Suas origens remontam à clínica psiquiátrica clássica. A psicanálise, em certa medida, também não deixa de ser herdeira da clínica psiquiátrica. Exemplo eloquente é a constatação de que as estruturas clínicas psicanalíticas (neurose, perversão, psicose) derivam de categorias psiquiátricas correspondentes (neuroses, perversões, psicoses funcionais). Apesar dessas convergências, psiquiatria e psicanálise divergem em muitos aspectos.

Por outro lado, as origens da clínica psiquiátrica e da clínica médica estão imbricadas. Medicina, psiquiatria e psicanálise, por conseguinte, têm seus percursos correlacionados de tal forma que não se pode desvincular a história de uma da história das outras. Abordar a evolução de cada uma, ainda que de modo bastante sinóptico, pode trazer subsídios para esclarecer o intrincamento de suas relações.

O nascimento da clínica

Pinel

Hipócrates, que viveu de 460 a 370 a.C., é considerado o pai da *medicina*. Trata-se, por conseguinte, de uma tradição de mais de dois mil anos. O ingresso da medicina na era científica, porém, foi relativamente tardio, devido a obstáculos não apenas morais, mas também epistemológicos, ao estudo científico do corpo. Um exemplo foi a proibição, por muito tempo, do exame e da investigação de cadáveres. A introdução da medicina no discurso científico teve início na segunda metade do século XVIII, com o nascimento da *clínica*, estruturada como experiência (que privilegia o *olhar*), método (a *análise*) e linguagem (que privilegia os *signos*).

Se, na *História da loucura*, Foucault redescobre o Pinel (1745-1826) moralista, em *O nascimento da clínica* redescobre Pinel como grande nome da medicina. Foi o principal artífice do *método clínico* (Foucault, 1987, capítulo VII). Contou, para isso, com subsídios epistemológicos buscados no filósofo enciclopedista Condillac (1715-1780).

Fortemente influenciado pelo empirismo de Locke, para Condillac o conhecimento é um processo cuja base é a observação empírica dos fenômenos que constituem a realidade; tem origem na experiência, nas percepções dos sentidos. Distintamente da perspectiva racionalista, que coloca nas formas *a priori* do intelecto o princípio de formação do conhecimento, para os empiristas as ideias derivam diretamente das impressões sensíveis, e somente em seguida são trabalhadas pelas diversas faculdades da alma. Devemos fundamentar nossos conhecimentos na palavra, expressão material das ideias. Nessa mesma perspectiva, pode-se examinar o espírito humano como um objeto da natureza. Segundo a doutrina empirista, o sujeito não desempenha papel determinante na produção do conhecimento, a não ser o de selecionar as representações mais conformes às impressões sensíveis. No limite, o objeto é a única fonte do conhecimento; toda a justificação do conhecimento deve repousar, em última análise, em sensações objetivas. O sujeito não é mais do que o teatro daquelas representações. O conhecimento é tanto mais verdadeiro quanto mais o sujeito esteja elidido do processo.

A *análise* é o método que os primeiros clínicos receberam da doutrina empirista. Procura relacionar o ato perceptivo com o elemento da linguagem. A descrição do filósofo, assim como a do clínico, visa reproduzir, na sintaxe da linguagem, a ordem dos encadeamentos naturais. "Analisar nada mais é do que observar em uma ordem sucessiva as qualidades de um objeto, a fim de lhes dar no espírito a ordem simultânea em que elas existem... Ora, qual é esta ordem? A natureza a indica por si mesma; é aquela na qual ela apresenta os objetos" (Foucault, 1987, p. 108).

Juntamente com o método da análise, Pinel herdou de Condillac uma concepção *nominalista*, que critica a realidade substancial dos seres abstratos e gerais: tudo o que se pode construir acima dos seres singulares não é nada mais do que *nomes*. Para o nominalista, conceitos são apenas nomes, isto é, as ideias gerais e os conceitos que concebemos em nossa mente não têm existência real. Tal concepção pressupõe, ainda, que a armadura do real é delineada segundo o modelo da linguagem, que um e outro possuem estatuto análogo, isto é, *discursivo*. Por esse motivo, para Condillac, "a ciência não é mais do que uma língua bem feita" (Foucault, 1987, p. 107).

Pinel compartilhava, com os empiristas, profunda desconfiança em relação aos sistemas explicativos, muito abundantes na medicina de então. Em contrapartida, propugnava frequentação tão extensa quanto possível da experiência – no caso, da clínica. Cabia ao estudioso agrupar os fenômenos percebidos e classificá-los em função de suas analogias e diferenças. Assim teríamos as classes, os gêneros e as espécies. Enfim, as categorias extraídas da experiência recebiam o nome que lhes dava vida na ciência, escapando da polissemia da linguagem comum. Nesse trabalho de análise e síntese, o pesquisador terá evitado introduzir sua própria subjetividade, ou contaminar o processo do conhecimento com os seus próprios "ídolos", na acepção de Bacon.

Mais tarde, em meados do século XIX, tamanha confiança na observação e tamanha desconfiança na teoria encontrarão no positivismo de Comte sua máxima expressão: os fenômenos, tal como são apreendidos, não são a essência última da realidade, mas "paralelos" o suficiente para que se possa basear neles um saber aproximado e válido. No entanto, o homem jamais conhecerá exatamente o real; terá acesso apenas ao que lhe aparece, o que é o bastante para extrair um conhecimento pragmaticamente eficaz – e só isso tem importância (Bercherie, 1989, p. 33).

"Abram alguns cadáveres"

"Abram alguns cadáveres": eis a exortação de Bichat (1771-1802) aos médicos de sua época. Ele soube reconhecer o cadáver no estatuto de fenômeno real e de texto; objeto de análise e livro aberto à leitura dos processos da vida, da doença e da morte. Somente então nossa cultura enunciou o primeiro discurso científico sobre o indivíduo (Foucault, 1987, p. 227).

Aos 32 anos, feriu-se durante uma dissecação e morreu em consequência de um "envenenamento cadavérico", como se dizia na época. Embora tenha uma dívida grande para com Pinel, distanciou-se dele e avançou em outra direção, enraizando a epistemologia da clínica na anatomia patológica e constituindo o *método anátomo-clínico*. A orientação de Bichat, amplamente hegemônica na medicina científica, é fiel ao método da análise, subsidiando-se na experiência e conferindo prestígio ao olhar. Distanciou-se, porém, do nominalismo então vigente no método clínico, segundo o qual a análise se apoiava somente em palavras ou em percepções susceptíveis de serem transcritas numa linguagem. Com Bichat, passa-se de uma percepção analítica a uma percepção das análises reais. A análise, sim, mas separada de seu suporte linguístico; análise que diz respeito a fenômenos reais não mais concebidos como meras entidades discursivas (Foucault, 1987, p. 150).

Enquanto o edifício da medicina pendia claramente para o método anátomo-clínico, Pinel manteve-se ligado às concepções nominalistas e (por isso mesmo), até o fim da vida, permaneceu surdo às lições essenciais da anatomia patológica. Continuou afirmando, por exemplo, que as febres e as neuroses (entre as quais incluía as loucuras) estavam isentas de lesões orgânicas. No que tange às febres, recebeu ataques violentos de Broussais (discípulo de Bichat), e sua posição custou-lhe uma derrota completa (Foucault, 1987, capítulo X).

A armação do real forjada segundo o modelo da linguagem, com a pressuposição de uma simetria entre eles, era uma concepção que Pinel herdou de Condillac (Foucault, 1987, p. 109) e que hoje podemos chamar de ingênua. É possível que ele tenha tido algum vislumbre da fragilidade de seu modelo epistemológico. E que por esse motivo tenha optado pela *psiquiatria*, disciplina que fundou ao aplicar o método clínico ao estudo das alienações mentais. Pois o objeto da psiquiatria está constituído na linguagem do paciente. Essa é a "coisa" da psiquiatria. Desse modo, o método de Pinel deixava de mancar: o preconceito nominalista de uma ordem discursiva do real ficava mascarado quando se tratava de descrever os processos das alienações mentais.

Em sintonia com sua posição de descrença na anatomia, ao teorizar sobre a natureza das alienações mentais, Pinel considerou a lesão cerebral como contingente, e postulou como primário um distúrbio funcional do sistema nervoso central. Trata-se da *posição funcionalista* mais radical que a história da psiquiatria conheceu.

Foi assim que nasceu a psiquiatria: pelo método clínico e com postulação funcionalista. Privilegiando o olhar, ou a descrição fenomenológica, sim, mas o olhar de quem ouve.

A clínica psiquiátrica clássica

Em busca do substrato anatômico

Pinel, portanto, fundou a psiquiatria e deu início a uma tradição: a da clínica, como caminho consciente e sistemático (Bercherie, 1989, p. 31).

O que se convencionou chamar de *clínica psiquiátrica clássica* se estende de Pinel a Clérambault (1872-1934) – passando por Esquirol, Baillarger, Falret, Magnan, Séglas, Sérieux, Capgras, Charcot –, na escola francesa, e de Griesinger (1817-1868) a Kraepelin (1856-1925) – e por Kahlbaum, Schule, Krafft-Ebing –, na escola alemã.

Enquanto Pinel é considerado fundador do método clínico e da clínica psiquiátrica, Esquirol (1772-1840), seu principal discípulo, é tido como um dos maiores clínicos da história da psiquiatria. A nosologia pinel-esquiroliana caracterizou-se pela definição de síndromes – fachadas psíquicas da alienação mental. Esquirol baseou-se, por outro lado, numa psicologia mais complexa que a de Pinel: a de Royer-Collard, da Escola Espiritualista Eclética. Como seu mestre, manteve-se funcionalista, mas abriu espaço para o *anatomismo*, adotando posição eclética (Bercherie, 1989, capítulo 2).[1]

Em 1822 Bayle (1799-1858) apresentou uma tese (*Pesquisas sobre as doenças mentais*) em que descrevia uma nova forma de alienação mental: a *paralisia geral progressiva*. Utilizava, em primeiro lugar, um critério clínico-evolutivo, ou seja, concebia a nova doença num processo diacrônico, em que as categorias pinel-esquirolianas não passavam de subelementos, ou de síndromes que se sucediam. E, em segundo lugar, um critério anátomo-clínico, ou seja, relacionava o quadro clínico com o substrato anatômico (uma meningite crônica).

Esquirol e seus discípulos criticaram duramente e rejeitaram as ideias de Bayle, que, decepcionado, abandonou a psiquiatria. A tese de Bayle incomodou tanto exatamente por significar o princípio do fim da nosologia pinel-esquiroliana. Demorou cerca de 20 anos para ser aceita.

A descoberta de Bayle influenciou Griesinger (1817-1868), o pai da escola alemã. É possível ler, logo na página 1 do seu *Tratado das doenças mentais*, a famosa afirmação: "Devemos sempre ver antes de tudo nas doenças mentais uma afecção do cérebro" (Griesinger, 1865, p. 1). Tal *posição anatomista* radical trouxe-lhe a fama de ser o pai do organicismo e o autor de uma "psiquiatria sem psicologia". Não é verdade: ele foi um clínico magistral e, o que é mais surpreendente, autor de uma fina teorização psicológica, fundada em noções que apropriou de Herbart, filósofo sucessor de Kant na cátedra de Königsberg.

Depois da morte de Esquirol e da postulação de Griesinger, toda a psiquiatria clássica tornou-se anatomista e passou a sonhar com a inserção

[1] Muito mais tarde, descobriu-se que a paralisia geral é uma forma quaternária de sífilis, uma sífilis cerebral.

da psiquiatria no método anátomo-clínico da medicina, tendo como paradigma a paralisia geral. Além disso, partiu para a construção de uma nova nosologia, conforme a proposição de Falret (1794-1870), baseando-se no critério evolutivo e na história natural da doença, e visando à definição das entidades clínicas ou "espécies verdadeiramente naturais" (Bercherie, 1989, capítulo 6).

O método clínico é uma viagem sem volta

Na verdade, porém, a psiquiatria clássica nunca pôde se fundar na anatomia patológica, embora tivesse situado no seu horizonte essa possibilidade. E, ironicamente, sobreviveu na medida em que esse sonho não se realizou: uma identificação plena com a clínica médica representaria a sua absorção pela neurologia. Sim, os velhos psiquiatras entregaram-se sem ressalvas ao método clínico, visando retornar, um dia, à base anátomo-patológica abandonada. Não sabiam, todavia, que faziam uma viagem sem retorno ao reino da linguagem.

No total, a clínica psiquiátrica clássica estendeu-se por um período superior a um século, num trabalho minucioso que teve por finalidade descrever, sistematizar e classificar os quadros clínicos das doenças mentais. As contribuições das duas grandes escolas, a francesa e a alemã, chegaram a resultados próximos, mas não convergentes.

O autor que melhor condensa esse longo período é Kraepelin (1856-1925). Foi discípulo de Wundt (1832-1920), o criador do associacionismo, e por sugestão deste dedicou-se à clínica. Seu *Compêndio de psiquiatria* apareceu em 1883 com 380 páginas. Após oito edições, transformou-se, em 30 anos (1913), num tratado de quatro volumes e 2.500 páginas: trabalho de Hércules que pode ser considerado um inventário do saber psiquiátrico clássico (Bercherie, 1989, capítulo 16).

Apesar do extenso legado, a contribuição da psiquiatria clássica obedece a uma perspectiva puramente descritiva e classificatória, e baseia-se numa fenomenologia rudimentar. Na obra dos psiquiatras clássicos encontra-se o primeiro momento da constituição da *psicopatologia*. O momento mais importante, porém, teve seu advento no início do século XX.

A medicina de bases científicas

Base biológica do normal e do patológico

O estabelecimento das bases científicas da medicina teve início, como dissemos, na segunda metade do século XVIII, com o nascimento da clínica, e só foi concluído quase dois séculos depois, na primeira metade do século XX. É possível sintetizar a longa trajetória da medicina rumo a esse objetivo de se estabelecer como ciência do seguinte modo:

i. A estruturação da clínica como *método*, *experiência* e *linguagem*, numa formalização que ficou conhecida como *método clínico*, e cujo principal artífice foi Pinel, conforme já foi assinalado.
ii. O enraizamento epistemológico da clínica na anatomia patológica, que se passou no nível do órgão (Morgagni, 1682-1771), do tecido (Bichat, 1771-1802) e da célula (Virchow, 1821-1902), resultando no *método anátomo-clínico* (Canguilhem, 1990, p. 183).
iii. Finalmente, a definição do normal e do patológico em termos fisiológicos, com a descoberta das constantes do meio interno, por Claude Bernard (1813-1878), e com a construção do conceito de *homeostasia,* por Cannon (1871-1945).

Tudo pode ser resumido, então, da seguinte forma: o estabelecimento do normal e do patológico em sólidas bases biológicas, isto é, em bases clínicas, anatômicas e fisiológicas. Tal projeto esse que se deparou com sérias dificuldades: a publicação de *O normal e o patológico*, de Georges Canguilhem, mostrou uma ineliminável dimensão política das distinções entre o normal e o patológico, na medida em que a normalidade exibe a estrutura valorativa da normatividade social; e a psicanálise, de Freud a Lacan, que também borrou tais fronteiras, ao propor um sujeito que se constitui em relação a estruturas tais como neurose, psicose e perversão. Em ambos os casos, a doença não é vista como resultado de uma má adaptação do organismo ao meio. Ao contrário, muitas vezes, a doença é o resultado de uma adaptação bem-sucedida, em que qualquer variação do meio é traduzida em sofrimento.

A psiquiatria das grandes escolas

Ciências da natureza e ciências humanas

No início do século XX, quando a definição das bases científicas da medicina estava em fase de conclusão, algo ficou claro para a psiquiatria: ela não poderia apoiar-se nas mesmas bases. A dedução não era recente; há muito se percebia isso. A novidade veio de um passo além: a impossibilidade não era decorrente de atraso do conhecimento científico, mas da natureza do objeto da psiquiatria.

Um argumento célebre foi lembrado por Karl Jaspers (1883-1969), fundador da psicopatologia fenomenológica. A causalidade orgânica na psiquiatria, mesmo quando comprovada, não apresenta a linearidade da causalidade orgânica na medicina. Não há correspondência biunívoca entre o quadro clínico e o achado cerebral. Jaspers cita o exemplo da paralisia cerebral, uma forma de neurossífilis: com base no diagnóstico clínico, Kraepelin descobriu 30% de paralíticos em seu estabelecimento; com a punção lombar e o serodiagnóstico, introduzido nesse período, não encontrou mais do que 8 a 9% (Jaspers, 1987, p. 689-690).

Com efeito, no início do século XX ganha força a divisão do campo epistêmico entre *ciências da natureza* e *ciências humanas*.[2] A esfera da natureza seria susceptível aos métodos consagrados da ciência clássica (galileana), na qual se busca formular as leis que regem a regularidade do fenômeno físico, na forma de sua explicação, ao passo que a esfera da história e do homem precisaria dotar-se de metodologia *sui generis*. Duas palavras-chave se impõem para mostrar a diferença: o *explicar* (na linhagem das ciências da natureza) e o *compreender* (na linhagem de qualquer ciência humana).

Vale a pena retomar, sumariamente, o contexto da discussão. A querela dos métodos é aproximadamente contemporânea do estabelecimento da psiquiatria como ciência e também do surgimento da psicanálise. Surgida um pouco antes, na segunda metade do século XIX, ela ganha seu estatuto teórico com Dilthey, a partir da publicação, em 1883, da *Introdução às ciências do espírito*. Com a emergência das "ciências humanas", no século XIX, surge o problema do estatuto a ser conferido a elas. De uma maneira muito esquemática, podem-se caracterizar duas atitudes básicas. Uma pode ser bem representada por Dilthey ou por Jaspers (dualismo epistemológico), outra por Comte ou pela escola fisicalista alemã de Helmholtz (monismo epistemológico). Um breve exame da situação é necessário para mostrar como a perspectiva estrutural, na visão de Lacan, supera essa dicotomia, conforme mostraremos ao final do capítulo.

Dilthey é o primeiro pensador a conceber uma epistemologia para as ciências do homem autônoma em relação à epistemologia das ciências da natureza. Assim, é a heterogeneidade entre as ciências da natureza (*Naturwissenschaften*) e as ciências do espírito (*Geisteswissenschaften*) que alimenta sua reflexão, heterogeneidade esta determinada pelo objeto do qual se ocupam. As ciências da natureza se ocupariam de uma parte da realidade, de um lote da vida, que o homem não criou: os planetas, os

---

[2] *Geisteswissenschaften:* uma tradução literal seria "ciências do espírito", contudo, em português, chamamos o grupo de ciências que se opõem às ciências da natureza de ciências humanas (e sociais).

corpos celestes e terrestres, as plantas e a terra, o corpo humano e seus órgãos, o movimento: *o que é* desde sempre, aquilo que seria independente da intervenção humana. Por permanecer idêntica a si mesma, a natureza pode ser medida, calculada. Fundadas na observação e na experiência, as ciências naturais teriam garantido seu estatuto. Da física matematizada se tomariam de empréstimo os modelos de rigor e cientificidade. Já as ciências do espírito[3] se ocupariam do meio prático da vida, do mundo criado, habitado e transformado pelo próprio homem, isto é, as sociedades, a história e os indivíduos. Morada do tempo, lugar do devir, o objeto das *Geisteswissenschaften* seria, na visão de Dilthey, irredutível à álgebra ou à geometria. Categorias como historicidade, significação e interpretação, advindas seja da história, da filologia ou da teologia, passam a ser alternativas à "rigidez" do modelo matemático. Por conseguinte, é a partir da definição do *objeto* da ciência, isto é, a partir de sua sustentação ontológica, que Dilthey distingue ciências da natureza e ciências do espírito. Já para Jaspers a antinomia se dá basicamente no terreno dos métodos. É bastante conhecida a fórmula: a *explicação* se aplica à natureza, enquanto, para o espírito, a *compreensão*. Para cada objeto um método, para cada método um objeto. Ao passo que a explicação (*Erklärung*) supõe uma distância do observador em relação ao objeto, a compreensão (*Verstehung*) implica uma relação de empatia (*Einfüllung*). Para compreender o sofrimento do paciente, é necessário se colocar no lugar dele, avaliando assim se sua reação se apresenta como psicologicamente determinada.

Se Freud jamais adotou essa divisão, por considerá-la inepta, Lacan chega a qualificar de "nefasta" essa antinomia que busca reservar ao fenômeno psíquico não organicamente determinado o método da compreensão (Lacan, 1998, p. 651), colocando a recusa da compreensão na própria base da escuta clínica. É preciso recusar a compreensão para tomar distância da miragem imaginária inerente a essa perspectiva intersubjetiva da compreensão, que engendra, necessariamente, um jogo de espelhos na dança dos espíritos.

A outra atitude básica frente ao problema da cientificidade das ciências humanas no século XIX pode ser representada, na Alemanha, pela escola fisicalista, e, na França, pelo positivismo de Comte. O juramento fisicalista, pedra angular da escola helmholtziana, pode ser reduzido a seu postulado fundamental de "que somente as forças físicas e químicas, com

[3] Não faremos, para simplificar, nenhuma distinção entre ciências do espírito, ciências humanas ou ciências sociais. Para os fins a que nos propomos, basta a oposição em relação às ciências ditas naturais.

exclusão de qualquer outra, agem no organismo" (Assoun, 1983, p. 54). O caráter híbrido do discurso psiquiátrico remonta a esse pano de fundo.

Escolas fenomenológicas e psicodinâmicas

Se o discurso científico exigiu da medicina a exclusão da subjetividade, tanto do observador como do observado, no caso da psiquiatria caminhou-se em rumo oposto, com o aparelhamento para o estudo da subjetividade dos pacientes. É nesse contexto que se constituiu como disciplina híbrida (Alonso-Fernández, 1968, p. 12), com uma vertente científico-natural e outra histórico-cultural, reunindo subsídios da medicina e, conforme a escola, contribuições da fenomenologia, do existencialismo ou da psicanálise, contribuições estas destinadas, portanto, ao estudo da subjetividade dos pacientes.

A *Psicopatologia geral*, de Karl Jaspers, publicada em 1913, foi um divisor de águas. Além de aplicar o método fenomenológico à clínica, o autor introduz na psiquiatria a diferença entre o explicar e o compreender, considerando-a na sua dupla face de ciência da natureza e ciência do espírito.

A primeira metade do século XX, por conseguinte, foi marcada pela diversificação das escolas psiquiátricas. As fenomenológicas: fenomenológico-clínica alemã (Grühle, Mayer-Gross, Karl Schneider, Kurt Schneider), fenomenológico-clínica francesa (Blondel, Dide, Guiraud, Minkowski), antropológico-fenomenológica (Gebsattel), fenomenológico-existencialista (Binswanger, Kuhn, Strauss). As psicodinâmicas: psicodinâmica alemã (Möbius, Bleuler, Kretschmer), psicodinâmica francesa (Claude, Baruk), organodinâmica (Ey), psiquiatria dinâmica inglesa (Maxwell Jones), psiquiatria dinâmica americana (Alexander).

De imperfeita – como toda classificação – ela tem, contudo, o mérito de mostrar a pluralização – o que era considerado um pecado pelo discurso universalizante da ciência galileana.

O DSM e o fim da clínica psiquiátrica

Em meados do século XX, iniciou-se uma reviravolta na psiquiatria. De 1950 até a virada do século, ou seja, em menos de 50 anos, o quadro mudou de forma impressionante. O ponto de partida foi a introdução dos modernos psicofármacos. O primeiro ansiolítico foi o *meprobamato* (1950); o primeiro antipsicótico, a *clorpromazina* (1952); o primeiro estabilizador do humor, o *lítio* (1954); e o primeiro antidepressivo, a *imipramina* (1957). O impacto causado pelos novos medicamentos foi decisivo.

Paralelamente a essa inovação terapêutica houve outra iniciativa de alcance incalculável: a publicação do *Manual Diagnóstico e Estatístico de Transtornos Mentais* (DSM) da Associação Psiquiátrica Americana, em 1952. Trata-se da classificação dos *transtornos mentais e de comportamento* que se baseia na listagem e na quantificação dos sintomas, realizada mediante consenso que se propõe cada vez mais amplo. Após quatro edições, a nova classificação alcançou uma divulgação tão expressiva que definiu a orientação da própria Classificação Internacional de Doenças (CID-10), da Organização Mundial de Saúde, no final do século XX (1992).

Entidades nosográficas como a histeria ou a melancolia foram pulverizadas em transtornos mais homogêneos, caracterizadas por descrições pretensamente ateóricas de traços observáveis de comportamento. Visando à uniformização da linguagem psiquiátrica e à classificação dos distúrbios segundo padrões estatísticos, o DSM-IV afastou categorias oriundas de disciplinas resistentes a descrições objetificantes, como a psicanálise. Mas nem sempre foi assim: o DSM-II (1952) era fortemente marcado pela psiquiatria psicodinâmica, que incorporava algumas noções psicanalíticas.

Na psiquiatria que precedeu o DSM não havia acordo entre os autores; os grandes psiquiatras apresentavam, cada um, sua própria classificação, às vezes com diferenças expressivas. A perspectiva almejada pelo DSM é do consenso, a tal ponto que foi possível uma classificação internacional, um acordo transcultural, um pacto universal. Como se uma verdade pudesse ser fundamentada consensualmente. Se o critério fosse o consenso, Copérnico teria permanecido geocentrista.

O paralelismo entre o advento dos novos psicofármacos e o surgimento da nova classificação não é casual. O DSM é a classificação construída para a era dos psicofármacos. Os diagnósticos são simplificados, e os sintomas, explicitados como alvos, numa perspectiva sintonizada com as pesquisas e apropriada para o emprego clínico de tais medicamentos. A cada diagnóstico se busca fazer corresponder um tratamento específico: eis o princípio básico dos algoritmos terapêuticos. Passou a existir hegemonia ampla do método estatístico, em função do qual os dados são tratados sob o manto da generalização.

Depois que a orientação do DSM foi adotada pela Classificação Internacional de Doenças (CID), todo o campo da saúde mental foi forçado a seguir tal referência (OPAS; OMS, 2001). E a equação *tratamento = supressão de sintomas* tornou-se cada vez mais generalizada.

Com a introdução dos psicofármacos e o avanço das neurociências a psiquiatria pretendeu, enfim, seu ingresso no discurso científico e sua plena identificação com a medicina. Tal pretensão tornou obrigatória a exclusão da subjetividade, como mostram o DSM e de maneira paradigmática os ensaios clínicos, em que o poder da transferência é isolado e anulado sob a designação "efeito placebo".

Excluir a subjetividade, em vez de saber lidar com ela, é claramente um problema para a medicina. Basta lembrar que o mais importante dos sintomas, a dor, é um sintoma subjetivo. No caso da psiquiatria, a desconsideração da subjetividade trouxe nada menos do que o fim da clínica, tal como era concebida.

Estaria próximo o fim da psiquiatria? Se nada mudar, é possível. Excluída a subjetividade, tornam-se apagados os limites da psiquiatria com a neurologia. Na prática, é o que se verifica. Cada vez mais psiquiatras se dedicam a temas antes restritos à neurologia, cada vez mais neurologistas medicam pacientes antes restritos à psiquiatria. Em vários países de primeiro mundo, não mais existe residência de psiquiatria: tornou-se um capítulo da residência de neurologia. E os psicofármacos estão sendo chamados de neurofármacos. A neurologização da psiquiatria evoluirá para a absorção da psiquiatria pela neurologia.

Tudo em nome do advento de bases científicas. No caso da medicina, trouxe avanços muito valiosos, mas, também, efeitos colaterais cujo preço é alto e que clamam por melhor manejo. No caso da psiquiatria, a identificação plena com a medicina foi inteiramente forçada e sem fundamento científico. Onde está a definição do normal e do patológico em sólidas bases biológicas (clínicas, anatômicas e fisiológicas)? Quando se perfilam os transtornos mentais e do comportamento incluídos no DSM, verifica-se que nenhuma caracterização biológica sustenta tal classificação. Sua base é outra. Enfim, a psiquiatria do DSM jogou fora a subjetividade sem se tornar científica. Rasa e universal, bem a gosto do consumismo globalizado, poderia sem exagero ser chamada de "psiquiatria Big Mac".

Não é fortuita a ausência de um verdadeiro programa clínico no campo das neurociências. Isso não é casual, pois basta dar a palavra ao sujeito para ver cair por terra esse ideal de representação científica da doença mental num código sem ambiguidades. O exemplo maior disso continua sendo o de Freud, que cedo percebeu a categoria irredutível do sujeito em sua experiência clínica. Mesmo partindo das concepções naturalistas da ciência de seu tempo, Freud se viu levado, malgrado ele próprio, a reintroduzir a subjetividade no campo metapsicológico pelo simples e fundamental gesto de escutar o que tem a dizer seu paciente. Freud, ali, encontrou um sujeito irredutível às classes que o englobam, ali onde a classificação *per si* visa calar o sujeito numa classe universal que o apreende sem resto.

O que caracteriza uma clínica que possa realmente sustentar esse nome é o esforço de pensar o sujeito em sua singularidade irredutível. Uma classificação diagnóstica deve ser suficientemente precisa e bem fundamentada para permitir uma estratégia de condução do tratamento, mas suficientemente aberta para pensar a maneira que cada sujeito encontra de ser inagrupável, isto é, de permanecer dessemelhante dos demais membros de sua própria classe. Toda verdadeira clínica nunca é mera técnica, é também uma aposta ética e política. É por esse conjunto de razões que, no atual momento, precisamos não de mais classes diagnósticas, mas de menos.

A psicanálise, com Freud

O desconforto epistemológico da psicanálise

A abordagem da epistemologia freudiana exige, antes de tudo, a constatação de sua originalidade. À primeira vista, Freud ignorou placidamente a polêmica presente na sua época e não se manifestou sobre a dicotomia ciências da natureza e ciências do espírito. Seu silêncio não foi uma omissão; pelo contrário, marcou sua posição. Para ele, não há, falando rigorosamente, ciência senão da natureza. Ora, se a psicanálise é uma ciência digna desse nome, então ela é uma ciência da natureza (Assoun, 1983, p. 50-51).

Contrário ao dualismo epistêmico, portanto, sua posição concerne a um *monismo* caracterizado e radical. Quanto a esse aspecto, sua inspiração fundamental foi Haeckel, para quem monismo é "a concepção unitária de toda a natureza", que se baseia numa tese ôntica que propõe "a unidade fundamental da natureza orgânica e inorgânica" e numa tese epistêmica segundo a qual "todo o mundo cognoscível existe e se desenvolve segundo uma lei fundamental comum". A partir daí vem a recusa a todos os sistemas dualistas e pluralistas (Assoun, 1983, p. 226).

Com efeito, tão firme convicção científico-natural levou-o a uma adoção explícita do modelo físico-químico, a começar pelo próprio nome: *psicanálise*. Análise é o método de decomposição que leva aos elementos básicos. Outros termos são indicativos dessa influência: sublimação, condensação, deslocamento, fusão, resistência, mecanismo, investimento, energia livre, energia ligada, *quantum*, estase, inércia, constância. Subscrever esse cientificismo fisicalista teve uma implicação essencial: o *determinismo*, do qual Freud não se separará jamais, ainda que, para a psicanálise, o determinismo seja sempre marcado com o selo da incompletude.

A epistemologia freudiana pode ser organizada a partir da estrutura de sua metapsicologia. Qual é essa estrutura? Ele mesmo a define, sob os pontos de vista *tópico*, *dinâmico* e *econômico*. O que pode ser traduzido como: 1) teoria dos lugares; 2) teoria das forças; 3) teoria da energia (Assoun, 1983, p. 111). Enquanto teoria dos lugares, a referência principal é a ideia de uma divisão em regiões com leis de funcionamento distintas. Enquanto teoria das forças, está sempre em jogo uma concepção física do aparelho psíquico. E enquanto teoria energética, a inspiração que prevalece é a do modelo fechnero-helmoltziano.

Na perspectiva de Lacan, mais do que contingente, a posição epistemológica de Freud lhe é essencial. É graças a ela que, por exemplo, a psicanálise está salvaguardada das críticas de inspiração pseudomarxista que tentariam reduzir a doutrina de Freud às condições históricas de sua elaboração. A despeito do contexto histórico que poderia *relativizar* a descoberta freudiana – dupla monarquia, judaísmo, capitalismo e ética burguesa –, o pensamento de Freud estaria a salvo desse relativismo na medida em que se orienta pelo discurso da ciência, cujas leis não se modificam ao sabor dos acontecimentos históricos. Os fenômenos estruturais que a psicanálise isola e descreve, tais como o recalque, a satisfação pulsional, o compromisso sintomático, etc., são válidos em quaisquer circunstâncias para todo ser afetado pela linguagem. É por isso que Lacan propõe pensar o sujeito da psicanálise como efeito estruturado pelo discurso da ciência, em 1966. O sujeito da experiência psicanalítica se define muito mais pelas leis atemporais da linguagem que o determinam do que pelo conteúdo variável e circunstancial de suas condições discursivas históricas.

O tratamento dado ao sujeito situa-se em um nível no qual toda substancialidade e toda interioridade foram devidamente esvaziadas. É porque estava desobrigado do *sentido*, como precipitado imaginário de trocas intersubjetivas, que Freud se furtou a apenas descrever a interioridade, historicamente determinada, da subjetividade. Se o sujeito freudiano subsiste às rupturas históricas pelas quais o século XX passou, inclusive a reviravolta da moral sexual, é porque ele havia sido formulado em sua estrutura.

O que se pode concluir daquilo que nos diz Freud?

> Que a psicanálise, como forma de saber, operando no espaço do inacabamento, se realizará em sua morte, uma vez alcançado o limite de sua perfeição epistêmica, absorvido pelos outros saberes.

> Imaginemos – posto que esta imagem encontra-se incessantemente no horizonte da consciência epistêmica de Freud – as correlações anatômicas fixadas, as substâncias químicas descobertas, as medidas realizadas, tópica, dinâmica e econômica concluídas; fechado o campo, a psicanálise concluída como edifício metapsicológico se tornaria um ponto imaginário nos confins de uma anatomia, de uma física e de uma química acabadas. Sua morte e sua perfeição se conjugam, pois, em seu imaginário científico (Assoun, 1983, p. 215).

A psicanálise, com Lacan

O estruturalismo e a superação do dualismo epistemológico

Se Lacan se diz freudiano, deve-se começar pela diferença. A física e a biologia nunca ocuparam, para ele, o lugar fundamental que ocuparam para Freud. Para ele, esse lugar foi ocupado, inicialmente, pela linguística. Tanto é assim que o primeiro ensino de Lacan pode ser concebido como uma ampla, coerente e bem sistematizada leitura estruturalista de Freud. Como situar, ainda que em termos sucintos, a questão estruturalista? Na primeira metade do século XX, como já visto, o campo epistêmico estava dividido entre ciências da natureza e ciências do homem.

O programa estruturalista de investigações incidiu exatamente sobre essa questão, tendo como tese a improcedência do dilema. Argumentou em sua doutrina e demonstrou em sua prática que setores inteiros das chamadas ciências humanas podiam ser objeto de uma ciência no sentido galileano do termo. Os exemplos mais eloquentes seriam a linguística (Saussure, Jakobson), a antropologia estrutural (Lévi-Strauss) e a teoria dos jogos (Von Neumann). O termo "estrutura" foi escolhido para definir o objeto comum a ser investigado, paradigma adotado da linguística.

Segundo Lacan (1998, p. 285 [284]), a emergência do paradigma da estrutura nos obriga a "revisar a classificação das ciências que conservamos do século XIX, num sentido que os espíritos mais lúcidos denotam claramente". Essa visão errônea da história das ciências pode ser consertada, sugere Lacan, pela leitura de Koyré. Os estudos de Koyré mostram exatamente como o principal motor da revolução científica dos séculos XVI-XVII está longe de ser algo como a vitória da observação sobre a teoria, da vida ativa sobre a contemplativa, etc. O artigo intitulado "Uma experiência de medida", citado em *Função e campo da fala e da linguagem em psicanálise* (Lacan, 1998), trata do papel da *teoria*, em oposição à *experiência* na revolução científica. Perseguindo seu objetivo de refutar interpretações de tendência empirista da ciência, Koyré mostra como a *introdução da medida no real* depende da passagem do mundo qualitativo da ciência aristotélica ao mundo arquimediano da ciência galileana, substituindo *o mundo do mais ou menos* por um *Universo de precisão* (Koyré, 1982, p. 272). Como não lembrar de *Subversão do sujeito*: "as condições de uma ciência não poderiam ser o empirismo" (Lacan, 1998, p. 809)?

Isso nos conduz ao cerne da questão epistemológica central daquele momento, a crítica da compreensão. Afastada a perspectiva positivista de fundamentação da psicanálise, ou, mais precisamente, afastada a concepção "científica" de verdade como adequação entre proposições e fatos, tudo parecia indicar que não restaria à psicanálise senão a perspectiva compreensiva da fenomenologia e/ou da hermenêutica. É diante desse quadro que precisamos colocar a questão da crítica lacaniana da compreensão.

A crítica lacaniana da compreensão visa, em primeiro lugar, aos fundamentos da psicopatologia geral de Jaspers e à interpretação fenomenológica da psicanálise freudiana. Lacan apresenta a compreensão jasperiana como uma perspectiva que negligencia uma enorme variedade de sequências possíveis a um dado acontecimento, na medida em que enfeixa o sentido numa relação intersubjetiva especular. Os dois primeiros exemplos mobilizados para mostrar os limites da perspectiva compreensiva são o de uma criança que leva um tapa e o do suicídio. É plenamente compreensível, por exemplo, que uma criança chore depois de levar um tapa, ou que alguém com inclinações suicidas escolha o outono, estação de declínio da vida natural, para declinar de sua própria existência. Parece menos compreensível, mas nem por isso menos verdadeiro, que uma criança possa zombar do adulto quando leva um tapa. Ou, como no exemplo aludido por Lacan, que uma criança suspenda momentaneamente sua reação até que o adulto responda a ela se aquilo era um tapa ou um carinho, para que ela possa então chorar ou sorrir. Parece também incompreensível que o suicida escolha um ensolarado domingo de primavera para pôr fim à sua vida, como parecem também incompreensíveis padrões comportamentais como os de alguém que, possuindo tudo que deseja e realizando tudo que dizia almejar, possa se sentir deprimido ou vazio, ou, como disse Freud, arruinado pelo êxito. Em todos estes exemplos, está em jogo uma certa caricatura da compreensão. Talvez não fosse assim tão difícil para o partidário da perspectiva compreensiva responder ponto por ponto a esses exemplos e restituir a fecundidade de seu método. Mas, em todo caso, Lacan tem razão no mínimo em afirmar que a compreensão envolve sempre um componente imaginário e, no limite, moral, porque fundado na intersubjetividade e no paradigma do sentido.[4]

À perspectiva compreensiva Lacan vai opor sua abordagem estrutural do significante e tentar reerguer o estatuto da apreensão conceitual. Com efeito, a categoria de ordem simbólica, posta em relevo a partir da perspectiva estruturalista, permite uma abordagem não compreensiva dos fatos clínicos. Afinal, "o importante não é compreender; é atingir o verdadeiro" (Lacan, 1985, p. 59). Esquematicamente, pode-se dizer que a compreensão é coextensiva ao sentido, ao passo que a verdade funciona como seu limite exterior. No famoso "Posfácio" ao primeiro *Seminário* publicado, *Os quatro conceitos fundamentais da psicanálise*, Lacan retoma um dos *topoi* prediletos de sua retórica: a clássica oposição explicar X compreender. Como mostra Ram Mandil (2003, p. 177), compreender tem o sentido de "apreender", "abraçar", "limitar" o objeto; enquanto *explanare* tem o sentido de espalhamento, desdobramento.

Do ponto de vista clínico, a crítica da compreensão procura precaver os efeitos terapêuticos negativos ligados à resistência, pois compreender é, ao fim e ao cabo, colaborar com a resistência (Lacan, 1985, p. 60). Compreender é colaborar com a resistência por duas razões: porque fornece sentido ali onde o trabalho deveria ser justamente de esvaziar o excesso de sentido presente no gozo sintomático do obsessivo, por exemplo, e também porque compreender é fixar no eixo intersubjetivo as miragens narcísicas da relação dual e simétrica, elidindo a possibilidade de que o desejo possa emergir, o que supõe sempre a assimetria entre o sujeito e a alteridade.

No caso específico da paranoia schreberiana, Lacan mostra que o delírio prescinde de um interpretante que compreenda seu sentido, porque ele já contém em si as chaves de sua própria interpretação. É isso que faz com que seja o próprio sistema do delirante que nos fornece "os elementos de sua própria compreensão" (Lacan, 1985, p. 41). Vale dizer, o próprio sistema do delirante, e não o sistema do psiquiatra ou do filósofo, delirante ou não.

A crítica da compreensão, no início da década de 1950, pode ser vista como uma espécie de capítulo epistemológico da crítica da dimensão especular do imaginário.

---

[4] A tese de doutorado de Lacan, defendida em 1932, pode ser vista a partir da perspectiva compreensiva. Portanto, seu distanciamento com relação a esse paradigma é também, em alguma medida, afastamento com relação a suas próprias raízes.

A fim de revisar a classificação das ciências construída no século XIX, Lacan arrisca mais alguns passos no terreno da história das ciências. "É aqui que o estruturalismo é visto como aquele movimento que "instaura uma nova ordem nas ciências" (Lacan, 1998, p. 285). Com efeito, a linguística teria alcançado um incontestável estatuto de cientificidade.

A linguística como ciência-piloto, em Lacan, *não* implica um modelo de formalização exterior à psicanálise nem uma outra ciência como fonte que empresta conceitos e normas de construção de conceitos e que, como consequência, fique na posição de legislar sobre a utilização desses empréstimos. Sobretudo, a linguística funciona como um modelo de como superar velhas dicotomias e inaugurar um novo campo discursivo; de como formar novos objetos teóricos, dispositivos de formalização e conceitualização para investigá-los. Em resumo, a linguística estrutural mostra que é possível formular para objetos não naturais um método de formalização tão rigoroso quanto o de um Galileu ou de um Newton. Esse método decorre do processo de redução estrutural que culmina na literalização do real, exemplificado nas figuras do fonema (Jakobson), do mitema (Lévi-Strauss) e do significante (Lacan).

Mas isso não quer dizer que aqueles objetos, aqueles conceitos e aquelas regras serão importadas sem mais. Ou, no caso de importações, empréstimos ou derivações, não implica qualquer tipo de subordinação. Mesmo que muitas vezes os étimos epistemológicos de alguns conceitos lacanianos remontem à linguística estrutural – como o caso da estrutura e do significante, por exemplo –, isso não significa que para cada conceito importado corresponda algum tipo de compromisso teórico. Por isso era necessário marcar a especificidade do campo psicanalítico para que uma abordagem estrita do campo pudesse se beneficiar dos "aparelhos" formais disponíveis desde então. Um conceito importado funciona como vetor num campo de forças previamente determinado, embora a introdução desse novo vetor possa – e mesmo deva – culminar num rearranjo do jogo de forças iniciais.

Tanto quanto campo indutor de conceitos, interessa a Lacan em que medida a perspectiva da estrutura consegue superar certas dicotomias, forjar um espaço próprio. Por exemplo, a dicotomia entre ciências humanas e ciências naturais: sua superação articula, no mesmo golpe, um objeto não natural (a linguagem) a um método de visada matemática. Coisa que nem Dilthey, nem Jaspers, nem Helmholtz, nem Comte sonhariam... Nem mesmo Freud.

Mas talvez a principal novidade de Lacan, no tocante à história do estruturalismo nas ciências, seja articular essa "nova ordem nas ciências", motivada pela emergência do estruturalismo na linguística, ao papel desempenhado pela psicanálise na "subjetividade moderna". É o que confirma o texto de Roma. Nele se articulam todos os problemas em jogo: "*matematização*" como garantia do *rigor formal*, na figura de uma "*redução estrutural*". Essa redução nos leva à *função simbólica*, que nos conduz a Lévi-Strauss e, principalmente, às *fontes subjetivas da função simbólica*, isto é, a Freud; em suma, uma matemática de qualidades que nos leva, pela vertente da estrutura, aos fundamentos da psicanálise, inscrevendo-a no universo da ciência.

Todo esse percurso nos mostra então como o paradigma da estrutura permite recusar de um lado o *psicologismo*, de outro lado o *naturalismo* como esquemas formais da subjetividade, e como o estruturalismo pode ser tomado como uma alternativa a essa dicotomia. O primeiro passo consiste em fornecer um conceito de estrutura como condição epistemológica para a formalização de uma teoria *não psicologicista* e *não naturalista* do sujeito.

É certo que a própria noção de estrutura irá sofrer uma grande remodelação, tanto quanto seu lugar no interior da arquitetura do pensamento de Lacan. Mas o sério da estrutura perdura por bem mais tempo do que se costuma imaginar, e justamente porque o estruturalismo consiste justamente em levar a sério, identificando a série subjacente os fenômenos. É certo que, cada vez mais, a estrutura será definida muito simplesmente como condição de toda série, de toda cadeia, justamente porque permite pensar uma ordem de causalidade pertinente à matéria da psicanálise. Que o próprio estruturalismo possa ser reduzido a um programa historicamente determinado, isso pouco importa para Lacan. O que lhe interessa é que a estrutura não o seja. Por isso, no momento em que o estruturalismo vira moda, ele assim se expressa: "O estruturalismo durará o que duram as rosas, os simbolismos e os Parnasos; uma estação literária [...] A estrutura, por sua parte, não está próxima a passar, porque se inscreve no real" (Lacan, 1957). Lacan fala do estruturalismo, mas também de si mesmo. Para ele, o estruturalismo passou, mas a estrutura não.

Referências

ALONSO-FERNÁNDEZ, F. *Fundamentos de la psiquiatría actual*. Madrid: Editorial Paz Montalvo, 1968. t. 1.

ASSOUN, P.-L. *Introdução à epistemologia freudiana*. Rio de Janeiro: Imago, 1983.

BERCHERIE, P. *Os fundamentos da clínica: história e estrutura do saber psiquiátrico*. Rio de Janeiro: Jorge Zahar, 1989.

CANGUILHEM, G. *O normal e o patológico*. 3. ed. Rio de Janeiro: Forense Universitária, 1990. p. 183.

FOUCAULT, M. *O nascimento da clínica*. Rio de Janeiro: Forense Universitária, 1987.

GRIESINGER, W. *Traité des maladies mentales*. Paris: Adrien Delahaye; Libraire-Editeur, 1865.

JASPERS, K. *Psicopatologia geral*. Rio de Janeiro: Atheneu, 1987.

KOYRÉ, A. *Estudos de história do pensamento científico*. Rio de Janeiro: Forense Universitária, 1982.

LACAN, J. *O Seminário livro 3: as psicoses*. Rio de Janeiro: Jorge Zahar, 1985.

LACAN, J. *Escritos*. Rio de Janeiro: Jorge Zahar, 1998.

LACAN, J. Entretien avec Madeleine Chapsal. *L'Express*, Paris, n. 310, maio 1957. Disponível em: <http://www.aefl.fr/wordpress/wp-content/uploads/LACAN%20INTERVIEWS.pdf>. Acesso em: 27 mar. 2017.

MANDIL, R. *Os efeitos da letra: Lacan leitor de Joyce*. Rio de Janeiro: Contracapa, 2003.

MILLER, J.-A. *Lacan elucidado*. Rio de Janeiro: Jorge Zahar, 1997.

ORGANIZAÇÃO PAN-AMERICANA DA SAÚDE; ORGANIZAÇÃO MUNDIAL DA SAÚDE. *Relatório sobre a saúde no mundo 2001. Saúde mental: nova concepção, nova esperança*. OMS, 2001.

Entrevista psicopatológica: o que muda entre a psiquiatria e a psicanálise?

Cristiana Miranda Ramos Ferreira, Marcelo Veras

O exame clínico psiquiátrico constitui, de fato, o mais singular dos colóquios singulares, pois está baseado em uma penetração intersubjetiva do espírito do observador que procura compreender e do espírito do paciente que se abandona ou se recusa ao contato com o outro.

Henry Ey

Com um diálogo em aparência difuso mas constelado de centros de atração para as ideias, temos de induzir no sujeito um estado de espírito que o leve a monologar e a discutir; a partir daí nossa tática consistirá em nos calar ou em contradizer apenas o suficiente para parecermos incapazes de compreendê-lo completamente. Então o sujeito se permitirá expressões que não havia previsto e deixará escapar fórmulas das quais pensa que não prevemos as consequências.

Clérambault[1]

Se vocês compreendem, tanto melhor, guardem isso para vocês, o importante não é compreender, é atingir o verdadeiro.

Lacan

Interrogatório: primórdios da psiquiatria

Desde os primórdios da psiquiatria nos vemos num campo marcado por divergências. A fundamental, e, de certa forma, origem das demais, é acerca da própria concepção da natureza do sofrimento mental. Apesar das diversas roupagens que tal divergência ganhou ao longo dos séculos,

[1] Ao longo deste artigo, todas as traduções para o português das obras em espanhol são de livre autoria da autora.

podemos dizer, *grosso modo*, que a base da discussão gira em torno da crença na etiologia da loucura: psíquica (faculdades mentais, psiquismos, mente), *versus* orgânica (físico-químico, genético, molecular, neurobiológico). Divergência essa que, no que diz respeito ao nosso objeto de investigação – a entrevista psicopatológica –, incide sobre a importância dada à palavra do paciente e, consequentemente, sobre seu uso na elaboração do diagnóstico, prognóstico e tratamento.

Sobre a história da psiquiatria, Foucault tomará como marco de seu nascimento o ano 1793, quando Pinel teria libertado os loucos de Bicêtre. Esse ato mítico, que foi interpretado por Foucault como o marco do aprisionamento dos loucos pela razão, pode ser, noutra perspectiva, visto também como um momento revolucionário, pois, na medida em que a loucura deixa de ser considerada uma doença do cérebro para ser concebida como doença das faculdades mentais (um desarranjo, um desequilíbrio), abrem-se as possibilidades de a loucura ser tratada. Seguindo a leitura de Pessotti (1996, p. 83), para Pinel, "nenhuma loucura implica perda total da razão", mas um defeito de julgamento, um erro de elaboração das ideias.

Assim, nesse momento inaugural da psiquiatria, que se instaurava sob a influência da concepção pineliana, mas ainda sem um saber e sem uma terapêutica própria, recolher as palavras do paciente se destacou como uma das principais vias de acesso às manifestações da loucura.

Foi nesse contexto que o interrogatório se consolidou como um dos principais instrumentos da psiquiatria clássica, de intervenção sobre a loucura. O interrogatório consistia na prática de convocar o paciente a falar tanto sobre suas vivências mórbidas e sobre sua doença, como sobre sua história de vida. Essa prática permitiu aos psiquiatras clássicos constituir, a partir da descrição detalhada feita pelo próprio paciente, um saber sobre as doenças mentais, possibilitando não apenas um conhecimento sobre os fenômenos psíquicos, mas também sobre sua evolução, assim como sobre sua ordenação em síndromes e quadros nosológicos, levando a um grande avanço nas questões de diagnóstico.

Contudo, associado a essa perspectiva investigativa, o interrogatório era em si uma intervenção terapêutica. Baseado na ideia de que a confissão da loucura seria o primeiro passo para a cura, o interrogatório, diferente de uma simples entrevista, constituiu-se como um instrumento para extrair confissões. Assim, o paciente era convocado a falar de seus antecedentes familiares, de suas recordações infantis, das razões que o levaram à internação, assim como de sua doença. Entretanto, ao contrário do que poderíamos supor, a fala do paciente não era de fato a única via de acesso aos dados do doente, pois, quando um psiquiatra clássico conduzia uma entrevista, ele o fazia munido de um saber prévio. Através de relatos dos familiares e daqueles que conviviam com paciente no asilo, o psiquiatra era informado até mesmo dos pequenos detalhes do comportamento do enfermo. Assim, permitir que o paciente contasse sua história era possibilitar que ele revelasse suas crenças de forma que o psiquiatra pudesse confrontá-lo, pressionando-o a confessar o que de sua "realidade" particular destoava da realidade compartilhada. Ou seja, a fala do paciente era recolhida não para que o psiquiatra pudesse conhecer sua versão, ou para tentar compreendê-lo, mas para contrapor seus ditos com aquilo que o médico sabia sobre ele. A operação era de uma confrontação no nível da linguagem, de forma a tornar insustentável o pensamento delirante. Segundo Foucault, o objetivo era desestabilizar suas crenças, provocando-lhe uma crise para presentificar seus sintomas, de forma que o paciente não tivesse outra opção que não a de reconhecer sua loucura e, em última instância, submeter-se à realidade socialmente reconhecida como verdadeira. "Sim, escuto vozes!"; "Sim, tenho alucinações!"; "Sim, creio ser Napoleão! E isso é minha doença" (Foucault, 2006, p. 356).

Todavia, já na primeira metade do século XIX, a concepção da loucura como uma doença das faculdades mentais foi sendo suprimida pela visão organicista. Isso tem, entre outras implicações, a perda do interesse pela fala do paciente enquanto instrumento de tratamento. Contudo, mesmo que a ideia da confissão, como primeiro passo para a cura, tivesse perdido seu sentido terapêutico, por outro lado a provocação da crise e a presentificação dos fenômenos seguiam sendo a principal forma de se alcançar a verdade da doença. Afinal, mesmo que a crença na organogênese passasse a ser o fator orientador, as provas orgânicas da doença mental se mantinham inapreensíveis, e a fala do paciente continuava sendo a principal forma de acesso para a apreensão e a descrição dos sintomas e quadros clínicos.

Podemos ver provas disso na posição de renomados organicistas, como Griesinger e Falret. Griesinger (1817-1868), que ficou conhecido como "o primeiro dos organicistas" e influenciou toda a geração posterior, mesmo focando o interesse de suas investigações no *locus* orgânico da doença, enfatizava a importância de conhecimento dos pormenores da personalidade do paciente como forma de conhecer a doença. Essa posição era compartilhada por Falret (1794-1870), psiquiatra francês que recebeu influências de Griesinger e que ficou reconhecido por suas importantes contribuições à semiologia psiquiátrica, apresentadas em seu livro *De l'enseignement clinique des maladies mentales* (1850). O mesmo pode ser dito de Emil Kraepelin (1856-1925) e Gaëtan Gatian de Clérambault (1872-1934), dois grandes representantes da psiquiatria clássica, que exerceram sua clínica já no final do período clássico. Ambos acreditavam na organogênese da loucura, e nenhum dos dois acreditava na possibilidade de tratamento desta, entretanto, os dois foram reconhecidos pelo interesse agudo que tinham pelos ditos de seus pacientes.

Entretanto, na virada do século XIX para o século XX, após um século e meio de investigações minuciosas, a psiquiatria já construíra certo saber, tanto sobre os fenômenos quanto sobre as síndromes e doenças, constatando-se certo esgotamento das possibilidades descritivas do método clínico. Nesse período a psiquiatria clássica começa a entrar em declínio. O saber, já constituído, permitia certa acomodação, o que favorece o abandono da posição investigativa que até então a caracterizara. A loucura, agora objetivada como doença mental, já não produzia enigma, e a fala do paciente perde o lugar de produção de saber, sendo seu valor reduzido à descrição dos sintomas e à constatação do saber estabelecido.

Entretanto, esse momento em que a psiquiatria clássica ia perdendo seu lugar de importância é também o momento em que várias outras perspectivas e abordagens teóricas começam a se desenvolver. Apesar da diversidade de correntes e da intensa oposição entre elas, podemos apontar, como ponto comum, a eminência da perspectiva fenomenológica, seja numa abordagem compreensiva, seja numa abordagem descritiva, que incidirá sobre o lugar em que a fala dos pacientes será recolhida.

Entrevista psiquiátrica

Convergências

Da mesma forma que a psiquiatria clássica, também o interrogatório caiu em desuso. Decerto que as entrevistas que realizamos atualmente não se prestam mais a confrontar nem a persuadir o louco a se adequar à nossa realidade, tampouco servem de fonte constitutiva do saber psiquiátrico, mas não podemos deixar de reconhecer que foi do interrogatório e da importância por ele dada à fala do enfermo como instrumento de acesso a um saber sobre o paciente e seu adoecimento que retiramos a base do que hoje praticamos. Como aprendemos com Jaspers (1987, p. 980): "O primeiro e sempre mais importante método de exame é a *conversa* com o doente", ou seja, é através da entrevista que procuramos, ao estabelecer uma conversa com o paciente, levantar informações suficientes para fazer uma avaliação do caso. Uma boa avaliação implica apreender o funcionamento do psíquico do paciente, no que diz respeito tanto às suas características afetivas e de personalidade quanto à dinâmica de seus sintomas, de forma a permitir a formulação do diagnóstico, do prognóstico, assim como de um plano de tratamento. Dessa forma, a avaliação integra dois aspectos que, seguindo a denominação proposta usada por Mayer-Gross, Slater e Roth (1972), chamaremos de longitudinal e transversal. O aspecto longitudinal é composto pela história de vida, e o transversal visa apreender o estado mental do paciente, no momento mesmo da entrevista.

Entretanto, chegar a extrair do paciente aquilo que é preciso saber não é uma tarefa fácil. Trata-se antes de uma questão de experiência, que exige habilidade e tato – uma arte. Primeiramente, porque, como ressalta Alonso-Fernández (1972), o psíquico é inapreensível diretamente, sendo necessário captá-lo não apenas através da conversação, mas também da observação da conduta do paciente. Assim, a orientação de Jaspers para se fazer uma boa entrevista é que se deve "dizer o menos possível, deixando que o paciente fale. Enquanto se conversa, dá-se atenção à conduta e aos gestos do paciente: às muitas manifestações expressivas, ao tom de voz, a um sorriso, a um olhar, a tudo quanto, inconscientemente, vem a formar nossa impressão" (Jaspers, 1987, p. 980).

Mas há ainda uma segunda habilidade exigida do entrevistador. Como ressalta Jaspers (1987, p. 979): "Quando se examinam doentes, têm-se de combinar coisas opostas: de um lado, entregar-se à individualidade do paciente e deixá-lo que a exprima verbalmente tal qual é; de outro lado, examinar com base em pontos de vista firmes e visando a alvos definidos". Entendemos com isso que é um desafio ao entrevistador, ao mesmo tempo que permite aos pacientes que contem suas histórias em suas próprias palavras, na ordem que consideram mais importante, conseguir reconhecer e extrair de seu discurso os pontos de fato indispensáveis para a avalição do paciente, o que implica saber quando e como introduzir questões relevantes. Ou seja, é preciso saber aproveitar o fluxo fluido e livre da conversa, mas mantendo um controle da entrevista.

Há, contudo, de se ressaltar que isso "que é preciso extrair", ganha diferentes contornos de acordo com a perspectiva teórica que orienta cada entrevistador. Todavia, antes de falar das diferenças, devemos colocar em relevo aquilo que, acerca da entrevista, apesar de toda a diversidade que caracteriza a psiquiatria, até o advento do DSM, parecia criar consenso.

O primeiro ponto comum é o reconhecimento da entrevista como um valioso instrumento de diagnóstico. Sua importância é citada desde Mayer-Gross, passando por Jaspers, Alonso-Fernández, Henry Ey até Kaplan e outros autores contemporâneos, tais como os brasileiros Dalgalarrondo e Cheniaux.

Um segundo elemento recorrente nos diversos autores é acerca da importância terapêutica desse primeiro encontro. Não apenas por permitir a elaboração do diagnóstico, elemento essencial para a intervenção clínica, uma vez que permite o planejamento terapêutico, mas também porque esse primeiro contato implica um encontro de algo único. Como nos diz Jaspers (1987), é uma situação repentina e que nunca mais se repetirá dessa forma, o que faz deste um momento privilegiado para se estabelecer a base para uma aliança terapêutica e consequente adesão, ou não, ao tratamento.

Podemos ressaltar ainda um terceiro aspecto comum entre as diversas abordagens no que diz respeito à entrevista. Ainda que não possamos dizer de uma uniformidade de roteiro, e menos ainda da forma de execução da entrevista, podemos extrair uma estrutura básica que orienta o entrevistador experiente naquilo que, em linhas gerais, é preciso levantar numa avaliação.

Quanto à perspectiva longitudinal da entrevista, ao entrevistador interessa saber não apenas sobre a queixa e a descrição da problemática atual do paciente, assim como sobre a história de sua doença, evolução, tratamentos, mas também sobre outros aspectos de sua vida que não estejam diretamente ligados ao adoecimento, ou seja, interessa saber sobre toda a história de vida do paciente. Apresentaremos a seguir um esquema com os principais dados a serem observados, lembrando, contudo, que se trata mais de um orientador que de um roteiro a ser seguido rigidamente. Cabe ressaltar que, embora o paciente possa relatar sua história de forma desordenada, esse mesmo roteiro, como sugerem Kaplan, Sadock e Grebb (2007), serve como um guia para organizar a escrita do caso quando isso se fizer necessário.

> *Identificação*: referência sucinta dos principais dados do paciente: nome, idade, filiação, estado civil, escolaridade, ocupação, religião.
> *Queixa principal/motivo*: refere-se ao que o paciente tem a dizer sobre seu problema, sobre o incômodo que o levou àquela situação, seja à consulta, seja à internação. Esse dado nem sempre é fácil de obter, pois muitas vezes, em função de seu quadro, seja por falta de crítica quanto a seu estado, seja por condições tais como um mutismo, confusão mental, etc., o paciente psiquiátrico pode não formular uma queixa, ou dar razões bizarras, absurdas para responder a essa questão.

Contudo, ainda que sua resposta não revele a realidade da situação, esse é um dado que deve ser anotado. Nas situações em que o paciente não consegue informar sua queixa, é imprescindível recolher com terceiros – familiares ou outros – o motivo de seu atendimento.

História da doença atual: descrição do momento atual, considerando os motivos que precipitaram o quadro, os fatores desencadeantes, e englobando a evolução dos sintomas e o impacto da doença sobre suas atividades de vida. Episódios anteriores referentes ao mesmo quadro e os tratamentos recebidos, as medicações utilizadas. Nos quadros crônicos, de longa duração, pode ser difícil separar história da doença da história de vida.

Doenças passadas: doenças psiquiátricas com frequência se disfarçam através de sintomas físicos indefinidos; assim, é preciso investigar episódios de doenças passadas, que não possuam relação direta ou aparente com o quadro atual, mas que permitam evidenciar áreas vulneráveis, possíveis articulações entre eventos anteriores e o quadro atual. Intercorrência de outros sintomas e alterações psíquicas e físicas. Investigar situações que possam gerar sintomas psíquicos, tais como traumatismo craniano, alterações hormonais, convulsões ou outros episódios que levaram à perda da consciência, confusão mental. Uso de álcool e outras substâncias.

História pessoal: toda a história de vida da pessoa, iniciando na gravidez e no parto (aspectos físicos e emocionais da mãe), o desenvolvimento na primeira infância, passando pela adolescência, a vida adulta e a velhice. Sobre cada uma dessas fases, interessa saber tanto as questões físicas quanto as emocionais. A intenção é verificar a relação do passado com a problema atual. Interessa recolher tanto os dados factuais dos problemas enfrentados quanto os aspectos subjetivos que indicam como o paciente reagiu e enfrentou mudanças e dificuldades. Diferenciar a personalidade pré-mórbida, anterior ao início da doença, das alterações sofridas após seu início.

> Primeira infância: desenvolvimento em geral – psicomotor, emocional, aquisição do controle dos esfíncteres, sono, doenças, comportamentos.
>
> Período escolar: separação da mãe, interação com outras crianças, aprendizagem
>
> Adolescência: interesses, imagem corporal, despertar da sexualidade, relacionamento com o outro sexo, preferências sexuais, forma de se relacionar e interagir com as pessoas de sua convivência.

Idade adulta: situação de vida e relacionamentos de uma forma geral – familiar, conjugal, com filhos. História educacional e ocupacional, vocações, atitude em relação às responsabilidades e ao desenvolvimento de autonomia, estabilidade nos empregos, relacionamentos no trabalho, desempenho social, concepções e práticas religiosas, hábitos de lazer e culturais, valores, história legal.

História familiar e social: avaliação das interações familiares e sociais do paciente. Estrutura familiar, posição do paciente na família, relacionamento com familiares (pais, irmãos, cônjuge e filhos) e destes com o paciente, atitude da família diante de sua doença. Condições socioeconômicas e culturais. Tradições étnicas, religiosas, nacionais da família. Histórico de familiares com problemas psiquiátricos.

No que diz respeito à perspectiva transversal, trata-se do exame do estado mental propriamente, ou seja, do estado do funcionamento psíquico no momento da entrevista. Portanto, a perspectiva transversal, ao contrário da perspectiva longitudinal, vai operar não com os dados relatados pelo paciente, mas com aquilo que pode ser capturado, apreendido pela observação. Para se apreender o funcionamento psíquico global, opera-se a leitura do funcionamento das funções psíquicas de forma isolada, sabendo-se, contudo, que estas funcionam integradas, ou, antes, que essa separação não existe na realidade, mas que são construtos teóricos, estabelecidos propriamente com o intuito de nos orientar na apreensão do psíquico. Interessa, portanto, apreender tanto as funções que apresentam alterações como as funções que se mostram preservadas, considerando, inclusive, que o funcionamento psíquico pode se alterar com tempo, visto que há vários sintomas nesse campo, tais como alterações do nível de consciência ou alucinações, que são intermitentes.

A apreensão do funcionamento psíquico se dá através da observação das atitudes e dos comportamentos, da expressão mímica e motora, da sintonia do paciente com o entrevistador. Este deve estar atento tanto à forma quanto ao conteúdo das vivências, às variações tanto de qualidade quanto de quantidade. De acordo com Cheniaux (2005, p. 7), "o psiquiatra experiente será capaz de realizar a maior parte do exame ao mesmo tempo em que completa a tomada da história", mas há funções, tais como atenção, memória, orientação, inteligência, que podem exigir perguntas mais específicas para sua avaliação.

Como foi dito da perspectiva longitudinal, também no exame mental, transversal, não há uniformidade, pois, em função da abordagem, a ênfase pode recair sobre sintomas objetivos ou sobre a vivência subjetiva do paciente em relação àqueles sintomas, sobre a intensidade ou a qualidade das vivências, etc. Mas, também não podemos dizer que haja grandes discordâncias quanto aos itens a serem observados. Habitualmente, na súmula produzida a partir do exame deve constar como se encontram as seguintes funções:

> Aparência, impressão física geral (apresentação, postura, autocuidado); atitude para com o examinador. Consciência (nível e campo), atenção, orientação, memória e inteligência. Humor e afeto, comportamento, vontade, psicomotricidade, sensopercepção. Consciência do eu; linguagem, pensamento (curso e forma), juízo de realidade; crítica.

Todavia, não é raro que ao final de uma entrevista ainda haja necessidade de ampliar as investigações, seja sobre a história de vida do paciente, seja sobre sua doença ou sobre aspectos específicos de seu funcionamento psíquico, ou ainda acerca de seu estado geral de saúde.

Com relação à sua história e à história da doença, ainda que se tenha na fala do próprio paciente o recurso de maior valor, frequentemente faz-se necessário recolher informações complementares através de terceiros, habitualmente dos familiares. A entrevista com os familiares é imprescindível em situações nas quais o paciente não consegue informar adequadamente (quadros de confusão mental, agitação, mutismos, por exemplo), quando não percebe de maneira apropriada o que se passa (quadro maníaco, psicótico), ou ainda quando distorce deliberadamente a realidade (quadro paranoico, uso de drogas). Todavia há outros dois fatores igualmente relevantes que nos levam a recorrer a esse expediente. Primeiramente, porque as informações sob a perspectiva dos familiares, além de completarem dados, permitem fazer sobressaltar as diferenças, os exageros e as incongruências entre as interpretações do próprio doente e de sua família. Em segundo lugar, porque assim como o exame (entrevista) tem efeito terapêutico (para o paciente), também o atendimento familiar pode ser uma oportunidade para intervenção com a família – saber com que estrutura se pode contar –, planejamento terapêutico, intervenções esclarecedoras, tranquilizadoras, orientadoras.

Cabe ainda acrescentar, no que diz respeito às informações obtidas de terceiros, que em situações ou serviços de emergência não é raro que seja necessário obter informações com policiais, bombeiros ou aqueles que acompanharam/conduziram o paciente ao serviço, para recolher dados objetivos sobre o momento atual. São também informações importantes as observações feitas pelos técnicos que acompanham o paciente na instituição de tratamento, o que, segundo Doyle (1952), seria especialmente útil nos casos em que os pacientes não aceitam o tratamento e procuram dissimular a realidade patológica aos olhos daqueles que consideram responsáveis por sua reclusão.

No que diz respeito ao estado geral de saúde, um cuidadoso exame físico, neurológico e mesmo uma investigação genética podem ser, como ressalta Doyle (1952, p. 300), um auxílio valioso na solução dos casos duvidosos, o que pode tanto ajudar a "apurar também os fatores somáticos que por acaso possam estar em jogo na estruturação do comportamento patológico", contribuindo para estabelecer um diagnóstico diferencial, como auxiliar na escolha terapêutica medicamentosa mais adequada. Com relação ao exame clínico, é de grande importância a avaliação dos sistemas endocrinológico, cardiológico e respiratório. Quanto aos exames neurológicos e à investigação de componentes psíquicos específicos, temos o eletroencefalograma, as neuroimagens cerebrais, assim como as testagens neuropsicológicas, os psicodiagnósticos e testes psicométricos de inteligência e de personalidade. Jaspers (1987) salienta que também o material produzido pelo próprio paciente, como cartas, autobiografias e outros produtos dos doentes, pode ser uma valiosa base de informações.

Divergências

Se no primeiro momento nos detivemos naquilo que há de consenso na prática da entrevista, no que diz respeito às divergências temos como ponto crucial a diferença daquilo que na fala do paciente interessa saber. Assim, no interior da fenomenologia, a polêmica girava em torno, principalmente, da valorização dos dados subjetivos *versus* objetivos. Enquanto para os jasperianos o principal interesse era, como diz Alonso-Fernández (1972), penetrar no "intramundo psicótico", buscando apreender a rede de sentido existente na vida psíquica, para as perspectivas mais descritivas valorizava-se o "conhecimento exato dos fatos", a descrição objetiva dos comportamentos. Enquanto no primeiro caso todo o trabalho era conduzir o paciente à auto-observação, levando-o a descobrir e descrever suas vivências, no segundo grupo o foco era nos dados observáveis, que, como considera Kaplan (2007), são considerados como mais confiáveis do que aquilo que foi interpretado ou inferido pelo profissional, assim como a opinião que o próprio paciente poderia ter sobre eles.

Decerto que se interessar por aspectos mais subjetivos ou objetivos incorre também em diferenças na forma de conduzir a entrevista. Para acessar dados mais subjetivos, é preciso que o entrevistador adote, em relação ao paciente, uma maior proximidade, de modo a estabelecer uma empatia, favorecer um contato interpessoal. Contudo, essa posição essencial para a fenomenologia compreensiva seria considerada um erro para abordagens mais pragmáticas, que viam num certo distanciamento a condição para garantir a objetividade.

Essa mesma discussão incide também sobre a forma de realizar a entrevista, se seriam mais indicadas as entrevistas estruturadas, as semiestruturadas ou as não estruturadas. Evidentemente a condução da entrevista irá variar em função de seu objetivo, e mesmo em função do tipo de paciente em questão, pois não se entrevista um paciente em estado de confusão mental da mesma forma que um paciente maníaco. Contudo, parece haver consenso que roteiros muito rígidos não são muito proveitosos. Jaspers era categórico em dizer que "não se deve abordar o doente com esquemas pré-fabricados de perguntas, e, sim, saber, apenas, sobre que particularidades caberá, de um modo ou doutro, esclarecer, que pontos de vista se hão de considerar quando se faz o exame" (Jaspers, 1987, p. 979). Ou, como Doyle (1952, p. 277) nos adverte, "reduzir a observação psiquiátrica ao preenchimento formal de uma ficha nos parece desaconselhável. Esses questionários, quando minuciosos, incluem tudo, exceto a realidade do paciente". E mesmo Mayer-Gross, Slater e Roth (1972, p. 38), que interrogavam o risco de a entrevista livre "degenerar numa conversa de nível social e fornecer ideias vagas ao invés de fatos sólidos" e colocavam em questão esquemas muito rígidos, sugerindo que o melhor seria "ter a estrutura de um questionário em mente, mas permitir que o doente conte sua própria estória". Aliás, até muito pouco tempo atrás, isso parecia ser consenso: a crença na ineficácia dos esquemas muito rígidos.

Todavia essa discussão vai perdendo o sentido na medida em que a psiquiatria atual se coloca cada vez mais orientada pela perspectiva das evidências, que "privilegia fenômenos mensuráveis, quantificáveis e claramente diferenciáveis através de um conjunto finito e operacional de características de base" (Safatle, 2013, p. 22). Trata-se de uma psiquiatria de caráter universalizante, cuja lógica se encontra representada nos manuais de classificação dos DSMs e do CID 10, e que se manifesta, atualmente, nas práticas das neurociências, da psiquiatria biológica, da psicofarmacologia, orientadas prioritariamente para a supressão dos sintomas. Uma psiquiatria que abriu mão da clínica e que, portanto, já não se interessa pela história de vida do paciente, pelos detalhes do caso, pela precisão do diagnóstico, visto que se caracteriza por uma redução do saber que se quer obter, pois poucos pontos passaram a servir de parâmetro para atender à sua necessidade, hoje reduzida a medicar o sintoma (Clastres *et al.*, 1993). Mesmo os dados objetivos da história de vida perdem a importância, visto que o interesse se restringe à escuta dos sintomas.

E é na contramão dessa tendência, orquestrada pela psiquiatria biologizante, que objetifica não apenas a loucura, mas também o próprio paciente, que explica os transtornos pela predisposição (da personalidade, genética, neuronal), alienando e desimplicando o doente de seu sofrimento, que a psicanálise não apenas resiste, mas também insiste em dar a palavra ao sujeito.

Sobre a contribuição da psicanálise à pratica de entrevista, iniciaremos nosso comentário com uma observação de Alonso-Fernández, ou seja, uma opinião extraída do interior da própria psiquiatria. Segundo ele, a importância das contribuições de Freud a modo de conceber a história clínica foi a de "haver transformado a história de uma enfermidade na história de um doente" (Alonso-Fernández, 1972, p. 927).

Subversão psicanalítica

E, de fato, ao dar a palavra às suas histéricas, Freud funda um campo discursivo absolutamente inédito. Tal movimento de Freud é ainda mais surpreendente quando o analisamos sob a perspectiva de sua formação médica – neurologia, cujo objeto de investigação é passível de ser localizado no substrato orgânico. Na neurologia, a base da investigação clínica era o exame anatomopatológico de um corpo que, como descreve Foucault (2006), prestava-se a ser tocado, apalpado, auscultado, percutido. Um exame, portanto, que prescindia da fala do paciente, na medida em que esta não tinha outra função senão a de sinalizar o que no corpo respondia, manifestava, os efeitos de uma doença localizável. Situação bastante diversa do que vimos na psiquiatria, em que, por mais que se estudassem os corpos *post mortem*, não se encontrava paralelismo claro entre os achados orgânicos e as manifestações psíquicas do paciente. Assim, a fala do paciente ocupava lugar central do exame. Então, enquanto na medicina em geral, incluída aqui a neurologia, a prova da doença podia ser obtida no corpo, na psiquiatria, independentemente da crença psico ou organogênica da doença, era principalmente através da fala do paciente que se tentava apreender as provas da loucura.

Temos assim que, no que diz respeito à prática da entrevista propriamente dita, é a Lacan que devemos nos reportar para pensarmos as convergências e divergências entre as práticas psicanalítica e psiquiátrica. Isso porque Lacan teve na psiquiatria seu ponto de partida, o que implica dizer, que Lacan teve uma experiência absolutamente distinta da de Freud, no que diz respeito ao exame do paciente – na psiquiatria, a palavra já estava no centro da operação. Podemos dizer que o que Lacan fez, enquanto psicanalista, foi aplicar aí a subversão freudiana, interessando-se pela fala do paciente psicótico, desse mesmo lugar proposto por Freud para o sujeito neurótico.

Há de se acrescentar ainda que a experiência de Lacan foi privilegiada, pois, numa época em que a psiquiatria clássica já se encontrava em plena decadência, ele teve a oportunidade de se formar no seio do interrogatório, uma prática em que, como já dissemos, o enfoque recaía justamente sobre a fala do paciente psicótico. Isso porque Lacan foi aluno de Clérambault, considerado, como nos disse Bercherie, "o último e mais brilhante dos clássicos" (Bercherie *apud* Girard, 1993, p. 10).

Anacrônico ao seu tempo, Clérambault mantinha vivo o caráter investigativo da clínica psiquiátrica. Partidário da perspectiva organogênica da loucura, ele se mantinha fiel à ideia de que era através do relato do paciente e da observação cada vez mais precisa que se poderia aceder à compreensão dos fenômenos, assim como às provas da loucura. Assim como seus antecessores, ele mantinha viva a tradição do interrogatório clássico. Contudo, apesar do interesse pela descrição minuciosa e detalhada que convocava seus pacientes a fazerem tanto de seu histórico de vida quanto dos fenômenos que os acometiam, podemos dizer que o principal interesse de Clérambault não eram os fenômenos clássicos, mas aquilo que ele considerava como sendo os mecanismos formadores da psicose. Isso porque Clérambault (2004) diferenciava a psicose dos sintomas psicóticos. Para ele, a psicose era a base, "o fundo material (histológico, fisiológico)" (Clérambault, 2004, p. 155) da doença, cuja causa seria "um processo histológico irritativo de progressão em algum modo serpiginosa"[2] (Clérambault, 2004, p. 114). Assim, os fenômenos, tais como os delírios e as alucinações, eram considerados por Clérambault

---

[2] Segundo Henri Maurel (1993, p. 70), o termo "serpiginoso", utilizado por Clérambault, pertence à terminologia médica antiga: "se diz das afecções

como sendo as manifestações psíquicas secundárias a esse processo de origem orgânica. Orientado por essa perspectiva, Clérambault procurava detectar através da fala dos pacientes os fenômenos sutis, discretos, iniciais da psicose, que, segundo ele, podiam subsistir durante muitos anos, sem que se deflagrasse uma psicose.

Síndrome do automatismo mental foi a denominação sob a qual Clérambault agrupou esses sintomas que irrompiam na consciência da pessoa de maneira brusca, estrangeira, mecânica e parasitária, determinando a cisão no Eu. Para Clérambault, o caráter anideico (abstrato, marcado pela ausência de organização temática) e a maneira intrusiva, automática, como estes se impunham à consciência, independentemente da intencionalidade do sujeito, eram uma prova de que o automatismo ocorreria fora do psiquismo, portanto, no corpo. Logo, apreender o automatismo mental era a possibilidade de isolar, no caso das psicoses alucinatórias crônicas, o momento muito particular da irrupção da psicose.

Quanto às psicoses delirantes, Clérambault (2009) acreditava que os delírios eram constituídos sobre um nó ideoafetivo de base orgânica, cujo mecanismo gerador poderia ser isolado na forma da pseudoconstatação, no caso de algumas psicoses interpretativas; e, no caso das psicoses passionais, no postulado fundamental.

Assim, se Clérambault mantinha a tradição do interrogatório, no que diz respeito ao caráter investigativo, contudo, diferentemente dos seus antecessores, ao confrontar o paciente, seu objetivo não era mais o de desestabilizar suas crenças para, com isso, provocar uma crise e presentificar os fenômenos mais exuberantes, pois o que buscava era, antes, verificar o quanto a certeza estaria funcionando (Viganò, 1997), ou seja, revelar a verdade da posição do sujeito no interior mesmo de sua crença.

Todavia, isolar e dar visibilidade aos mecanismos geradores da psicose, fosse o postulado fundamental, na psicose passional, fossem os sintomas discretos e sutis do automatismo mental, não era tarefa fácil. A intenção era capturar o não dito, assim, Clérambault aprimorou cada vez mais as técnicas para extrair a confissão de seus pacientes. Para tocar os pontos mórbidos, em lugar da empatia e da compreensão, tão caras a seus contemporâneos, Clérambault acreditava que era preciso mostrar-se incapaz de compreender completamente o paciente e, usando técnicas

---

cutâneas (úlcera, erisipela) que afetam formas sinuosas e se curam de um lado para se estender do outro, parecendo deslocar-se rastejando".

de manipulação, procurava emocionar o paciente, pois comovendo-o era possível ativar sua emoção de forma que esta escapasse às tentativas do enfermo de se ocultar, acabando por revelar, ainda que por sinais discretos, o ponto inconfessável.

E é essa precisão e acuidade das intervenções, que visavam não ao fenômeno, mas à posição do paciente, que podemos reencontrar em Lacan. E, de fato, Lacan, em mais de uma situação, vai se referenciar a Clérambault como tendo sido seu "único mestre em psiquiatria" (Lacan, 1998a, p. 65).

E não há dúvidas – Lacan soube desenvolver a acuidade clínica do mestre. Assim como Clérambault, Lacan perpetuou o seu interesse agudo e penetrante, que buscava, para além dos fenômenos, a posição do doente. Afinal, era esse mesmo elemento mínimo, formador, estrutural, que Clérambault buscava revelar, que ganhará destaque na teoria de Lacan. É possível percebermos que o caráter autônomo e parasitário com o qual Clérambault define o automatismo mental coincide justamente com a definição que Lacan dá da psicose à época de *O seminário, livro 3: As psicoses* ([1955-1956] 1992), enquanto efeito de uma intrusão da estrutura significante.

Podemos dizer que, assim como seu mestre, a intenção de Lacan era buscar, para além dos fenômenos psicóticos, o "nó central do caso" (Laurent, 1989, p. 165), não obstante esse nó central tivesse conotações diferentes para cada um. Como vimos, para Clérambault, o centro de seu interesse era desvelar o automatismo mental nas psicoses alucinatórias crônicas, e o postulado fundamental nas psicoses passionais. Já para Lacan, pelo menos no primeiro momento de seu ensino, o centro de seu interesse é o fenômeno elementar, revelador da posição do sujeito em sua relação com o Outro da linguagem.

Entretanto, no que diz respeito à condução da entrevista, a posição Lacan era muito diferente do mestre, pois, uma vez que Lacan se formou psicanalista, é do lugar de analista que ele irá intervir com o paciente. Assim como Freud, o interesse de Lacan se desloca do fenômeno para o doente – trata-se de reconhecer que há um sujeito no doente. E esse sujeito poderá ser alcançado através de sua própria fala.

Todavia, reconhecer que há um sujeito no doente marca uma diferença de Lacan não apenas em relação a Clérambault, mas também em relação a seus contemporâneos, que, orientados pela fenomenologia jasperiana, buscavam compreender o paciente. Lacan, contudo, critica a ideia da compreensão empática, apontando que a intervenção sustentada na intersubjetividade favoreceria a operação imaginária, na medida em que o endereçamento se faz ao Eu, e não ao sujeito do inconsciente. Assim, a posição de Lacan era a de não compreender.

O que aprendemos com Lacan é que a posição do analista é de uma "submissão completa, ainda que advertida, às posições propriamente subjetivas do sujeito" (LACAN, 1998b, p. 540). É essa posição de ignorância, operada a partir do não compreender, que propulsiona o discurso, pois, na medida em que o analista não compreende, o paciente é convidado a falar, o que possibilita que algo novo possa aparecer: seja uma articulação inédita, um significante novo, um neologismo, o momento do desencadeamento... A compreensão faz com que o analista se detenha, não prossiga na investigação, pois já compreendeu. Ao compreender, o analista estaria entrando no jogo do paciente, colaborando com sua resistência, "reforçando a tentativa inconsciente do paciente de dissimular o que está em causa em sua fala" (LEGUIL, 1998, p. 93). Para o analista, ao contrário, "o que se trata de compreender é precisamente por que há alguma coisa que é dada [pelo paciente] para ser compreendida" (LACAN, [1955-1956] 1992, p. 60).

Lacan vai se interessar, então, pela dimensão inconsciente, deslocando assim o interesse do enunciado para a enunciação. Ou seja, em lugar de compreender ou de buscar na fala do paciente os índices e sinais de sua doença para enquadrá-lo no saber médico previamente estabelecido sobre a loucura, Lacan vai se interessar pelos aspectos do caso que escapam ao saber constituído, procurando fazer emergir o sujeito enquanto tal. Para ele, não se trata mais de deflagrar a doença ou demonstrar os fenômenos, mas sim de tentar localizar a posição subjetiva, os indícios da posição de gozo do sujeito em relação ao Outro. Como nos diz Laurent (1989, p. 152), "Lacan tentava tocar o sujeito no doente".

E o que seria "tocar o sujeito no doente"? Podemos dizer que é, justamente, buscar o ponto de real, ou seja, aquele ponto em que escapa a significação, ponto enigmático para o sujeito, portanto, que traz algo impossível de suportar. Trata-se de uma aposta radical na virtude da palavra para mudar a clínica de um caso, na medida em que dar oportunidade à palavra é possibilitar ao paciente bordejar, circunscrever o que lhe sucede, permitindo-lhe "afastar-se do impossível de suportar para poder começar a falar" (LEGUIL, 1998, p. 45).

Contudo, como nos adverte Miller (1996, p. 141): "não basta se calar e escutar para se entrar, com isso, no discurso analítico", mas é preciso agenciar o discurso desse lugar.

Referências

ALONSO-FERNÁNDEZ, F. *Fundamentos de la psiquiatria atual*. 2. ed. Madrid: Editorial Paz Montalvo, 1972. t II: *Psiquiatria clinica*.

CHENIAUX, E. *Manual de psicopatologia*. Rio de Janeiro: Guanabara Koogan, 2005.

CLASTRES, G. *et al*. La presentación de enfermos: buen uso y falsos problemas. Mesa Redonda. In: BROCA, R. *et al*. *Psicosis y psicoanalisis*. Buenos Aires: Manantial, 1993. p. 39-58.

CLÉRAMBAULT, G. G. *Automatismo mental: paranoia* [1942]. Buenos Aires: Polemos, 2004.

CLÉRAMBAULT, G. G. Os delírios passionais: erotomania, reivindicação, ciúme [1921]. In: BERLINCK, M. T.; BERRIOS, G. E. (Org.). *Erotomania*. São Paulo: Escuta, 2009. p. 285-289.

DOYLE, I. *Introdução à medicina psicológica*. Rio de Janeiro: Livraria-Editora da Casa do Estudante do Brasil, 1952.

EY, H. *Manual de psiquiatria*. 5. ed. Rio de Janeiro: Manson, 1969.

FOUCAULT, M. *O poder psiquiátrico. Curso dado no Collège de France (1973-1974)*. São Paulo: Martins Fontes, 2006.

GIRARD, M. Gaëtan Gatian de Clérambault: fragmentos escogidos para un recorrido histórico. In: MORON, P. *et al*. *Clérambault maestro de Lacan*. Buenos Aires: Nueva Visión, 1993. p. 9-62.

JASPERS, K. *Psicopatologia geral*. Rio de Janeiro: Livraria Atheneu, 1987. v. 2.

KAPLAN, H. I.; SADOCK, B. J.; GREBB, J. A. *Compêndio de psiquiatria: ciências do comportamento e psiquiatria clínica*. 9. ed. Porto Alegre: Artmed, 2007.

LACAN, J. De nossos antecedentes. In: *Escritos*. Rio de Janeiro: Jorge Zahar, 1998a. p. 69-76.

LACAN, J. De uma questão preliminar a todo tratamento possível da psicose [1957-1958]. In: *Escritos*. Rio de Janeiro: Jorge Zahar, 1998b. p. 537-590.

LACAN, J. *O seminário, livro 3: As psicoses* [1955-1956]. Rio de Janeiro: Jorge Zahar, 1992.

LAURENT, E. A apresentação de pacientes. *Clínica Lacaniana, Publicação de Psicanálise da Biblioteca Freudiana*, n. 3, p. 149-187, 1989.

LEGUIL, F. La experiencia enigmática de la psicosis en las presentaciones clínicas. *L-ment@l. Principios para una Formación Posible en la Presentación de Enfermos*, Bogotá, n. 1, p. 44-47, 2004.

LEGUIL, F. Sobre as apresentações clínicas de Jacques Lacan. In: *Lacan, você conhece?* São Paulo: Cultura, 1998. p. 92-99.

MAUREL, H. El texto de de Clérambault: una lengua, una grafía, un estilo. In: MORON, P. *et al. Clérambault maestro de Lacan*. Buenos Aires: Nueva Visión, 1993. p. 63-114.

MAYER-GROSS, W.; SLATER, E.; ROTH, M. *Psiquiatria clínica*. São Paulo: Mestre Jou, 1972. t. I.

MILLER, J.-A. Lições sobre apresentações de doentes. In: *Matemas I*. Rio de Janeiro: Jorge Zahar, 1996. p. 138-149.

PESSOTTI, I. *O século dos manicômios*. São Paulo: Editora 34, 1996.

SAFATLE, V. O poder da psiquiatria. *Cult*, São Paulo, n. 184, p. 22-23, 2013. Dossiê "O mal-estar na civilização do DSM-5".

VIGANÒ, C. De Clérambault e a lógica do sujeito. In: *Saúde mental: psiquiatria e psicanálise*. Belo Horizonte: Instituto de Saúde Mental; Associação Mineira de Psiquiatria, 1997. p. 36-47.

Semiologia da consciência e das funções do eu

Ondina Machado, Heloisa Caldas, Antônio Teixeira

Introdução

Ao abordar, num livro-texto de psicopatologia, o exame fenomenológico da consciência, deparamo-nos, logo de saída, com uma importante ambiguidade no sentido dado a esse termo. Derivado do lexema latim *cum scientia*, o termo "consciência" parece inicialmente denotar a ideia de um saber ou de uma função cognitiva compartilhada. Mas se retrocedermos em sua etimologia, constatamos no vocábulo latino *scientia* a tradução do termo grego *syneidesis*, que significa "conhecimento da própria culpa".[1] Assim como o termo "causa" foi transportado metaforicamente da esfera axiológica do discurso jurídico para o campo neutralizado da física, o conceito cognitivo de consciência encontra sua origem num discurso cuja conotação inicial teria sido predominantemente moral. O uso denotativo do que hoje entendemos como consciência só veio a ser dissociado de sua conotação moral a partir do final do século XVIII, com o termo alemão *Bewusstsein*. Substantivo composto a partir do sintagma "estar ciente" (*bewusst sein*), seu emprego na esfera da psicopatologia resultou "da transformação secular da relação cognitiva com a culpa própria (*syneidesis*) em relação cognitiva com todo gênero de saber (*pan-syneidesis*)" (Teixeira, 2013, p. 220).

Do ponto de vista de sua concepção contemporânea, nós devemos ao filósofo F. Brentano a construção de uma noção dinâmica da consciência, apresentada como ligação intencional do pensamento sobre o objeto

[1] Retomamos aqui a parte inicial do capítulo "A consciência e suas alterações", publicado por Paulo Teixeira. Ver Oliveira (2013, p. 219-238).

pensado. Foi a partir dessa concepção que Husserl construiria mais tarde o método fenomenológico, cuja finalidade seria a de extrair o objeto de sua contingência empírica para cernir sua essência noética a partir de sua representação pela consciência. Dizemos, desde então, que toda consciência é necessariamente "consciência de", a qual ora pode ser tomada como consciência de si mesma, na forma da consciência reflexiva ou da consciência dos estados do eu, ora como consciência de um objeto, em seu caráter projetivo ligado à sensopercepção e às representações externas.

Do ponto de vista neurofisiológico, o termo "consciência" é tomado como sinônimo de estado de vigília, cujo funcionamento é regulado pelos neurônios que compõem o sistema reticular ativador ascendente. Estar consciente, em tal definição, é estar desperto, é ter clareza vivencial da experiência. Nesse sentido, a consciência se deixa pensar por analogia à imagem do palco iluminado por um facho de luz, no interior do qual se distingue um determinado cenário. O nível da consciência corresponderia à intensidade do foco de luz projetado sobre o palco, ao passo que a amplitude do campo da consciência estaria referida à extensão da parte clarificada, sendo seus conteúdos os objetos ali iluminados. Se no estado desperto a consciência se encontra no nível de claridade máxima, no estado de obnubilação essa luz estaria mais reduzida, diminuindo ainda mais no torpor para se apagar completamente seja no estado de coma, em sua condição patológica, seja na situação de sono profundo, em sua condição fisiológica.

Ao considerarmos, por outro lado, a atenção como representante do facho de luz, a parte central mais iluminada do palco seria o foco da consciência. A atenção será dita voluntária quando o sujeito dirige esse foco ou será chamada de espontânea quando os próprios conteúdos da consciência movimentam sua focalização. A atenção estará concentrada quando se fixa sobre determinados objetos num foco mais estreito, ou dispersa quando se distribui em focos mais amplos. Enquanto a capacidade de manter o foco é nomeada como tenacidade, a faculdade de deslocar o foco se chama vigilância.

Quando concebemos a consciência, por outro lado, a partir da extensão do espaço do palco iluminado pelo facho de luz, referimo-nos à amplitude do campo da consciência. Falamos, então, do estado crepuscular para designar o estreitamento do campo da consciência, que sói ocorrer com alguma variação do nível de intensidade da consciência. Nesses estados, via de regra relacionados a auras epilépticas e a condições traumáticas, observa-se uma diminuição do conteúdo que a consciência alcança iluminar. Eles podem igualmente ocorrer nos estados de estase hipnótica e no período do trema que precede ao desencadeamento da psicose.[2]

Do ponto de vista, portanto, de sua descrição clínica, definimos a consciência a partir da imagem do palco iluminado, reservando o termo "inconsciência" ao espaço sem luz. Mas, ao abordarmos o problema da tomada de consciência a partir da perspectiva psicanalítica, outra ideia de inconsciente se impõe. Quando pensamos na palavra a que não conseguimos aceder, mas que se encontra acesa, na ponta da língua, no nome do pintor que desapareceu de nossa mente, mas cuja tela se apresenta intensamente iluminada no plano da consciência, na regra de simetria absurda a que o obsessivo minuciosamente obedece, sem entender o que o move a segui-la, na imagem aparentemente confusa do sonho, que parece encerrar, contudo, uma lógica secreta, vemo-nos às voltas com o modo de expressão de um inconsciente radicalmente distinto da penumbra da consciência.

Dessa forma, para abordar essas questões segundo a lógica psicanalítica, precisamos estar atentos ao rompimento promovido por Freud com relação à abordagem tradicional de uma psicologia que identificava a psique à consciência. Depor o psiquismo desse lugar, questionar o funcionamento da consciência como indicativo de racionalidade, em contraste à irracionalidade atribuída à doença mental, foi a ousadia de Freud cuja reviravolta até hoje traz dificuldades para aqueles que trabalham na clínica da saúde mental.

O inconsciente: uma subversão

Sabemos que a psicopatologia de Jaspers, cuja doutrina se apoia na fenomenologia de Husserl e na hermenêutica de Dilthey, tomava como princípio a máxima de que se deveria "ir diretamente às coisas mesmas", tal como elas se oferecem para a consciência, para identificar e descrever sua essência. A principal tese de Jaspers tinha por base o princípio fenomenológico de que "só o que realmente existe na consciência deve ser representado. Tudo o que não se encontrar realmente na consciência, não existe" (Jaspers, 1987, p. 72). Dessa forma tinha-se a crença em uma realidade psíquica inteiramente recoberta pela consciência, que poderia ser descrita e compreendida pelas vivências do paciente. Essa perspectiva incluía uma reflexibilidade na medida em que permitia conceber a consciência como consciente de si mesma, capaz de autoconsciência e autorreflexão.

---

[2] A propósito do "trema", cf. adiante p. 106.

Jaspers não exclui a ideia do inconsciente, embora o pensasse de forma completamente diferente daquela como Freud o conceituou. Jaspers considerava o inconsciente como um estado de "infraestrutura extraconsciente" (Jaspers, 1987, p. 21), cuja construção teórica serviria a fins meramente explicativos. Em sua análise crítica, verifica-se que a compreensão do conceito freudiano estava calcada na aprendizagem de um comportamento como acervo de memória disponível ou não. O que se teria de geral, de fato típico, seriam as vivências como sendo os próprios conteúdos reais, imediatos da consciência de cada indivíduo, fruto de suas percepções, ideias e sentimentos.

Quanto ao uso do termo "inconsciente", ele já se fazia antes de Freud, em sentido igualmente diverso. O termo surge na filosofia, com Leibniz, para designar "percepções insensíveis" não acompanhadas de conhecimento ou reflexão, como "este não sei quê, esses gostos, essas imagens das qualidades sensíveis, claras no conjunto, porém confusas nas suas partes individuais; essas impressões que os corpos circunstantes produzem em nós, que envolvem o infinito, esta ligação que cada ser possui com todo o resto do universo" (Leibniz, 1984, p. 12). No século XIX, essa noção ganha corpo com o idealismo alemão de Schelling, para quem "esse eterno inconsciente esconde-se em sua própria luz serena e, apesar de nunca se tornar objeto, imprime às ações livres a sua identidade [...]; é o eterno intermediário entre o subjetivo, que se autodetermina em nós, e o objetivo ou intuente" (Schelling *apud* Abbagnano, 1998, p. 523). Para Schopenhauer, que propunha que a vontade, considerada em si mesma, seria inconsciente, o inconsciente seria um impulso irresistível e cego presente na parte vegetativa de nossa vida.

É possível reconhecer nessas pequenas citações a influência que alguns filósofos, notadamente aqueles relacionados ao idealismo alemão, tiveram na formação acadêmica de Freud e, consequentemente, na sua concepção da mente humana. Por outro lado, fica também evidente a distância entre esse inconsciente da filosofia e aquele que será sistematizado por Freud no corpo teórico da psicanálise. O ineditismo de Freud não consiste em tomar o inconsciente como falta de consciência, como poderia sugerir uso do prefixo negativo "in-", mas em conceber positivamente outra cena psíquica determinada por leis distintas daquelas que regem os fenômenos da consciência.

Do ponto de vista de sua definição negativa, a noção, anterior a Freud, de conteúdos mentais inconscientes também já era discutida no campo da medicina. Ela estava presente tanto na abordagem de Charcot da histeria como naquela de seu aluno Pierre Janet. Este começa a estudar os fenômenos psíquicos que ocorriam nos estados histéricos, na hipnose e no sonambulismo. Em sua tese, *O automatismo psicológico*, de 1889, resume-se sua teoria: a personalidade seria constituída por uma instância "que conserva as organizações do passado", e por outra "que sintetiza e organiza os fenômenos presentes" que, em condições normais, funcionariam de forma harmônica e integrada, tornando-se, entretanto, dissociadas em determinadas situações mórbidas. Haveria assim, no dizer de Janet, uma *segunda consciência* subjacente ao pensamento normal, composta por lembranças, representações, imagens e sensações, capaz de determinar o comportamento a despeito da consciência imediata do sujeito, conforme processos mentais por ele qualificados de "inconscientes" (Pereira, 2008).

No início de sua pesquisa, Freud pensava a consciência em relação à percepção como qualidade contrária ao inconsciente. Ele, então, situa a consciência no sistema responsável pelas sensações e percepções. A associação da consciência ao Eu é creditada, em boa parte, à percepção, já que, por definição, o Eu é a instância que tem contato com o mundo externo, captando seus estímulos e transformando-os para poder admiti-los no aparelho psíquico. É somente a partir de *A interpretação dos sonhos* que ele irá propor uma concepção do psiquismo em que se revoga a soberania da consciência, abrindo assim espaço a uma formulação do funcionamento mental segundo uma lógica própria ao inconsciente. O inconsciente passa a ser pensado como um sistema dotado de leis próprias, distintas daquelas que regem as operações da consciência. No mesmo movimento em que se destitui a soberania do Eu, o conceito de inconsciente aponta para o caráter falacioso de todo esforço de tratar o psiquismo nos termos de adequação e controle do funcionamento mental consciente.

Esse giro freudiano se dá, no entanto, no seio da pesquisa médica e científica de sua época, que tinha como pivô os enigmas da epidemia de histeria do final do século XVIII e início do século XIX. Embora nascida de uma necessidade médica, a psicanálise se separou da medicina como campo de investigação justamente no momento em que os achados de sua pesquisa se tornaram desconcertantes para os médicos. Isso se deveu à impossibilidade, constatada por Freud, de pensar os sintomas da histeria sem recorrer à concepção de um funcionamento psíquico inconsciente, dando-lhe um lugar fundamental em seu primeiro modelo tópico do aparelho mental. A ele se agrega a noção de pulsão, termo utilizado para pensar o modo de satisfação inerente à perturbação sintomática, cuja experiência de gozo desarmônica é percebida pelas instâncias normativas da consciência e do eu sob as espécies do sentimento de culpa e do desprazer.

Se, até então, as leis que regiam os fenômenos orgânicos eram investigadas segundo seu funcionamento natural, Freud desnaturaliza o corpo ao propor pensar o organismo no sentido daquilo que cada ser humano supõe ter e poder manejar ao confrontar as exigências de satisfação pulsional com as regras da vida social. Freud, no entanto, não era dualista, ele não corroborava a tese cartesiana clássica da divisão entre corpo e pensamento. Freud era materialista: ele acreditava no funcionamento mental como produto do sistema nervoso central a ponto de se permitir comparar a posição da psicanálise em relação à psiquiatria com a da histologia frente à anatomia. Haveria, na perspectiva freudiana, uma coalescência tão profunda entre o corpo e a linguagem que se lhe tornava inútil definir se a linguagem determina a pulsão ou se a pulsão faz dos humanos seres de linguagem. O que importa, para uma análise semiológica do paciente que fala em nome de seu Eu, é verificar que nele algo pulsa e somente através de sua fala recolhemos indícios balbuciantes dessa pulsação. A presença e a força pulsional, embora não possam ser mensuradas por palavras, deixam-se verificar pela repetição insistente de algo que não se alcança dizer totalmente.

Tendo a medicina e a psicologia de um lado, e a filosofia do outro, a psicanálise se constituiu como um campo epistêmico, cujas especificidades devem ser destacadas para aqueles que a estudam e praticam. Formado inicialmente em medicina, ao mesmo tempo que frequentava os cursos de filosofia de Brentano, para se tornar posteriormente neurologista, Freud entrelaça, em seus textos, os conceitos de consciência como campo subjetivo da filosofia e como função neurológica da vigília. A seu ver, os estados patológicos marcados pela dissociação não se deixam explicar como resultado do fracasso da função da consciência, tampouco da função sintética do Eu, atribuídos a uma degenerescência hereditária denominada por Janet de "fraqueza psicológica". Na recusa dessa hipótese podemos detectar onde começa o afastamento de Freud das ideias até então existentes sobre o inconsciente. Já na abertura de "As neuropsicoses de defesa" (Freud, [1894] 1976) ele afirma que é possível levantar várias objeções à teoria de Janet, enfatizando, em concordância com Breuer, que a base dos sintomas histéricos são os "estados hipnoides", estados de consciência oniriformes, sendo a dissociação secundária e motivada pelo fato de que as representações surgidas nesses estados se acham excluídas do comércio associativo com os demais conteúdos da consciência. Para Freud, não se trata do efeito de uma perda da capacidade de síntese do Eu que conduziria ao processo dissociativo. Essa falha da síntese resulta antes de um trabalho conduzido pelo próprio Eu que, ao visar um objetivo distinto do que normalmente se integra ao campo da consciência, termina por produzir o estado dissociativo. Diz Freud:

> Os dois pacientes analisados por mim haviam gozado, com efeito, de saúde psíquica até o momento em que surgiu em sua vida psíquica um caso de incompatibilidade; isto é, até que chegou a seu Eu uma experiência, uma representação ou uma sensação que, ao despertar um afeto penosíssimo, levaram o sujeito a decidir esquecê-las, não se julgando com forças suficientes para resolver por meio de um trabalho mental a contradição entre seu eu e a representação intolerável (Freud, [1894] 1976, p. 59-60).

Assim, nesse primeiro momento de suas formulações, já se encontram ideias que serão reelaboradas mais tarde como fundamentos da primeira tópica: o Eu não é o centro de gravidade do funcionamento mental; há outra instância subjetiva, a que Freud dá o nome de Isso, cujos conteúdos podem despertar afetos desprazerosos para o Eu; entre o Eu e essa outra instância subjetiva há um conflito; e é desse conflito entre as instâncias psíquicas que nasce o sintoma. Ressalta-se também, nesse desdobramento da teoria freudiana, a força do recalcamento, mecanismo decisivo para a distinção entre consciente e inconsciente do qual participam as duas instâncias: na primeira verificamos a força para esquecer, na segunda, a insistência pulsional que retorna.

É no capítulo VII de *A interpretação dos sonhos* que aparece a primeira distinção tópica entre inconsciente, pré-consciente e consciente. Não se trata mais de conceber o inconsciente como um depósito de memórias desagradáveis ou traumáticas que, para manter a paz sintética da consciência, deveriam permanecer dissociadas, conforme formulado nos primeiros estudos sobre a histeria. O inconsciente da primeira tópica freudiana é uma instância psíquica ativa, constituinte fundamental de todo o funcionamento mental humano. Freud concebe essa conceituação do inconsciente como sendo a "revolução copernicana" trazida pela psicanálise (Freud, [1916] 2014, p. 381), na qual o Eu deixa de ser o mestre de sua própria casa, reduzindo-se a uma instância subordinada ao inconsciente.

Importante salientar que Freud, ao conceber o psiquismo nos moldes de um aparelho, procura delinear, em relação ao inconsciente, um modelo de funcionamento mental que não seja um processo caótico ou casual, mas organizado por regras e princípios específicos. Na primeira tópica, primeiro desses modelos de aparelho psíquico descrito no referido capítulo de *A interpretação dos sonhos*, Freud propõe que toda atividade psíquica parte de estímulos aferentes que chegam à extremidade perceptual, terminando em inervações que desembocam na extremidade motora. A extremidade perceptual é capaz de manter traços das percepções na forma de traços mnêmicos que se interligam como uma rede no Inconsciente (Ics), ao passo que na extremidade motora haveria uma espécie de filtragem que regula o acesso à consciência (Cs) dos conteúdos gerados no Ics. Quinze anos depois, em "O inconsciente" (Freud, [1915] 1986), Freud irá descrever as características e a dinâmica dos processos psíquicos inconscientes. Nessa nova descrição, o núcleo do inconsciente seria constituído por representantes das pulsões a que anteriormente nos referimos, governados pelo princípio do prazer, ou seja, orientados pela descarga da tensão gerada pelo estímulo pulsional. O desejo inconsciente, ali manifesto, desconhece as restrições temporais, assim como os princípios lógicos da negação e da contradição que a consciência aplica aos objetos do mundo para sua disponibilidade, ao realizar o teste de realidade. As representações não se ligam tampouco, no nível do inconsciente, segundo as regras conceituais que buscam fixar o significado de uma palavra em conformidade com o seu uso discursivo. O inconsciente é regido por aquilo que Freud chama de "processo primário", no qual as representações se ligam através da transferência de investimento pulsional, num movimento indiferente às exigências de fixação do seu sentido conceitual. Por isso, o sujeito pode sonhar com um sol gelado que, no nível do inconsciente, tem muito mais ligação com a lembrança de Solange e da solidão que sua falta causa do que com o sentido conceitual da estrela de quinta grandeza. Ou pode sonhar com a neve quente para realizar seu desejo ardente de se reencontrar com a gélida Nívea.

É somente na passagem para a consciência que os conteúdos inconscientes serão submetidos a uma censura que separa o caminho da pulsão de sua representação psíquica. Se uma representação do desejo não for compatível com a imagem que o sujeito criou para si mesmo, ela chegará à consciência transformada numa ideia substitutiva ou se manifestará, por exemplo, através de uma carga afetiva inversa. É assim que o desejo ardente da jovem pelo cunhado se realiza no sonho pesaroso da morte da irmã. Quanto à pulsão associada no inconsciente a essa representação, ela irá investir outra representação mais compatível (a cena de luto), ou se manifestará como uma espécie de energia à deriva que reconhecemos nas formas patológicas da angústia.

Semiologia da consciência do eu

Quando abordamos a temática da consciência do eu, nos diversos tratados de psicopatologia, normalmente nos deparamos com o clássico conceito fenomenológico do eu como "experiência da unidade de si próprio". O eu assim reflete a face dita subjetiva da personalidade, que dela se distingue por não ser uma formação estática, mas uma experiência psicológica que somente se percebe em movimento (López-Ibor, 1999). Nesse sentido, a consciência do eu estaria presente, mais ou menos veladamente, em todos os estados de consciência, sendo uma qualidade comum a todas as vivências psíquicas normais.

Jaspers propõe distinguir as características formais da consciência do eu, em termos de unidade, de identidade, de atividade e de oposição ao mundo externo. Ele quer com isso dizer que o Eu normalmente se apresenta ao sujeito como integrado numa unidade espontânea, a que se dá o nome de indivíduo; como uma identidade que se mantém na sucessão temporal, a despeito das transformações vividas; como consciência de ser o autor de suas próprias atividades, além de se colocar em oposição ao não-eu referido ao mundo externo. As alterações da consciência do eu se encontrariam assim referidas à perda de sua vivência espontânea de unidade, nas quais o sujeito se sente habitado por individualidades distintas, como ocorre nas vivências do duplo corpóreo (heautoscopia, ou delírio do sósia), nas psicoses exotóxicas, nos rituais de possessão místico-religiosa e na esquizofrenia; à perda de sua identidade, em estados processuais de ruptura abrupta da personalidade; à perda da consciência de sua atividade, como se vê na síndrome de automatismo mental e nos delírios de influência; e finalmente à perda da consciência de oposição ao mundo externo, como se dá nos fenômenos infantis de transitivismo, nos estados confusionais e nos quadros de delírio onírico. A esses quatro aspectos Alonso-Fernández acrescenta a vivência de familiaridade consigo próprio, para definir o estado de despersonalização como perda dessa familiaridade que se traduz num sentimento de estranheza do sujeito com relação a si mesmo.

Do ponto de vista da teoria psicanalítica, o eu se define como uma função de mediação entre a pressão pulsional interna, a ação motora e a realidade externa. Sua tarefa é conciliar a consideração da realidade externa com as exigências pulsionais da instância indiferenciada do isso e a instância recalcante do supereu (Freud, [1923] 1976, p. 64-76). Lacan afirma, a esse respeito, que sendo o eu o fator de mediação da consciência com o mundo externo e a realidade psíquica interna, o próprio modo de funcionamento dessa mediação já colocaria em causa a primazia da consciência. Lacan entende que o "eu", longe de exercer uma mediação neutra, antes deforma a operação perceptiva da qual a consciência seria a sede (Lacan, [1954-1955] 1985, p. 69-70). Para entender sua argumentação, necessitamos admitir a ideia de que o "eu" funciona como um semblante (Lacan, [1955] 1998, p. 424), no sentido de algo que determina uma configuração perceptiva a partir da estrutura imaginária do seu funcionamento.[3] Cabe-nos, então, determinar como se estrutura essa função de semblante do "eu", a fim de captarmos de que modo ela desmente a primazia dada pela psiquiatria fenomenológica ao papel da consciência.

Para alcançarmos esse ponto, necessitamos considerar a relação especular que determina a constituição imaginária do Eu, conforme Lacan a demonstra no clássico texto "O estádio do espelho como formador da função do eu". A tese ali desenvolvida, que se desprende dos estudos de Wallon sobre a prova do espelho, parte da observação relativa à experiência de júbilo vivida pela criança por volta dos 8 meses de idade, na qual ela conquista de forma antecipada, através da visão do reflexo de sua imagem, a unidade corporal da qual ela se encontra privada biologicamente.

Valendo-se de estudos comparativos de ontogênese e filogênese, Wallon nos informa que a criança não consegue inicialmente se reconhecer numa imagem, pois sua imagem é percebida por ela como outro: "Essa dificuldade deve-se, sem dúvida, à contradição de se observar simultaneamente em dois espaços que não estão ainda suficientemente integrados um no outo, o espaço cinestésico ou pessoal e o espaço exterior, o dos objetos" (Wallon, [1943] 1975, p. 160). O salto dado pela criança é justamente quando ela faz coincidir a experiência especular, que estabelece em um espaço externo sua imagem refletida, com as experiências cinestésicas de seu corpo próprio. Esse momento, qualificado de jubilatório, é o ponto em que um Eu se constitui, ao conciliar uma intimidade múltipla com uma exterioridade imagética. Trata-se de um

[3] Para maiores detalhes sobre o conceito de semblante, cf. no capítulo 5 "Semiologia da percepção" o comentário sobre a equivalência entre o semblante lacaniano e a noção de preconceito do mundo formulado por Merleau-Ponty.

reconhecimento que se deve à imagem, como outra dela mesma, no campo das experiências perceptivas externas, uma vez que a experiência do corpo próprio, por imaturidade do sistema nervoso, não é capaz de aceder à unidade corporal do indivíduo.

Diferentemente dos demais primatas, que já nascem com a formação completa da bainha de mielina que envolve o sistema nervoso extrapiramidal, o animal humano nasce prematuro, antes que esse processo de mielinização termine. Por isso ele tem a percepção neurológica do corpo como algo disperso, fragmentado, desprovido de unidade motora. O corpo até então vivido nessa fragmentação será tomado como objeto de uma identificação imaginária que condiciona a própria formação do eu, na forma dessa unidade antecipada que a criança encontra na visão da imagem especular. O eu passa, assim, a se estruturar a partir da relação igualmente imaginária que a criança mantém com seus semelhantes, no momento em que ela se confunde com o outro através do qual ela evidencia o ajustamento de si no registro do imaginário. Isso se atesta no fenômeno do transitivismo tipicamente observável no comportamento infantil: quando uma criança se machuca e chora, as demais também o fazem, como se tivessem sofrido a mesma injúria. Somente em seguida o sujeito será levado a descobrir que o outro no espelho não é real, e sim uma imagem, conseguindo distinguir a imagem do outro de sua realidade para entender que a imagem de seu corpo é sua representação. Mas isso não impede que a imagem especular forneça, no dizer de Lacan, a forma de sua "totalidade ortopédica que marcará com sua estrutura rígida todo o seu desenvolvimento mental".

Conforme destaca M. H. Brousse (2014, p. 2), não é por ser imagem que a imagem deixa de ter consequências reais. Ao apontar que a unidade do corpo não advém das sensações orgânicas, mas da imagem encontrada no espelho ou no semelhante, a teoria lacaniana subverte as concepções neurofisiológicas da formação do Eu. Na leitura que Lacan faz de Freud, o narcisismo constituinte da formação do eu se realiza mediante o investimento libidinal da imagem que nela se fixa por efeito de uma fascinação, fazendo com que a imagem projetada se reverta para a criança sob a forma da unidade corporal que captura numa identificação alienante. O eu assim se forma antes que haja, propriamente falando, uma consciência do Eu, visto que a imagem inicialmente se apresenta como outro para o sujeito que ela captura.

O Eu se constitui, assim, a partir da imagem externa dada pelo espelho. É preciso, contudo, ressaltar que isso só é possível – e Lacan insiste muitíssimo nesse ponto – pelo fato de que a criança encontra no nível de regulação simbólica da linguagem, representada pelo Outro que a sustenta diante do espelho, a confirmação de que aquela imagem é a sua imagem. Mas seja qual for a eficácia dessa regulação simbólica, haverá sempre um "nó de servidão imaginária" no ponto de junção da natureza biológica com o dado social da cultura (Lacan, 1998, p. 103) onde o sujeito se constitui como "eu". Desse fato decorre que o eu, por ser cativo dessa estrutura especular, antes produz um efeito de desconhecimento (*méconnaissance*) ao configurar a percepção tanto da realidade interna psíquica quanto da realidade externa do mundo do ponto de vista da representação imaginária que ele faz de si mesmo.

No que se refere às representações psíquicas que afluem internamente a partir da instância pulsional indiferenciada do isso, a exigência imaginária do eu conduz a consciência a reconhecer como próprio somente aquilo que é compatível com a imagem que ele constrói de si mesmo, submetendo ao recalque o que não condiz com sua representação. Talvez a isso se deva a ambiguidade presente no termo "consciência" que comentamos no início deste capítulo, o qual significa tanto o conhecimento compartilhado (*cum scientia*) quanto o conhecimento da própria culpa (*syneidesis*). Por se vincular à instância normativa do "eu", a consciência opera selecionando os elementos perceptivos que condizem com a representação que o sujeito faz de si mesmo, gerando, assim, uma espécie de crivo moral sobre a função cognitiva do pensamento.

Do ponto de vista da apreensão da realidade externa, o conhecimento orientado pelo eu se estrutura, por sua vez, a partir de relações imaginárias de similitude através das quais se busca pensar os fenômenos do mundo a partir de projeções especulares de sua formação própria. Ao afirmar, por exemplo, no caso da física pré-científica, que o fogo se dirige para cima em razão de seu parentesco com o Sol, ou que a pedra se dirige para baixo em virtude de seu parentesco com a Terra, o conhecimento aplica especularmente o sentido humano de parentesco a elementos que na verdade não participam desse tipo de relação. É nesse sentido que Lacan qualifica o conhecimento como paranoico. O conhecimento é uma função essencialmente paranoica por se gestar na relação do eu com a figura especular do semelhante, que o conduz a reconhecer no outro o rebatimento de sua própria organização (Lacan, [1953] 1999, p. 7).

Mas se quisermos captar mais concretamente o que vem a ser esse efeito de desconhecimento do eu sobre a sede da consciência, tem interesse lembrar de que modo o tratamento psicanalítico opera produzindo saber no lugar psíquico habitado pela ignorância gerada pelo desconhecimento egoico. Diferentemente das diversas práticas médicas, nas quais a investigação etiológica precede e organiza o tratamento, na prática psicanalítica a cura não se encontra separada da investigação de saber que se traduz na descoberta da causa do sofrimento psíquico. Podemos inclusive identificar a cura analítica a um tratamento epistêmico, se considerarmos que o sujeito neurótico sofre por ignorar algo que se separa de sua consciência. Qualquer pessoa minimamente informada sabe, no entanto, que não é uma deficiência cognitiva que vem explicar a carência de saber donde se origina a neurose. Existe, na verdade, como já o percebera Freud, um mecanismo de *desconhecimento ativo* que nos impele a separar uma representação traumática de seu processo cogitativo, tornando irreconhecível a causa do que faz sofrer. Sofremos, de certa maneira, por não admitirmos uma verdade cuja expressão se estrutura, em razão do recalque, no registro do alheamento.

O fato de que o neurótico originalmente só percebe a causa traumática como sintoma, ao modo de um corpo estranho enquistado no eu, como se fosse algo que não lhe dissesse respeito, conduz-nos à hipótese clínica de Freud e de Lacan, de que a verdade dessa causa deve ser sondada em algum ponto de sonegação do sujeito. Foi, aliás, a percepção de estranheza que o paciente relata, ao se dar conta da exigência de satisfação pulsional que o sintoma abriga, que levou Freud dar o nome de isso a essa instância subjetiva alheia ao Eu. Na realidade, é preciso considerar, na perspectiva freudiana, que o Eu não quer justamente nem saber do isso. A verdade do sofrimento toma a forma insólita do sintoma por dizer respeito a algo do qual o Eu tem horror em saber.

É necessário, no entanto, que haja produção de saber sobre a verdade no curso de uma análise. Pois se a verdade não tem ali o destino inefável de um elemento místico, é porque ela pode e deve ser interrogada no interior do saber produzido pela experiência. Mas de que maneira eu posso ser conduzido a alcançar, pelo saber, algo do qual justamente eu não quero nem saber? É diante do impasse representado por essa questão aparentemente simples que se torna manifesto o interesse crucial da psicanálise pelo discurso da ciência. Vejamos em que sentido.

Digamos de início que tal operação só é possível porque o saber produzido na experiência analítica não é um saber introspectivo, tal qual o saber adquirido mediante a meditação ou o ato de reflexão consciente. Há de existir a introdução do Outro no dispositivo analítico, no sentido de um convite ao estranho, para que o saber se detenha diante daquilo que dele se exclui. Se não existe, pois, tratamento autoanalítico, é pela simples razão de que o saber que interessa a tal experiência deve necessariamente ser um saber dirigido ao Outro, ou mais do que isso, um saber que supõe no Outro a causa que fixa seu efeito de significação. Mas o Outro que esse dispositivo introduz, através do mecanismo da transferência, não é simplesmente um outro eu que se põe a ouvir seu semelhante, para extrair a mera plausibilidade de seus argumentos. Trata-se de um Outro estranho que nos convoca a dizer o que foge ao plausível mediante a associação livre, deixando que os efeitos de sentido se produzam por si mesmos, independentemente da ingerência do Eu.

Não foi por acaso que o lugar desse Outro, sustentado inicialmente por Freud, tenha sido aquele ocupado pelo médico como representante da ciência. O discurso da ciência nos interessa especialmente, na medida em que dele podemos extrair um saber que nos convoca a abordar a verdade como elemento estranho, segundo o rigor de uma lógica indiferente ao apelo do Eu. Ao passo que o conhecimento, como vimos acima, supõe uma conaturalidade especular entre o sujeito e o objeto (que Lacan, aliás, ironiza com o trocadilho "*co-naître*"), no sentido de uma equivalência entre a representação mental e a natureza do objeto a ser conhecido, a ciência não visa a um objeto naturalmente dado a ser conhecido mediante esse critério especular de correspondência. Ao cientista não interessa as qualidades naturais do objeto, mas somente o que se deixa descrever nos termos de uma equação algébrica. O peso somente interessa enquanto relação matemática entre a massa e a aceleração da gravidade (f=m.a); a densidade, como relação entre a massa e o volume (d=m/v); e daí por diante. Se a ciência explica o real pelo impossível, segundo a fórmula clássica que Lacan extrai de A. Koyré,[4] é porque o princípio de explicação do qual a ciência parte não é uma representação retirada da observação do objeto externo; ela constrói a partir de si mesma, artificialmente, o seu objeto, pela atividade puramente pensante da razão. A verdade deixa de ser pensada segundo o princípio de adequação entre a representação mental da coisa e a coisa a ser representada, para ser concebida segundo um acordo que o próprio pensamento estabelece consigo mesmo, no plano imanente de sua dedução formal.

[4] A se comparar: Koyré (1973, p. 199) e Lacan (2001, p. 408, 422, 425).

Ao passo que o conhecimento opera pela via especular da similitude, que vai do mesmo ao mesmo, à ciência somente interessa a diferença. Do seu objeto somente interessa o atributo distintivo no qual se define a natureza mesma do significante, através do qual se destacam as propriedades diferenciais do objeto artificialmente composto enquanto objeto científico. Ao reduzir o significante a seu suporte literal, a ciência desconecta a dimensão simbólica da indução complementar da imagem, conferindo-lhe uma autonomia própria. Interessa-lhe estabelecer fórmulas dissociadas do seu conteúdo representativo, para delas somente recolher o que se apresenta no nível puramente distintivo das letras de sua equação.

Propomos, então, voltar ao que diferencia a fenomenologia compreensiva de Jaspers do saber construído pela doutrina psicanalítica, valendo-nos da hipótese de que a fenomenologia opera no nível especular da similitude imaginária, reservando à psicanálise a noção de um saber apoiado na dimensão diferencial construída pelo discurso da ciência. Tal hipótese se verifica no próprio princípio metodológico que orienta a fenomenologia compreensiva de Jaspers, quando ele afirma, a propósito da compreensão empática, que o psiquiatra deve se colocar no lugar do paciente para captar o sentido do seu sintoma. Impossível não notar o quanto sua psicopatologia resvala para o sentido imaginário do conhecimento, no qual o outro é captado a partir da colocação especular do mesmo. Ao se colocar no lugar do paciente para tomar consciência do sentido do seu sofrimento, o psiquiatra fenomenológico nada mais faz do que revalidar o princípio de similitude no qual se toma o eu do terapeuta como critério de correspondência para pensar o eu do paciente. Desse critério resulta a primazia dada pela fenomenologia compreensiva de Jaspers às categorias do eu e da consciência.

Interessante notar que Freud jamais consentiu com a perspectiva fenomenológica da compreensão, a despeito da grande reputação social dessa doutrina no momento em que ele construía solitariamente a teoria psicanalítica. Diferentemente do que se dá no campo de orientação fenomenológica, a categoria primordial com a qual o psicanalista opera, em sua prática clínica, não é a consciência, tampouco o eu. A psicanálise opera com a categoria do sujeito, mais especificamente falando, do sujeito produzido como efeito do discurso da ciência, ainda que Freud não tenha jamais feito um uso explícito do termo "sujeito". Necessitamos, portanto, esclarecer por que a psicanálise se vale de uma noção de sujeito que se demarca radicalmente das categorias fenomenológicas da consciência e do eu, levando em conta os efeitos de ruptura gerados pelo discurso da ciência sobre os esquemas especulares do conhecimento.

Para esse fim, é preciso salientar que o que nos orienta, no nível da prática psicanalítica, somente pode ser concebido como resultado de um dizer. Não existe, para o psicanalista, nenhuma dimensão psíquica anterior ao que pode ser captado a partir da fala do paciente ou daquilo que sobre ele pode ser dito. Valemo-nos, portanto, do conceito de sujeito para pensarmos a realidade psíquica enquanto puro efeito da palavra, da articulação significante. Por isso o sujeito se coloca, para nós, como categoria radicalmente distinta de toda individualidade empírica, o que nos convoca a pensar o psiquismo como efeito decorrente do discurso que o determina e sobre o qual ele se desenvolve singularmente.

Mas isso não basta. No entender de Lacan, para que o sujeito sobre o qual opera a psicanálise pudesse se produzir, foi necessário que a ela preexistisse o discurso da ciência moderna. Lacan não quer com isso afirmar ou negar que a psicanálise seja ou que ela deva ser uma teoria científica; o ponto importante não é esse. Distintamente de Freud, que via a ciência como um ideal externo a ser alcançado pela teoria psicanalítica, Lacan não acredita no ideal externo da ciência. A ciência para ele importa como um discurso que estrutura não externamente, mas internamente a operação psicanalítica, no sentido em que o sujeito da psicanálise é o sujeito constituído pelo discurso da ciência.

A fim de esclarecermos esse ponto, necessitamos uma vez mais lembrar que a ciência se demarca do esquema especular do conhecimento ao destituir seu objeto de suas qualidades sensíveis, para dele reter somente o que se deixa apreender no nível de suas fórmulas matemáticas. Do momento em que a ciência moderna procede através da dissolução matemática das qualidades sensíveis de seu objeto, uma teoria do sujeito que a esse gesto responde também deve destituí-lo de suas qualidades de ser existente. Ao sujeito produzido pelo discurso da ciência não devem convir as propriedades qualitativas da alma, do eu ou da consciência. Assim como o objeto da ciência se apreende na pura sintaxe de uma fórmula matemática, o sujeito da ciência somente se deixa pensar a partir dos efeitos que se produzem na articulação significante. É nesse sentido que o pensamento científico moderno necessita daquilo que o *cogito* cartesiano testemunha. Se é Descartes quem inventa, no entender de Lacan, o sujeito da ciência, é porque o sujeito que emerge com o *cogito*, no início da segunda meditação metafísica, apresenta-se como puro efeito do pensamento. Vejamos em que sentido.

Resumamos esse ponto dizendo que Descartes, ao procurar um fundamento de verdade para a racionalidade científica que em seu momento se inaugurava, propõe revocar como duvidoso todo saber passível de engano, o que o conduz a excluir o conhecimento adquirido pela via da representação sensível. Após colocar em dúvida a própria existência do mundo apreendido pela sensibilidade, Descartes pergunta-se, no início da segunda meditação metafísica, se acaso sua própria existência de ser pensante não poderia também ser revocada como duvidosa, em conjunto com os demais objetos da realidade. Nesse instante, a dúvida cessa: é impossível que eu, que duvido, não exista, pelo menos enquanto pense, já que minha existência de ser pensante se coloca como condição do próprio ato de duvidar. Duvido, penso, logo existo (Descartes, [1647]1953, p. 275). Seja qual for a representação do meu pensamento, por mais falso que ela possa ser em relação à relação de correspondência do conteúdo representado, por mais que eu me engane ao pensar a natureza de determinado objeto, o fato de eu pensar é uma verdade indubitável que se verifica no puro ato do pensamento. No momento, portanto, em que a verdade da existência é dada como certa, o sujeito se encontra disjunto de toda qualidade pelo ato da dúvida. Temos a certeza da existência do ser pensante que resulta do acionamento do pensamento estritamente qualquer, dissociado de toda particularidade de seu conteúdo representativo. O seu correlato é o sujeito da ciência como efeito de um pensamento sem qualidades.

É nesse sentido, esclarece J.-C. Milner, que o sujeito da ciência surgido com o *cogito* de Descartes se coloca como condição para a emergência da psicanálise (Milner, 1996, p. 33). O pensamento sem qualidades é essencial ao inconsciente freudiano, pois não há como extrair a inteligibilidade das formações do inconsciente sem conceber que existe pensamento no sonho, no ato falho, nos lapsos, etc., ou seja, ali onde o sujeito não se reconhece como eu nem como consciência. Para tanto, necessitamos supor que o pensamento não dependa da qualidade de ser consciente. Do pensamento que não depende de um predicado qualitativo se desprende um efeito de sujeito que não se confunde com as qualidades do eu, da consciência e da reflexividade. Necessitamos, portanto, da categoria do sujeito para podermos abordar a divisão oculta sob a instância especular do "eu", cuja unidade imaginária depende, como visto anteriormente, de um mecanismo de desconhecimento ativo das moções psíquicas que não condizem com sua representação.

Referências

ABBAGNANO, N. *Dicionário de Filosofia*. São Paulo: Martins Fontes, 1998.

BROUSSE, M.-H. Corpos lacanianos: novidades contemporâneas sobre o Estádio do espelho. *Opção Lacaniana online*, v. 5, n. 15, nov. 2014. Disponível em: <http://www.opcaolacaniana.com.br/pdf/numero_15/Corpos_lacanianos.pdf>. Acesso em: 27 mar. 2017.

DESCARTES, R. *Œuvres*. Paris: Gallimard, 1953.

FREUD, S. As neuropsicoses de defesa [1894]. In: *Primeiras publicações psicanalíticas*. Rio de Janeiro: Imago, 1976 (Edição Standard Brasileira das Obras completas de Sigmund Freud, v. III).

FREUD, S. Conferência introdutória XVIII: A fixação no trauma: o inconsciente. In: *Obras completas, v. 13: Conferências Introdutórias à Psicanálise (1915-1916)*. São Paulo: Companhia das Letras, 2014.

FREUD, S. O eu e o id [1923]. In: *Obras completas, v. 16: O eu e o id, autobiografia e outros textos*. São Paulo: Companhia das Letras, 2011, p. 9-64.

FREUD, S. O inconsciente [1915]. In: *Obras completas, v. 12: Introdução ao narcisismo, ensaios de metapsicologia e outros textos. A história do movimento psicanalítico, artigos sobre a metapsicologia e outros trabalhos (1914-1916)*. São Paulo: Companhia das Letras, 2010. p. 99-138.

FREUD, S. Projeto para uma psicologia científica. In: *Publicações pré-psicanalíticas e esboços inéditos (1886-1889)*. Rio de Janeiro: Imago, 1950 [1895]/1976. (Edição Standard Brasileira das Obras Psicológicas Completas de Sigmund Freud, v. 1). p. 335-454.

KOYRÉ, A. Galilée et la révolution scientifique. In: *Études d'histoire de la pensée scientifique*. Paris: Gallimard, 1973.

JASPERS, K. *Psicopatologia geral*. 8. ed. São Paulo: Atheneu, 1987. 2 v.

LACAN, J. *Escritos*. Rio de Janeiro: Jorge Zahar, 1998.

LACAN, J. Algumas reflexões sobre o ego [1953]. *Opção Lacaniana: Revista Brasileira Internacional de Psicanálise*, São Paulo, n. 24, 1999.

LACAN, J. *O seminário, livro 2: o eu na teoria de Freud e na técnica da psicanálise* [1954-1955]. Rio de Janeiro: Jorge Zahar, 1985.

LACAN, J. Radiophonie. In: *Autres écrits*. Paris: Seuil, 2001. p. 403-447.

LEIBNIZ, G. *Novos ensaios sobre o entendimento humano*. São Paulo: Abril Cultural, 1984. (Os Pensadores, II).

LÓPEZ-IBOR, J. J. *Leciones de psicologia medica*. Madrid: Paz Montalvo, 1999.

MILNER, J.-C. *A obra clara*. Rio de Janeiro: Jorge Zahar, 1996.

PEREIRA, M. E. C. Pierre Janet e os atos psíquicos inconscientes revelados pelo automatismo psíquico das histéricas. *Revista Latinoamericana de Psicopatologia Fundamental*, São Paulo, v. 11, n. 2, p. 301-309, jun. 2008.

OLIVEIRA, R. M. de. (Org.). *Seminários em Psicopatologia: da psiquiátrica clássica à contemporaneidade*. Belo Horizonte: Coopmed, 2013, p. 219-238. TEIXEIRA, P. A consciência e suas alterações. In: OLIVEIRA, R. (Org.). *Seminários em psicopatologia*. Belo Horizonte: COOPMED, 2013. p. 219-238.

WALLON, H. *Psicologia e Educação da Infância*. Lisboa: Estampa, 1975.

Semiologia da percepção: o enquadre da realidade e o que retorna no real

Antônio Teixeira, Jésus Santiago

> *O industrial passa sobre o asfalto apreciando-lhe as qualidades; o ancião o examina com atenção [...] faz ressoar a bengala, lembrando-se com orgulho de que viu colocarem as primeiras calcadas; o poeta... anda, indiferente e pensativo, a mastigar versos; o especulador da Bolsa nele passa a calcular as perspectivas do último aumento da farinha; e o desatento, escorrega.*
>
> Alexis Martin

Considerações preliminares

Quando atiramos um cristal no chão, ele se parte, observa Freud, mas não em pedaços que se dispersariam caprichosamente pelo chão: "o cristal se desfaz segundo linhas de clivagem cujos limites, embora invisíveis, estavam predeterminados em sua estrutura" (Freud, [1940]2006, p. 64). Analogamente, Freud prossegue, a doença mental revela, ao expor a divisão interna da estrutura psíquica, instâncias que passariam despercebidas em seu modo de funcionamento normal. Uma dessas estruturas, que a psicose traz à luz, diz respeito à maneira como certos pacientes julgam ter se tornado objetos da observação alheia. É como se houvesse em nós, suspeita Freud, "uma instância que nos observa e ameaça punir, e que se tornou, nos doentes mentais, nitidamente separada do eu e erroneamente deslocada para a realidade externa" (Freud, [1933]2006, p. 64).

Convém lembrar, entretanto, observando tal situação mais de perto, que a própria apreensão da realidade externa encontra-se nesses casos comprometida. Queremos com isso dizer que a realidade na qual se enquadra o campo da percepção objetiva depende do encadeamento dos elementos assim percebidos no âmbito de uma unidade que na psicose se desfaz. Essa possibilidade permanente de unidade e coerência que sem pensar pressupomos, ao modo de um sentimento irrefletido de estabilidade da percepção, corresponde, conforme veremos mais adiante, àquilo que Merleau-Ponty se refere como uma "fé perceptiva de que há um mundo" (1964, p. 48). Trata-se da crença na existência de "um mundo" no interior do qual nos alojamos e nos deslocamos, em cujo domínio a experiência perceptiva se organiza. É esse preconceito despercebido do mundo que a alteração psicótica da percepção permite revelar, ao mostrar as consequências clínicas de sua inoperância.

Mas cabe examinar, antes de chegar a esse ponto, o modo como o próprio discurso da psicopatologia se apresenta cativo de certo preconceito irrefletido do mundo na concepção do fenômeno perceptivo. Sabemos, por exemplo, que quando Benjamin Ball propôs, em 1890, a célebre definição da alucinação como *perceptum* sem objeto, ele só fez coroar a concepção positivista de uma unidade natural da percepção, que desconsidera os processos discursivos que constituem a operação perceptiva. No esforço de fazer corresponder, em sua orientação fenomenológica, uma pretensa unidade do *percipiens* (ou percebedor) à univocidade objetiva do *perceptum*, a psicopatologia tende a naturalizar o fenômeno perceptivo como uma função sensorial predeterminada, deixando de lado as perspectivas simbólicas de sua operação. É-lhe necessário, para esse fim, elidir da concepção do ato perceptivo o modo como o sujeito que percebe se encontra representado pelo significante na linguagem, já que a equivocidade inerente ao significante colocaria a perder essa pretensa virtude unificante do *percipiens*. Há, portanto, na própria base dessa estratégia de compreensão fenomenológica da percepção, uma omissão que termina por comprometer qualquer esforço de teorização minimamente coerente do seu funcionamento. O que ali se desconsidera é o fato de que toda unidade perceptiva necessita, para se constituir, da ligação dos elementos sensoriais numa cadeia de linguagem que lhe confere sentido.

Senão, tomemos, ao acaso, a percepção de uma paisagem, como, por exemplo, a da Serra do Curral, que posso divisar da janela do escritório de onde escrevo neste exato momento. Um mínimo de reflexão me basta para compreender que a composição perceptiva varia segundo o modo de apreensão discursiva do objeto: a mesma montanha cuja visão se organiza em razão de sua forma ou de seu contraste cromático com a cor do céu no horizonte, quando percebida pelo pintor que nela busca um motivo pictórico, será notada em função de sua possibilidade de extração mineral pelo geólogo que presta serviços a uma indústria de metalurgia. A cadeia significante que liga a realidade da percepção numa unidade determinada depende, para se estabilizar, da ordenação que prescreve o seu uso no interior de uma prática discursiva. Estamos cientes, contudo, de que a maneira mais eficaz de impor modelos normativos de representação da realidade que orientam seu modo de percepção é fazer crer que a realidade, assim representada, desde sempre se apresentou assim. Não devemos, por conseguinte, estranhar que essa naturalização ideológica da percepção tenha encontrado respaldo no âmbito da psicopatologia, se lembrarmos que a psicopatologia não somente é uma prática discursiva como qualquer outra, como também se origina justamente do esforço de controle disciplinar das condutas através do emprego de representações normativas da sanidade mental.

Interessa-nos, portanto, elucidar, neste capítulo, o modo como o tema da percepção foi construído e abordado pela disciplina da psicopatologia, para em seguida expor os equívocos e as limitações dessa concepção. Mas antes de chegar a esse ponto, é preciso abordar o tratamento teórico da percepção em sua ligação com a sensação, com a representação mental e com o corpo, para em seguida ver como isso se articula ao conceito na forma geral das funções de apreensão cognitiva da realidade. Num segundo momento, proporemos debater a função operativa do discurso sobre a linguagem para o encadeamento da unidade perceptiva. Para esse fim, vamos estudar os efeitos da falência dessa operação discursiva na psicose, mediante a abordagem de seu desencadeamento na percepção delirante. Veremos como o signo perceptivo se manifesta, na percepção delirante, ao modo de um significante fora da cadeia discursiva, para em seguida elucidar em que sentido o delírio se constitui como uma tentativa de reencadear esse signo numa nova cadeia significante privativa do sujeito psicótico. Mostraremos, também, de que modo o fenômeno alucinatório pode ser pensado como retorno no real do elemento pulsional que não se deixa representar na realidade, em razão justamente da falência do seu enquadre discursivo.

Daremos especial ênfase ao problema do corpo na percepção, valendo-nos, sobretudo, dos insuperáveis estudos de Merleau-Ponty sobre a fenomenologia da percepção (1945), assim como de seu trabalho sobre o visível e o invisível (1964). Importa-nos mostrar em que sentido a percepção depende, para se constituir, do processo de subtração da carne sobre a superfície do corpo descrito por Merleau-Ponty, pois julgamos que a essa subtração corresponde a extração do objeto que, segundo Lacan, vem dar enquadre à realidade.

O enquadre corporal da realidade perceptiva

> *Pensamos que pensamos com nossos cérebros, mas pessoalmente eu penso com meus pés. É a única maneira pela qual posso entrar em contato com algo de sólido. Por vezes penso com minha cabeça, como quando me colido com alguma coisa. Mas eu vi o bastante de encefalogramas para saber que não há índice de pensamento no cérebro.*
>
> Jacques Lacan

Já nas primeiras páginas de seu clássico tratado sobre a fenomenologia da percepção, Merleau-Ponty indica que não existe percepção de termos absolutos, mas somente de relações: uma praia absolutamente homogênea não pode ser percebida, só percebemos uma coisa em meio a outras (Merleau-Ponty, 1999, p. 21-22). Assim como a praia homogênea, o espaço da pura dispersão, no qual nenhum laço se estabelece, não é sequer concebível pelo pensamento, por mais que evoquemos a ideia do Caos, em nosso esforço de nomeá-lo. Todo campo perceptivo deve ser concebido, portanto, como local em que se determinam relações minimamente estáveis sobre as quais o pensamento pode de algum modo se deter.

Mas não nos é dado, tampouco, determinar o limite de nosso campo perceptivo com elementos extraídos da percepção. Não conseguimos visualizar, a partir do mundo, as fronteiras do campo visual. Necessitamos admitir que haja, na região que cerca esse local de relações determinadas, a visão indeterminada de um não sei quê. O fator que explica, para retomar o exemplo de Merleau-Ponty, a diferença perceptiva entre segmentos de reta idênticos, na ilusão de Müller-Lyer (ver Figura 1), não se encontra no exame isolado de cada linha que percebemos. Essa diferença se coloca somente em relação ao fato de que cada uma delas se encontra tomada em seu contexto privado, como se não pertencessem ao mesmo universo. Como se vê na imagem a seguir, uma linha igual à outra deixa de ser igual à outra por se tornar justamente outra: isso significa que uma linha isolada e a mesma linha tomada no interior de uma figura deixam de ser a mesma para a percepção. De sorte que para corrigir analiticamente o erro perceptivo, não devemos prestar mais atenção na figura. Necessitamos, por assim dizer, desprestar atenção no contexto do campo perceptivo, abstraí-lo, torná-lo indeterminado, se quisermos ter a justa medida das duas linhas que vemos. É nesse sentido que Merleau-Ponty nos fala da positividade da indeterminação (MERLEAU-PONTY, 1999, p. 24).

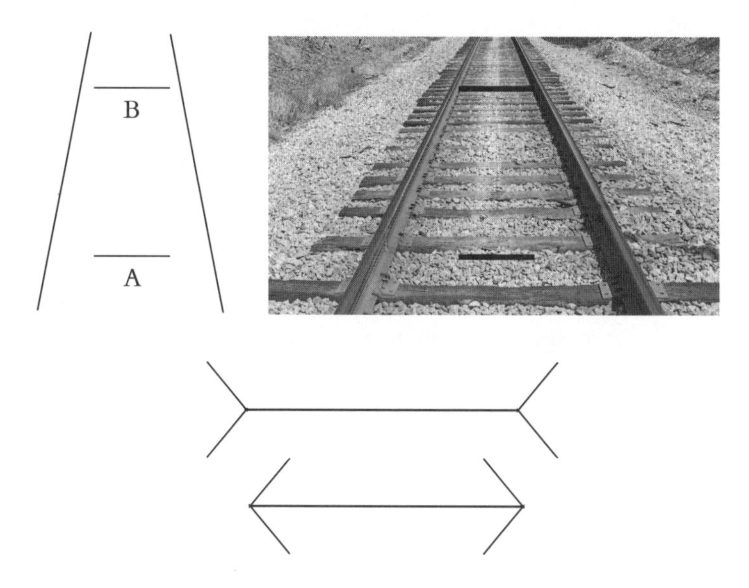

Figura 1: Ilusão de Müller-Lyer

A percepção é, portanto, um processo de integração em que a ligação dos elementos do mundo não é recopiada, mas constituída a partir de um halo de indeterminação positiva. Essa indeterminação se mostra positiva (no sentido etimológico do particípio latino *positus*: o que está posto) justamente porque coloca, enquanto tal, a percepção, ao mesmo tempo que se torna inoperante desde que buscamos determiná-la. Do mesmo modo como não se pode olhar diretamente para a luz do Sol, que torna as coisas visíveis, sem ofuscar as retinas, não podemos determinar as condições transcendentais de nossa percepção sem perder de vista o objeto a ser percebido. Daí a necessidade de não se tomar a unidade perceptiva como determinada pela soma das associações dos elementos que capto na experiência: eu não vejo primeiro um círculo, em seguida a cor amarela e depois acrescento a sensação do calor para produzir a unidade perceptiva do Sol. Tem-se antes uma unidade imperceptível que se coloca como condição transcendental das associações, fundada sobre o pressentimento indeterminado de uma ordem iminente que faz com que liguemos num texto os estímulos que nos chegam (MERLEAU-PONTY, 1999, p. 35).

O fato é que ao tratar a percepção como totalidade somatória dos estímulos sensoriais, o empirista se esquece de que temos a necessidade de antecipar o que procuramos, sem o que não o procuraríamos. Mas a posição intelectualista, que situa na mente o princípio de ordenação da unidade perceptual, não considera, por sua vez, que devemos ignorar o que procuramos, sem o que tampouco o procuraríamos. Toda a fenomenologia da percepção de Merleau-Ponty se encontra atravessada por uma atitude crítica frente a essas duas orientações filosóficas divergentes: a versão intelectualista, eminentemente representada pela filosofia continental de Descartes, Leibniz e Kant, que localiza na mente o fundamento objetivo da percepção, por oposição à versão empirista, que tem seus expoentes na filosofia anglo-saxônica de Locke, Berkeley e Hume, que localiza na somatória dos estímulos sensoriais o essencial da operação perceptiva. Por mais que tais vertentes se oponham, ambas comungam da ideia de que a atenção não cria nada, já que as noções de um mundo de impressões em si (empirismo) ou de um universo *a priori* de pensamentos determinantes (intelectualismo) se colocam igualmente subtraídos à ação da mente (Merleau-Ponty, 1999, p. 45).

Para agir, a mente requer o corpo, uma vez que a atenção necessita criar um campo perceptivo onde os movimentos do órgão explorador sejam possíveis, sem que o sujeito se perca nas transformações que cada nova aquisição provoca. A atenção não existe *in abstrato*, como uma atividade puramente formal do espírito. Ela requer a fixação corporal de um ponto invariante através do qual possa tomar distância em relação às mudanças da aparência. A posição precisa do ponto tocado será, dessa forma, "a invariante dos diversos sentimentos que tenho [do objeto percebido] segundo a orientação de meus membros e meu corpo" (Merleau-Ponty, 1999, p. 57). Para não ficar preso a um estado de arrebatamento sensorial, o sujeito deve tomar distância e responder somente aos estímulos exteriores que dizem respeito a seu engajamento na percepção. Do ponto de vista prático, ele passa a dispor, com a repetição da ação engajada, de um automatismo corporal que transfere a elaboração de suas respostas para a periferia, permitindo que cada situação momentânea deixe de afetar a totalidade de sua experiência. Por isso reconhecemos que alguém aprendeu efetivamente a dirigir quando não necessita mais olhar para o volante ou para a alavanca de câmbio de seu automóvel. Dar-se um corpo habitual responde, portanto, a uma necessidade de integração perceptiva que elege estímulos determinados por uma intencionalidade. Mais do que uma experiência de corpo, o esquema corporal deve ser concebido como uma experiência de meu corpo no mundo, tal como no mundo eu o recortei. É engajando-se no mundo por meio de circuitos periféricos preestabelecidos corporalmente que o sujeito se orienta na percepção.

Dito em outros termos, se o corpo é o nosso meio geral de ter um mundo, ter consciência perceptiva de algo do mundo é estar nesse algo por intermédio do corpo, é ter o corpo convocado perceptivamente por ele. Por isso o tenista sente mexer os dedos da mão ao ver uma raquete, assim como o jogador de futebol sente coçar o pé diante da bola. O instrumento só se conquista quando incorporado pelo sujeito, como se diz de um bom guitarrista que ele tem intimidade com seu instrumento. A prova cabal dessa incorporação é a constatação de que quando o cego se familiariza com seu bastão, o mundo dos objetos táteis recua. O mundo se transfere da epiderme da mão para a ponta do bastão, agora extensão de sua síntese corporal, que assim deixa de ser um objeto que o cego percebe no mundo para se tornar instrumento de sua própria percepção.

Do ponto de vista, portanto, do engajamento corporal do sujeito no mundo, o ato de prestar mais atenção não se reduz a iluminar com maior intensidade dados perceptivos já presentes. Ao observar atentamente o tabuleiro, o enxadrista procura, na posição das peças, menos o que está vendo do que aquilo que ainda não viu: ele visa encontrar algo que não está dado na configuração perceptiva atual da qual busca se desfazer. Prestar atenção significa construir novas composições a partir da escolha de outra invariante, por meio de um ato que estabelece unidades perceptivas inéditas no mesmo movimento que se desfaz das antigas. A nova percepção, assim formada, dá-se, pois, como uma interpretação de estímulos sensoriais a partir de hipóteses distintas que o sujeito cria para dar sentido às suas impressões. Não se trata de descobrir um sentido já posto: é a percepção que, ao unir a constelação dos dados sensoriais, faz com que tenham sentido no interior de uma nova configuração (Merleau-Ponty, 1999, p. 66).

A fé perceptiva e sua desconstrução irônica na psicose

Muito embora esse "fazer sentido", anteriormente evocado, dependa da localização que o ato de perceber corporalmente organiza, a percepção, ela própria, não se encontra determinada em nenhuma localidade. Ela só pode constituir transcendentalmente as localizações se não se deixar localizar, caso contrário se tornaria, ela própria, objeto do campo perceptivo. A percepção é, assim, no dizer fulgurante de Merleau-Ponty, um julgamento que ignora suas razões: seu objeto se dá a perceber antes mesmo que tenhamos determinado sua lei inteligível. É nessa linha de raciocínio que ele evocará mais tarde, desde as primeiras páginas de

O visível e o invisível, a obscuridade da fé perceptiva sobre a qual repousa a apreensão do mundo. A falsa clareza aparente da percepção depende do suporte inexplicável do preconceito de que há um mundo, dessa fé ou opinião primordial que nos instala numa realidade cujo enquadre a percepção não interroga.

O leitor minimamente familiarizado com a psicanálise provavelmente terá reconhecido nesse suporte da fé perceptiva, também chamada de preconceito do mundo, a função discursiva do semblante referida por Lacan no final da década de 1960. Assim como, para Merleau-Ponty, toda percepção necessita se apoiar sobre a ideia irrefletida de que há um mundo, para Lacan não existe fato senão relativo ao discurso condicionado pelo semblante, que opera somente se não for questionado. Ao passo que o discurso organiza a crença na realidade como campo de relações relativamente estáveis, sobre o qual a consideração factual pode se mover, o semblante ao qual o discurso se vincula é, como já aludimos anteriormente, o ponto de vista que não se deixa ver. De sorte que se perceber é perceber relações, o discurso que nos faz crer na realidade do mundo é justamente a força que secreta essa rede relacional, sem se relacionar ela própria. Por isso Lacan afirma a propósito do grande Outro que organiza a experiência simbólica que ele só é reconhecido por não se deixar conhecer. O grande Outro que agencia o discurso não pode ser objeto de uma apreensão cognitiva: ele necessita do suporte de uma crença partilhada que o faça existir para cada sujeito.

A realidade da percepção, por ser discursiva, revela-se, portanto, como uma dimensão essencialmente fiduciária: ela depende de um ato de fé, de uma *fides* socialmente compartilhada para se estabelecer. Por isso toda construção perceptiva da realidade se encontra ameaçada pela descrença (Merleau-Ponty, 1964, p. 48): ela traz consigo o risco de sua dispersão, já que nada impede que num dado período de crise sua crença não mais se sustente, e o semblante deixe de operar. Não é incomum que nesses momentos de desrealização angustiante o vulto do louco seja evocado, como se sua imagem servisse de contorno para localizar esses efeitos dispersivos. O personagem de *O sobrinho de Rameau*, evocado por Foucault em sua *História da loucura*, é emblemático nessa perspectiva. Ele compõe a figura jocosa do louco bufão na qual se encarna a consciência irônica que desvela o semblante sobre a qual a racionalidade social de uma aristocracia em crise se sustenta, tornando esse semblante inoperante pelo mesmo movimento em que o questiona e se recusa a nele crer.

Podemos mesmo dizer que a perda de realidade na psicose resulta, em certo sentido, da inoperância da fé perceptiva. Se ser louco, parafraseando Pascal, é não ser louco da loucura de todo mundo, o que a loucura finalmente revela é o fundamento insano da crença que sustenta todo laço social. A loucura revela a impostura que se encontra na base de toda ordenação da realidade pelo discurso, ao interrogar, em sua base, um princípio de fé que só pode se exercer se não for questionado pelo sujeito. Trata-se de um princípio que deve ter inquestionavelmente razão, por ser a própria possibilidade de julgamento factual sobre a verdade e o erro. A ironia do esquizofrênico, que mereceu particular atenção de Jacques-Alain Miller, especifica-se pela recusa da crença no Outro enquanto princípio de ordenação discursiva da realidade. Trata-se de uma descrença (*Unglaube*) a incidir justamente sobre o preconceito do mundo que se encontra na base de toda relação social. Sua ironia denuncia, no interior da realidade que o discurso constitui, o avesso derrisório do ideal normativo que a organiza, revelando que o campo do Outro, onde as relações de significação se organizam, não tem existência fora da crença que o sustenta. A loucura mostra, enfim, que a consistência lógica do mundo se apoia, em última instância, sobre a base ilógica da crença compartilhada (Milner, 1983, p. 71). Por isso o pensamento se vê constantemente assombrado pelo espectro da loucura, percebida como risco da dispersão radical, no sentido em que a fé que organiza o campo perceptivo se coloca alheia a todo cálculo subjetivo.

Conforme se vê no capítulo redigido por Sérgio Laia e Adriano Amaral de Aguiar, em sua leitura da *História da loucura* de M. Foucault, razão e loucura por longo tempo mantiveram uma relação de reversibilidade intrínseca. Seguindo o movimento que remonta ao poema trágico antigo, cujo modelo seria a loucura refletida de Antígona, passando pelo tema paulino da derrisão da razão – "a sabedoria do mundo é loucura perante Deus" (*Epístola aos coríntios* I, 3, 19) –, a loucura conservara, até o final do século XVI, a dignidade da experiência trágica que desestabilizava o pensamento racional em seus fundamentos, ao modo de uma falha inerente a sua estrutura. Esse *tópos* da razão louca, lugar retórico da suspeita de que a percepção racional do mundo fosse, no fundo, ensandecida, atravessou grande parte da meditação filosófica ocidental. Foucault chega mesmo a dizer que a loucura, até o início da era clássica, encontrava-se tão disseminada na concepção do mundo que não se podia percebê-la num lugar definido.

Para que a loucura ganhasse seu lugar perceptivo próprio, foi necessário um gesto que a desenredasse violentamente do pensamento. Se ela pôde se constituir, a partir do final do século XVIII, como objeto de uma percepção racional positiva, sua objetivação está condicionada pelo momento anterior do século XVII, em que a construção racional do saber pôde se separar das figuras do desatino. Distintamente do ceticismo quinhentista de Montaigne, ensaísta que se recusava a construir sistemas, por desconfiar de toda base racional do pensamento, a filosofia que se inaugura no século XVII, com René Descartes, propõe-se a edificar uma nova ciência pelo mesmo gesto que reduz a loucura ao silêncio: desde a primeira meditação metafísica, a impossibilidade de ser louco passa a ser vista como condição essencial ao exercício metódico da dúvida na procura de uma base sólida para o pensamento.

Ao estabelecer, em sua origem, que a natureza pode ser objetivamente conhecida, em sua estrutura matemática, o pensamento científico moderno organizou a convicção de que o problema do engano e do erro não se encontra na racionalidade concebida nela mesma, como pensavam os céticos e os nominalistas, mas somente no seu uso indisciplinado, verificado exemplarmente na experiência da loucura. Em vez de atacar a razão, propõe-se a reforma da percepção racional, num movimento cujo eixo se desloca do ser para o conhecer, da ontologia para a epistemologia. A atitude medieval de suspeita dirigida à razão cede, assim, progressivamente lugar a uma ampla reforma do entendimento, que tem sua base na profilaxia do engano. Basta ler o título das obras dispostas na estante do século XVII, numa biblioteca de filosofia, para perceber que todas traduzem a mesma preocupação preventiva. Seja no *Discurso do método* elaborado por Descartes, seja na *Reforma do entendimento* redigida por Espinosa, seja no *Ensaio sobre o entendimento humano* proposto por Locke, seja ainda na *Investigação acerca do entendimento de Hume*, a percepção da loucura como erro de percepção a ser corrigido se torna para a filosofia mentalista, que ora se organiza, objeto de uma questão recorrente: sob quais condições a razão alucina?[1]

O que interessa à ciência que se inaugura, segundo o modelo da física matemática, é transformar os dados da percepção em enunciados universais constantes. Para esse intuito, deve-se examinar a mente a fim de eliminar toda fonte de variação que possa ocorrer no processamento das informações sensíveis. Diante desse procedimento, a loucura não trará mais nenhum ensinamento: ela se vê subtraída de sua antiga dignidade trágica para ser percebida tão somente como uma das causas do erro subjetivo.

---

[1] O comentário acima foi extraído do curso oral do professor R. Fenati.

A época clássica traça assim uma solidariedade implacável entre a ética da Reforma, que agrupa sob o termo "desatino" os efeitos do erro moral a ser saneado, e a ciência moderna, que visa prevenir o engano pela profilaxia do erro perceptivo. Não havendo mais espanto, como diz Foucault, em confundir o louco com o criminoso no mundo uniforme do desatino, a loucura se verá reclusa nos confins indefinidos da grande internação.

Importante, contudo, salientar que, nesse movimento inicial de conjuração indiferenciada, o gesto de separação da loucura que o discurso da ciência necessita não consegue tematizá-la cientificamente. Antes do século XIX não existe, propriamente falando, uma percepção científica da insanidade mental; há somente uma sensibilidade confusa que não a define, embora a denuncie em sua aberração. A terapêutica e o castigo moral ainda se mesclam numa situação em que a percepção da loucura é determinada menos por uma ciência médica do que por uma consciência burguesa que solicita a medida higiênica do confinamento. Havendo apenas o saber jurídico da alienação no momento em que se procede à prática do internamento, é sobre a base da jurisprudência que se esboça uma primeira psicopatologia no século XVII. O indivíduo psiquicamente são, ilusoriamente referido à noção do *homo natura* em sua condição normal, na verdade é fruto da criação jurídica do sujeito do direito. Seu referente histórico, conforme indica Foucault, é o indivíduo dotado da faculdade de elaborar contratos e contrair obrigações. Ele é, em suma, o homem civilizado que Nietzsche define como um animal disciplinado para ser capaz de promessas, e por isso privado do esquecimento ativo, tão essencial à digestão do saber. O indivíduo que o discurso do direito define como psiquicamente são se revela comparável, no dizer de Nietzsche, a um animal dispéptico.

Não nos cabe retomar aqui a longa história da percepção da loucura que se seguiu a esse movimento.[2] Importa-nos reter somente de que modo se construiu, a partir dessa percepção, a ideia que hoje nos chega da loucura como alteração perceptiva da realidade. Poderíamos resumir dizendo que se para Pinel e seus epígonos percepção moral e tratamento correcional da insanidade ainda se confundiam, a visão propriamente científica da doença mental se seguiu à consideração de um achado anátomo-clínico realizado por Bayle. A Bayle, discípulo de Bichat, devemos a descrição, já

[2] Com relação a essa discussão, remeto novamente o leitor aos capítulos redigidos por Sérgio Laia e Adriano Amaral de Aguiar, e por Francisco Paes Barreto e Gilson Iannini.

em 1832, de um processo de aracnoidite crônica verificado pela autópsia cerebral de pacientes acometidos pela sífilis terciária, cujo reconhecimento tardio viria marcar o início mesmo da nosologia psiquiátrica clássica. Bayle realizou uma verdadeira façanha epistemológica ao estabelecer a etiologia física de uma doença mental, além de reunir sintomas antes dispersos na evolução temporal de uma entidade nosológica. A percepção propriamente científica da loucura que, então, começaria a se estabelecer serviu-se assim do modelo da paralisia geral progressiva fornecido por Bayle em 1822, do qual deriva o desenvolvimento da chamada clínica evolutiva, que conheceria em Kahlbaum e em Kraepelin seus maiores expoentes.

Impossível, contudo, detectar, para a maior parte das doenças mentais, o equivalente observável da aracnoidite crônica. Por mais que se autopsiasse o cérebro dos doentes, comparando-os com os dados obtidos nas autópsias da população normal, não se chegaria a estabelecer, na realidade mecânica do corpo, uma etiopatogenia conclusiva das patologias psíquicas. Foi em resposta a essas dificuldades que a psicopatologia estruturada por K. Jaspers recorreu ao método da fenomenologia compreensiva, no intuito de localizar a natureza do adoecimento psíquico a partir da construção de outro tipo de campo perceptivo.

Não iremos entrar, aqui, numa discussão mais detalhada dessa estratégia metodológica.[3] Digamos, resumidamente, que essa psicopatologia fenomenológica irá inserir no método clínico-evolutivo a noção de curso histórico vital, distinguindo a explicação atemporal do processo causal relativo a um fenômeno físico do fenômeno pertencente às ciências do espírito que especulam sobre a compreensão histórica do motivo aplicada à realidade psíquica. Um fenômeno mental poderá assim ser dito processual se puder ser concebido no plano da explicação causal, como é o caso do *T. pallidum* na etiologia dos quadros confusionais da sífilis terciária ou de uma alteração da substância cortical num quadro de demência. Mas tal outro fenômeno será dito reativo caso seja objeto não de uma explicação, mas de uma compreensão do seu sentido motivado, como se ilustra, por exemplo, numa atitude de tristeza diante da perda de um ente querido. O que se visa, na busca do motivo compreensível por detrás do fenômeno mórbido, é a gênese psicológica do seu sentido que se revela ao psiquiatra, quando este compara a atitude do paciente diante de determinado acontecimento ao que seria a sua própria reação psíquica. Ao propor procurar, nessa via de compreensão empática, os motivos do

[3] Remetemos o leitor ao capítulo "Introdução à psicopatologia lacaniana", p. 35-54.

paciente, comparando o seu comportamento com o que seria a sua própria reação, Jaspers termina por conceber o fato mental nos parâmetros de uma relação especular com o eu.

Poderíamos, decerto, escrever páginas e mais páginas para criticar a miragem dessa fenomenologia compreensiva que Freud jamais esposaria, por perceber desde cedo no sintoma uma satisfação que não se ajusta à imagem do eu. Mas essa via diz respeito ao modo de percepção do psiquiatra fenomenólogo, quando nos interessa estudar aqui a estrutura das alterações de percepção no curso da patologia mental. Para irmos, portanto, ao ponto que nos interessa, retenhamos somente o fato, verificado pelo próprio Jaspers, de que a verdade da loucura faz obstáculo à compreensão, por se manifestar como um fenômeno mórbido cuja gênese de sentido não pode ser compartilhada. Pois é isso que está em questão quando Jaspers localiza a irrupção da psicose nos assim chamados fenômenos processuais: sua ocorrência produz uma descontinuidade na história do paciente, fazendo obstáculo à compreensão do motivo que a determina. A irrupção do delírio primário seria comparável, nesse sentido, à imagem de uma fratura permanente na linha histórico-vital do indivíduo, sem que se possa captar sua psicogênese.

Inútil, portanto, para Jaspers, querer buscar o sentido da loucura. É fundamental perceber que ao transferir a questão da insanidade mental para o plano da causalidade física, Jaspers nos exime de todo esforço relativo ao exame de sua ocorrência clínica. Ao qualificar de processual o início da psicose, a psicopatologia deixa de se ocupar com a inteligibilidade dessa transformação, afirmando tratar-se de uma causa orgânica cuja natureza será, um dia, desvelada pela pesquisa científica. Para nos contrapormos a esse niilismo epistemológico que nos foi legado por Jaspers, é necessário retomar o trabalho de Klaus Conrad acerca da esquizofrenia incipiente, pouco ou quase nada comentado no domínio de nossa orientação lacaniana.

A estrutura da percepção delirante

O interesse do trabalho de Conrad se deve a sua recusa crítica do dualismo epistemológico que herdamos de Jaspers. Esse autor jamais toleraria a ideia de que o processo psicótico, exemplarmente representado pela esquizofrenia, não tivesse sentido pensável. Parecia-lhe exorbitante considerar a série dos fenômenos presentes no desencadeamento da esquizofrenia – tais como a esquizoforia ou humor delirante, o falso reconhecimento, a percepção delirante, a difusão e a influência do pensamento – como um conjunto de fenômenos desprovido de significação (Conrad, 1963,

p. 29). K. Conrad recusa esse comodismo epistemológico e empreende sua pesquisa sobre a forma da significação delirante nos anos 1940, num momento em que a extensão clínica do estruturalismo ainda estava por se realizar. Faltava-lhe, em sua *Gestaltanalyse* do fenômeno esquizofrênico, o "*organon*" estruturalista do qual Lacan mais tarde iria se servir, falta que confere a seu esforço uma originalidade particularmente notável. Se nos parece plausível considerá-lo um estruturalista *avant la lettre*, é na medida em que ele se propõe a desvelar a natureza do delírio na forma de sua inserção como sistema, independentemente do conteúdo particular de seus elementos. Conrad procura, então, caracterizar o início da esquizofrenia, que se manifesta com uma elevação da tensão psíquica, relacionando-o à vivência, expressa pelo paciente, de que algo iminente vai lhe acontecer. A essa vivência, descrita por Jaspers com o termo "esquizoforia", Conrad dá o nome de "trema", referido, no jargão do teatro, à sensação experimentada pelo ator logo antes de entrar pela primeira vez no palco (Conrad, 1963, p. 47-62).

Encontramos, então, descrito, já em 1958, o que Jacques-Alain Miller (1995, p. 17) irá denominar de operador de perplexidade em sua conferência de 1995 sobre o delírio: algo de grave vai acontecer, não há dúvida, mas o paciente, de início, não sabe o quê. Ele sabe somente que não é algo neutro; é sempre algo significativo cuja expectativa se traduz por um sentimento de estranheza: o sujeito vive uma experiência de intensa indeterminação que somente será resolvida com o surgimento da percepção delirante. É o momento em que ele diz: "É isso: a corda pendurada na cortina é o sinal inequívoco de que vão me enforcar". Nesse "é isso" resolve-se a condição do trema, pondo de certo modo um fim a sua angustiante experiência de indeterminação. A partir do momento em que o "é isso" se produz, vê-se desencadear o fenômeno, descrito por Jaspers, como consciência anormal de significação que passa então a se estender a todos os modos intencionais do paciente.

Cumpre lembrar, no entanto, que o conteúdo da percepção delirante em que se resolve o trema, embora diga incontestavelmente respeito à verdade da condição subjetiva do doente, adquire ali uma forma particular de manifestação. O sujeito se vê diante de uma verdade que a ele se mostra não pela via encadeada de uma inferência, mas por um fenômeno de percepção apofântica ou de revelação. O "é isso" da percepção delirante é captado como uma verdade revelada, e não como uma conclusão inferida a partir do saber sobre a situação (Conrad, 1963, p. 63 et seq.). A vivência apofântica toma, portanto, a forma descrita por Lacan de uma intuição plena – o sujeito se encontra inundado pela certeza de que essa revelação lhe concerne –, referida, paradoxalmente, a uma fórmula vazia: o "é isso" não remete a nada mais além dele próprio, ele não se encontra originalmente articulado a uma cadeia significante (Lacan, 1981, p. 43-44).

Qual seria, então, a inteligibilidade do fenômeno em questão? A bem dizer, afirma Conrad, o fenômeno essencial já se apresenta desde a experiência da apofania. O enfermo ali se encontra preso no interior de um sistema sem transcendência, fora do espaço intersubjetivo, como se algo se revelasse a ele, mas somente a ele, intimamente, e a mais ninguém (Conrad, 1963, p. 62). Distintamente da verdade demonstrada, que é uma verdade encadeada, como no caso de um silogismo, em que a articulação de duas premissas confere a necessidade que pode ser compartilhada da conclusão, a verdade apofântica da percepção delirante é uma verdade desligada da cadeia.

Propomos, portanto, dizer que a percepção delirante do "é isso" se produz na forma do signo, e não do significante. Quando definimos o significante como aquilo que representa o sujeito para outro significante, supomos que o significante, como tal, nunca se apresenta isolado; ele sempre existe em relação aos demais, visto que não há significante fora da cadeia. Já o signo é algo que se coloca fora da cadeia significante. Ele é, na verdade, um significante desencadeado, e é por se apresentar desencadeado que o signo suscita a necessidade de se produzir, a seu redor, uma nova cadeia que lhe dê sentido, ou seja, uma interpretação. Para saber o que o signo quer dizer é necessário reencadeá-lo numa nova cadeia significante. O delírio seria, nessa perspectiva, uma tentativa de reencadear o signo da percepção apofântica, de modo a fazê-lo produzir um sentido para o sujeito.

Dizemos, assim, que o sujeito visa ao signo quando se vê às voltas com uma verdade não articulada na cadeia significante. O ciumento, assim como o paranoico, é ávido por signos por pressentir uma verdade não encadeada numa declaração significante, como bem sabia o sórdido personagem Iago, da peça *Otelo*, de Shakespeare, ao fazer surgir o lenço de Desdêmona nos aposentos de Cássio. Importante, contudo, salientar, junto a Lacan, que a fumaça não é necessariamente signo do fogo, ela pode ser, por exemplo, signo do fumante. O valor do signo não é nem de longe unívoco, ele só significa se veiculado a uma cadeia que cada sujeito em torno dele constrói, engajando-o nessa composição.

Voltando agora à explicação de Conrad (1963, p. 80), notamos que na revelação delirante um traço do objeto percebido se converte, para o enfermo, na própria essência da significação. Ao passo que na experiência normal algo encadeia previamente a percepção, separando os aspectos essenciais dos irrelevantes, a percepção delirante parece liberar uma nuvem de propriedades essenciais dos objetos, diz explicitamente Conrad, valendo-se de uma imagem que evoca claramente o enxame de S1 referido por Lacan em *O seminário, livro 20: Mais, ainda* (Lacan, 1975, p. 130). No dizer de E. Laurent, o sujeito delirante sofre de uma espécie de inundação de signos numa realidade que transborda de sentido potencial (Laurent, 1995, p. 49-50). Nesse mundo em que todas as associações causais são virtualmente pertinentes, o psicótico se encontra tomado por um espasmo interpretativo que o impede de escapar aos estímulos incessantes. Falta-lhe um filtro a separar o essencial do irrelevante, como se ele padecesse, para usar um termo caro aos cognitivistas, de uma desregulação do mecanismo de *input* que normalmente deveria selecionar os traços perceptivos, de modo a agrupá-los em categorias destinadas a reconstituir a informação pertinente. Daí se explica que o sujeito, na crise psicótica, trate mais informações que o sujeito normal: ele carece do mecanismo de inibição latente que nos permite negligenciar os dados habituais na percepção normal, como se o mundo fosse constantemente inédito. Mas vale frisar, e aqui nos separamos dos cognitivistas e demais representantes das neurociências, que esse mecanismo de inibição que faz funcionar o filtro do *input* na consciência, longe de ser um dado biologicamente determinado, deriva antes da amarração da linguagem pela dimensão social ou cultural do discurso. É pelo discurso no qual estou inserido que consigo distinguir o elemento essencial do aspecto irrelevante, encadeando minha percepção num campo compartilhado de mediação dialética.

O discurso se coloca, portanto, conforme já indicamos anteriormente, como halo de indeterminação desde onde se constitui o enquadre da percepção para o sujeito.[4] Assim como o funcionamento discursivo da língua depende de sua submissão a um sistema de regras que não podem ser discutidas, o enquadre perceptivo da realidade requer um modo de organização transcendental que não se deixa enquadrar. Em psicanálise dizemos, de maneira simplificada, que o enquadre discursivo da realidade encontra-se transcendentalmente referido à regulação do Desejo da Mãe pelo do significante do Nome-do-Pai. Sua função é instituir o falo como

[4] "É preciso reconhecer o indeterminado como um fenômeno positivo" (MERLEAU-PONTY, M., 1945. p. 12, tradução nossa). Cf. igualmente o capítulo "Le champ phénomenal" (p. 64-77).

significante à parte que emancipa o sujeito de sua alienação incestuosa ao Desejo Materno, mediando sua destinação social ao ideal simbólico. O falo é, assim, o significante em relação ao qual os demais significantes irão significar a realidade para o sujeito, filtrando como insignificante tudo que se coloca fora dessa relação. Sua eleição não pode ser deduzida; ela depende do puro assentimento pelo qual o ser falante acede ao falo simbólico indexado pelo Nome-do-Pai, à condição de subjetivar o veto que o proíbe de se identificar ao falo imaginário apenso aos caprichos da mãe.

Por isso notamos, em relação ao desencadeamento crítico da psicose, que quando esse filtro discursivo do falo simbólico não mais opera, nesse momento nada é indiferente, tudo é significante, tudo parece ter vocação para significar. A falência desse filtro se manifesta na descrição de Conrad a propósito da experiência apofântica, quando ele afirma que nela vemos se desprender do objeto "uma nuvem de qualidades essenciais". O que, na verdade, libera-se são elementos que, ao perderem a mediação fálica que deveria conectá-los à cadeia social do discurso, passam a funcionar separadamente como signos ávidos de interpretação. Ao nos referirmos à perda de realidade no desencadeamento psicótico, devemos sempre frisar que a realidade que ali se perde é a possibilidade que tinha o sujeito de pertencer ao campo de mediação discursiva da percepção. O sentimento de desconfiança da fase apofântica atesta o fato de que, na carência dessa mediação, nada mais se coloca como natural para o sujeito. Pois falta a ele, nesse momento, o preconceito do mundo que deveria constituir, em sua neutralidade indeterminada, o transfundo da percepção. Nada mais é neutro, nada mais é indeterminado: tudo é virtualmente signo, tudo é potencialmente significante.

O transfundo perde a sua neutralidade e se enche de propriedades complementares, ganhando, assim, nesse êxtase perceptivo, uma relevância que normalmente não teria. O sujeito delirante se transforma num sujeito constantemente à espreita de signos a serem interpretados, com o caráter fundamental de que, nesse espasmo interpretativo, ele padece da incapacidade, descrita por Conrad, de mudar de sistema de significação, de pensar aquilo que ele pensa segundo outra maneira. É nesse sentido que Lacan vai se referir à inércia dialética como um dado específico da experiência psicótica (Lacan, 1981, p. 32). Imerso em sua certeza delirante, o sujeito não consegue elaborar uma composição dialética do que percebe, ao comparar, por exemplo, sua percepção com a de outro sujeito para dali compor um termo médio. Ele é incapaz de realizar uma composição dialética por não dispor do preconceito do mundo, que seria o espaço de mediação onde a comparação perceptiva poderia se realizar.

Semiologia da alucinação

A semiologia da percepção delirante nos revela, assim, tanto a falência da mediação perceptiva quanto a ausência de uma ordenação que permita sua delimitação no interior de uma prática discursiva compartilhada. É nesse sentido que buscamos elucidar a multiplicação de signos gerada pela ausência do enquadre discursivo, no desencadeamento da psicose, assim como a incapacidade de composição dialética situada na base da certeza delirante. Mas existe, além desses dois primeiros aspectos, um terceiro modo de retorno no real daquilo que não recebeu mediação simbólica, de estrutura distinta tanto da profusão de signos quanto da certeza não dialetizável da percepção delirante. É desse fenômeno que tentaremos tratar na semiologia da alucinação.

Do ponto de vista da construção histórica do conceito, sabemos que a definição positivista clássica da alucinação proposta por Ball, em 1890, como percepção sem objeto, é manifestamente equivocada e contraditória. Ela não somente omite o fato de que a própria ideia de percepção supõe de imediato a presença do objeto percebido, como também negligencia a observação clínica facilmente verificável de que alucinação e percepção são experiências qualitativamente distintas: o paciente psicótico é perfeitamente capaz de distinguir a experiência alucinatória da percepção normal da realidade, embora não negue o caráter real do que lhe chega pela alucinação. Ao considerar a natureza do fenômeno alucinatório do ponto de vista de uma excitação sensorial anômala, na ausência do objeto percebido, o empirista perde de vista sua expressão clínica. Sua ideia de um transtorno na recepção de estímulo contradiz o que diz o paciente, que bem sabe que as alucinações que o invadem não se produzem no espaço objetivo exterior.

Mas a perspectiva intelectualista que busca conceber a alucinação nos termos de um julgamento mental errôneo acerca do objeto representado se mostra, também, claramente insuficiente. De saída, ela deixa sem resposta o problema clínico destacado por Merleau-Ponty da impostura alucinatória: como pode a mente se enganar acerca de um objeto que ela mesma construiu? Ademais, todo julgamento – mesmo o errôneo – pressupõe certa posição de domínio sobre o objeto da parte de quem julga, ao passo que a alucinação verdadeira é invariavelmente vivida como uma experiência invasiva. De que modo poderíamos nos sentir invadidos por algo que nós mesmos formamos? Além disso, qualquer residente de psiquiatria está ciente de que quando o paciente diz estar alucinando, ele, na realidade, não alucina. Como bem viu Sartre, em *O imaginário*, não há juízo ou pensamento da alucinação no momento em que ela se produz. O cientista que gera artificialmente em si mesmo e descreve uma experiência alucinatória, por meio, por exemplo, da ingestão de alucinógenos, não alcança com isso saber o que é a alucinação. Ele consegue vivenciar no máximo uma alucinose, já que é do próprio fato da alucinação que o alucinado não consiga dela tomar distância, como poderia fazer a propósito da percepção. Ele continua submetido a ela por mais que busque dela se afastar, mesmo evadindo-se do local em que sua representação se produz.

Para abordar coerentemente o problema da alucinação, precisamos retomar mais uma vez a descrição, por Merleau-Ponty, do mundo perceptivo normal, lembrando que é da essência de sua representação ser compartilhável. O mundo percebido não é somente meu mundo: os outros espectadores estão nele implicados como a frente e o fundo dos objetos. Minha percepção faz coexistir um número indefinido de cadeias perceptivas que a confirmam, na medida em que se realiza num meio estruturado pelo significante. Estou ciente de que aquilo que percebo não constitui um espetáculo reservado, que o mundo percebido não é só o meu mundo. Diferentemente da certeza privada do alucinado, a percepção é sempre incerta, já que se encontra aberta à mediação dialética e pode sempre ceder lugar a outra percepção mais exata que a corrige. Entretanto, por mais que a representação perceptiva que tenho de cada coisa possa parecer incerta, após novo exame, uma crença fundamental se sustém: há coisas num mundo que compartilho. O que conta, na estrutura da percepção, é menos o seu acerto quanto à realidade do mundo percebido do que o fato de que aquilo que percebo possa ser alvo de acordo de certo número de enunciações.

É engano, portanto, supor que a alucinação se deva a uma falha na operação do *percipiens* em relação à natureza do *perceptum*, como se houvesse um sujeito ativo da percepção diante do objeto passivo a ser percebido. Não faltam exemplos para demonstrar a irredutibilidade do *perceptum* ao objeto passivo do puro estímulo sensorial: o mesmo aroma sulfídrico que nos desperta apetite, quando proveniente de uma tábua de queijos, causa-nos repulsa se nos chega através da porta semiaberta de um banheiro mal-asseado. Certa apresentação do corpo feminino que hoje é vista, nos canais publicitários, como deformada por estrias e celulite, exibe sua adiposidade majestosa em *As banhistas*, de Renoir. A mesmíssima grade, concebida para impedir a entrada pela janela, se colocada no primeiro andar de um edifício, é percebida como proteção de saída na janela do 15°. Longe de se mostrar, portanto, como um dado passivo para o sujeito percebente, o *perceptum* se apresenta num campo estruturado pela linguagem que precede o sujeito e o condiciona. De modo que este último, no lugar de se apresentar como sujeito ativo da percepção, encontra-se, antes, submetido ao *perceptum* organizado pela estrutura discursiva em que se encontra inserido.

Mas o alucinado não crê nessa ordenação do campo perceptivo: se ele não nos convida a ouvir as vozes que escuta, se ele não nos convoca a participar de sua experiência alucinatória, é por saber precisamente que ela não faz parte do campo perceptivo estruturado pela linguagem e acessível à realidade dos demais. A alucinação não se soma à experiência perceptiva do mundo percebido porque não tem lugar nesse espaço intercambiável da percepção; ela carece de uma significação articulada a essa experiência. Se a alucinação não está no mundo, mas diante dele, é porque o corpo do alucinado, diz-nos enigmaticamente Merleau-Ponty, perdeu sua inserção perceptiva no sistema regulado das aparências (Merleau-Ponty, 1999, p. 343). É preciso, portanto, reintroduzir a consideração do corpo na semiologia da alucinação.

A alucinação do membro fantasma

O problema é que quando alguém se propõe a falar da articulação do corpo com o fenômeno alucinatório, a primeira coisa que se espera encontrar é uma discussão sobre a etiologia somática da alucinação. Isso nos conduz ao campo das alucinações neurológicas provocadas por lesões cerebrais, cujas manifestações, no mais das vezes elementares (cores, ruídos, luzes, palavras sem sentidos), são sintomas impessoais de caráter repetitivo. E mesmo quando cursam com fabulações e onirismo, como nos casos de tumor da região medioencefálica e nas síndromes confusionais de Korsakoff, essas alucinações raramente dão testemunho de algum tipo de construção subjetiva. Sua discussão teria lugar mais adequado num livro de medicina interna ou de neurologia.

Por isso, quando Merleau-Ponty assevera que toda alucinação é primeiramente alucinação do corpo próprio – "é como se escutasse por minha boca" –, devemos ter em mente que o corpo, assim referido, é de natureza distinta do corpo neurológico do qual se ocupa o saber médico, embora permaneça tão material quanto este último. Vale notar que Merleau-Ponty mantém essa diferença mesmo quando aborda alucinações de origem neurológica, como nos casos da anosognosia – alucinação negativa em que o paciente toma como ausente uma parte do corpo que nele se encontra – e do membro fantasma, alucinação positiva do membro que se manifesta sobre o coto após a amputação.

Merleau-Ponty faz parte de uma categoria rara de filósofos que, ao se haver com determinada questão, não se contenta com especulações abstratas; vai examinar a expressão concreta do problema que está tratando. No momento em que se encontra às voltas com a questão da alucinação, ele passa a frequentar enfermarias de pacientes amputados a fim de estudar diretamente a vivência do membro fantasma. Interessa-lhe, de saída, notar que a anestesia não suprime o membro fantasma, como normalmente faria crer uma teoria sensorialista, além de verificar que tal membro frequentemente guarda a posição que ocupava o braço real no momento do ferimento. Ele observa, além disso, que uma emoção ou circunstância que relembrem o acidente intensificam o membro fantasma e que esse mesmo membro, enorme logo após a operação, retrai-se até atingir a forma do coto, com o consentimento do paciente em aceitar a mutilação. Já no caso da anosognosia – quadro neurológico em que o paciente trata um membro paralisado como se não fizesse parte de seu corpo – Merleau-Ponty salienta que ele não ignora simplesmente o membro percebido como ausente. Tal como o sujeito que, na psicanálise, sabe o que não quer ver diante de si, sem o que não poderia evitá-lo, o anosognósico só pode se afastar da deficiência do membro para não lhe sentir a perda, porque sabe onde arrisca encontrá-la.

Seria, então, o caso de substituir a noção empirista periférica pela perspectiva mentalista central, que concebe o membro fantasma como uma crença? Na verdade não, contesta Merleau-Ponty, pois essa explicação psicológica não esclarece o fato de que a secção dos condutores aferentes suprime o membro fantasma. Engano ademais pensar, tanto a propósito da recusa da mutilação, no membro fantasma, quanto acerca da recusa da deficiência, na anosognosia, que tais fenômenos se passem somente no nível de uma formulação do pensamento: a vontade por um corpo são ou a recusa do corpo doente não se formulam como puros juízos noéticos. O que em nós recusa a mutilação e a deficiência é nosso modo de engajamento corporal que continua a se dirigir para a realidade, no sentido em que ter um corpo é sentir o poder juntar-se ao mundo, a despeito de todos os impedimentos acidentais. Ter um braço fantasma significa continuar aberto a todas as ações no mundo de que esse braço é capaz, conservando o campo prático que se tinha antes de mutilação. Mas no momento em que o mundo suscita em mim intenções habituais, não posso mais, se sou amputado, unir-me efetivamente a ele. A caneta do escritor interpela uma mão que não existe mais.

A questão é, pois, saber como o corpo atual do amputado responde ao corpo habitual, como ele percebe objetos manejáveis no mundo que não pode mais manejar, quando a simples visão de uma caneta faz-lhe coçar a mão inexistente. No final das contas, essa parte de seu corpo ausente só o deixará em paz quando o objeto do mundo, que a convocava, cessar de ser um manejável para ele e se tornar um manejável em si, como é o caso da visão de um instrumento para quem nunca dele se serviu. Se necessitamos, portanto, conceber os determinantes mentais de nossa percepção e suas condições fisiológicas não enquanto dimensões separadas, mas como mecanismos que se engrenam entre si, é somente a partir da perspectiva de nosso engajamento corporal no mundo que essa intersecção é pensável. A emoção suscita o membro fantasma porque estar emocionado é estar corporalmente engajado numa situação à qual não conseguimos responder, ao mesmo tempo que não nos dispomos a renunciar a essa resposta.

O corpo na alucinação psicótica

É de Séglas a observação de que o alucinado articula com a parte fonatória do corpo as vozes que diz ouvir. No seu entender, a alucinação seria a expressão de uma ruminação mental que, de tão intensa, terminaria por se exteriorizar (hiperendofasia de Séglas). Essa exteriorização auditiva do pensamento ruminante, frequentemente desencadeada por situação emocional de grande frustração ou desgosto, encontra na atitude da personagem de Jasmine, no filme *Blue Jasmine*, de Woody Allen, a sua mais perfeita ilustração cênica. Mas o que significa essa exteriorização auditiva do pensamento, em sua relação com o corpo?

Não é, a bem da verdade, o aspecto propriamente sensorial da audição do pensamento que define o fenômeno alucinatório. Todos nós temos uma percepção acústica do pensamento, visto que ninguém consegue pensar sem articular o som das palavras mentalizadas. Todavia, se nem por isso alucinamos quando pensamos, é porque, quando pensamos, o que nos retém é a percepção não do som das palavras, mas do aspecto diferencial do som de cada fonema que articulamos. Para melhor entender esse ponto, lembremo-nos de que quando apontamos algo com o dedo, nosso interlocutor deve retirar a atenção de nosso dedo para ver o objeto apontado. Assim como o signo deve deixar de ser visível em si mesmo para sinalizar o objeto indicado, meu interlocutor deve fazer abstração do som de minha voz e ouvir somente a articulação distintiva dos fonemas para captar o sentido do que estou dizendo. É essencial, ao funcionamento perceptivo da língua, uma operação subtrativa que incida sobre a apreensão corporal do som. Por mais que eu aprecie sensorialmente a musicalidade de uma fala, a variação de seus picos prosódicos, ou mesmo que sinta meu corpo tremer diante da irrupção de um berro estridente em meio ao discurso de meu interlocutor, o que deve me deter, para perceber o que se diz, é o modo como essas sonoridades se veem subtraídas de seu efeito corporal para se articular num sistema posicional diacrítico. O que define, portanto, o funcionamento do campo perceptivo por oposição à escuta alucinatória é a redução do aspecto fonatório da voz ao seu aspecto puramente diferencial, em conformidade com o conjunto das leis fonológicas e gramaticais que definem o que são as diferenças no interior de uma determinada língua.

A fim de pensarmos a natureza corporal da experiência alucinatória, devemos examinar a maneira como o corpo se presta a uma operação subtrativa na percepção. Somente assim poderemos entender como essa corporeidade não subtraída passa a entulhar a realidade com sua presença na alucinação. Lembremos, antes de tudo, que a consideração do corpo ganha destaque especial na fenomenologia de Merleau-Ponty em razão do lugar à parte que ela ocupa no espaço perceptivo, que diz precisamente respeito a essa possibilidade de ser subtraído. Se o corpo preside um momento de indistinção originária entre o sujeito e o mundo, é na medida em que ele se coloca ontologicamente anterior à distinção entre *perceptum* e *percipiens*, entre objeto percebido e sujeito percebente. Diferentemente da mente que percebe e do objeto percebido, o corpo se manifesta ora como percebente, ora como percebido, de acordo com o modo como ele se encontra convocado. Ao segurar, por exemplo, minha caneta com a mão esquerda, essa mão se manifesta como percebente desse objeto na exata medida em que se subtrai à minha percepção. Mas no momento seguinte em que apreendo a mão esquerda como objeto da mão direita, a primeira se dá a mim enquanto coisa percebida no mundo no mesmo instante em que deixo de senti-la como mão percebente. Ao corpo anterior a essa distribuição entre percebido e percebente, pensado na topologia reversível do quiasma, Merleau-Ponty dá o nome de carne (*chair*). Sua função seria comparável à de uma dobradiça donde partem as possibilidades de se apresentar ora como ente percebido, ora como função percebente. Dessa repartição decorre, para o sujeito, que ele se deixa apreender tanto como objeto, entre os objetos do mundo, quanto aquilo pelo qual o mundo se oferece à sua apreensão.

Haveria, portanto, para a fenomenologia de Merleau-Ponty, um momento de indistinção originária anterior à percepção, espécie de fusão pré-subjetiva do corpo com o meio que antecede a separação do mundo. Para ilustrar essa condição fusional, Merleau-Ponty se vale da experiência ótica de Gelb e Goldstein, gerada por meio da projeção de um facho de luz sobre um disco negro num recinto fechado, formando um cone cujo vértice é a fonte de luz, e a base, o círculo escuro. Nessa primeira etapa da experimentação, o observador somente vê o cone leitoso de luz no ambiente escuro. É somente num segundo momento que, ao se interpor um anteparo branco anterior ao disco negro, o cone leitoso desaparece e o recinto subitamente se ilumina. Merleau-Ponty acredita que a primeira etapa da experiência, relativa à visão da luz como cone leitoso, demonstraria uma espécie de conaturalidade do corpo com o meio anterior à sua diferenciação simbólica: é porque percebemos com um corpo num meio corporal que se produz a indistinção do cone de luz leitoso.

Sabemos que Lacan jamais aceitaria, a despeito de seu respeito por Merleau-Ponty, a suposição de uma unidade corporal do sujeito no mundo localizada na primeira etapa da experiência. O que está em questão, para Lacan, não é o corpo como instância pré-subjetiva que antecede a discriminação do pensamento, ao se interpor o disco branco entre a luz e o disco preto. O que se coloca é a existência do sujeito para o Outro, investido num primeiro tempo com a consistência leitosa, que cai sob o recalque ao mesmo tempo que recusa o Outro encarnado na opacidade da luz. A introdução do anteparo branco, no segundo tempo, representa assim a articulação diacrítica do significante que opera a subtração da corporeidade do Outro, que, como vimos, estrutura o campo de percepção para o sujeito no mesmo momento em que desse campo se ausenta. Do mesmo modo que para ouvir eu não devo me deter na sonoridade da voz, a luz, na experiência de Gelb e Goldstein, só ilumina se deixar de ser visível em si mesma.

Nunca é demais frisar que o corpo, nessa fenomenologia perceptiva, estende-se para muito além de nossa superfície natural ou biológica. Conforme se viu a propósito do bastão do cego, admitimos subjetivamente como extensão de nossa síntese corporal todo objeto que, ao ser *incorporado* como instrumento da percepção, subtrai-se do mundo das coisas percebidas. Tal é o caso das lentes de meus óculos que me permitem ver desde que fiquem invisíveis, do bastão que permite tocar desde que não sinta tocá-lo, das luvas que me permitem sentir desde que permaneçam insensíveis, e assim por diante. De sorte que quando Merleau-Ponty se refere, em sua topologia intuitiva, a um enrolamento do visível sobre o vidente na superfície do corpo, é para frisar a necessidade de um vidente não atualmente visível enquanto parte do corpo que se coloca como ente impercebido na abertura da percepção.

Tomemos, portanto, a carne como nome que designa, na ontologia de Merleau-Ponty, essa operação de reversibilidade por onde o sujeito se abre para o mundo tangível, no exato momento em que seu corpo tangente do mundo se subtrai. A libra de carne referida por Lacan, na última lição de seu seminário sobre a ética, da qual o sujeito deve pagar para se incorporar ao livro (ou seja: para se abrir para o mundo), é uma retomada imagética da mesma operação subtrativa. Ela se deixa posteriormente ler nos termos de extração do objeto *a*, uma vez que o objeto causa de desejo deve estar investido como pura função de ausência para que uma realidade desiderativa possa se constituir. É nesse sentido que Jacques-Alain Miller se refere à extração do objeto *a* como condição de enquadre da realidade, em seu "Mostrado em Prémontré" (Miller, 1996). A consequência dessa subtração é que a pulsão não se satisfaz com nenhum objeto empírico presente na realidade; ela só faz contornar o objeto faltante cuja extração se liga a tudo que se presta à função de orifício, na superfície do corpo. Seja ela anal, oral, evocativa ou escópica, a ligação pulsional do sujeito com o mundo levará necessariamente em conta as incisões do corpo como locais privilegiados de reversibilidade, segundo o símbolo ◇ utilizado por Lacan na fórmula do fantasma.

Nesse sentido, o que Freud nomeia de fixação objetal na constituição do caráter, definida pela permanência do neurótico numa determinada fase do erotismo, seria entendido, por Merleau-Ponty, como resultado de certo modo de abertura do sujeito para o mundo articulada a uma subtração corporal. Essa ideia se deixa vislumbrar, por exemplo, numa confissão autobiográfica de Nelson Rodrigues (1997): "o buraco da fechadura é, realmente, minha ótica de ficcionista. Sou (e sempre fui) um anjo pornográfico". O olhar, assim compreendido, corresponde à parte do corpo que por subtração se abre ao mundo para o nosso anjo pornográfico, do mesmo modo que a paisagem dos gostos e dos objetos se declina, respectivamente, na conexão da superfície oral para a realidade, quando se trata de um enólogo aficionado, ou da superfície anal, no caso de um colecionador.

Mas há o caso em que a castração simbólica não opera: o sujeito não cede à libra de carne, a extração do objeto *a* não se produz, o recalcamento do gozo não se realiza e algo parece impedir o acesso ao mundo no nível da reversibilidade corporal. A expressão clínica desse desligamento da realidade é extensa e diversificada: ela se manifesta ora na recusa irônica, pelo louco, do semblante sobre o qual se erige a percepção do mundo; ora na ausência de engajamento subjetivo na realidade, tão frequentemente descrita na assim chamada depressão psicótica; ora, ainda, na certeza privativa do delírio, refratária a toda mediação dialética. O fenômeno alucinatório seria, por sua vez, um modo particular de expressão corporal dessa condição, no sentido em que o corpo, em vez de se subtrair e assim gerar uma abertura subjetiva para o mundo, passa a entulhar o mundo com sua i-munda presença.

É clássica a observação de Sartre de que qualquer atitude minimamente sistematizada no terreno da realidade vem excluir as alucinações. O alucinado não habita no mundo no momento da alucinação, do mesmo modo que nenhum psicótico alucina no momento em que se encontra engajado em alguma atividade, como bem sabem os profissionais que lidam com oficinas terapêuticas. A alucinação sempre se acompanha de um desmoronamento provisório da realidade perceptiva. Para retomar a explicação freudiana proposta no suplemento metapsicológico à teoria dos sonhos, diríamos que no momento da alucinação, a pulsão, que normalmente deveria se transferir para a realidade ao fazer o contorno de abertura do objeto faltante, transfere-se para o corpo e o investe. A placa perceptiva que, no dizer de Freud, só se abre para os estímulos externos se estiver vazia preenche-se: a percepção se separa do mundo e passa a perceber sua própria fonte investida. Temos, assim, o sujeito absorto na postura alucinatória, tão conhecida dos alienistas: a fonação, como suporte corporal do pensamento, passa a se impor em sua materialidade sonora, que normalmente deveria ser subtraída para só deixar contar os elementos diferenciais dos fonemas que se destacam das imagens acústicas. Às visões, sempre aterradoras, que não mais se declinam em códigos discursivos somam-se vozes que proferem insultos ou comandos sem sentido. Desconectado do meio, o corpo continua evocando, por suas próprias montagens, uma pseudopresença que não se articula nem se define numa localidade própria. Na ausência de abertura para o mundo, somente o gozar-se se torna perceptível para o sujeito.

Referências:

CONRAD, K. *La esquizofrenia incipiente*. Madrid: Alhambra, 1963.

FREUD, S. A divisão do ego no processo de defesa. In: *Moisés e o Monoteísmo,*

Esboço de Psicanálise e outros trabalhos. Rio de Janeiro: Imago, 2006 [1940]. p. 305-312. (Edição Standard Brasileira das Obras Psicológicas Completas de Sigmund Freud, XXIII).

LACAN, J. *Le séminaire, livre 3: les psychoses.* Paris: Seuil, 1981.

LACAN, J. *Le séminaire, livre 20: encore.* Paris: Seuil, 1975.

LACAN, J. *Autres écrits.* Paris: Seuil, 2001.

LAURENT, E. Perturbaciones cognitivas. In: *Análisis de las alucinaciones.* Buenos Aires: Paidós, 1995. p. 39-55.

MERLEAU-PONTY, M. *La phénoménologie de la perception.* Paris: Gallimard, 1945.

MERLEAU-PONTY, M. *Le visible et l'invisible.* Paris: Gallimard, 1964.

MERLEAU-PONTY, M. *A Fenomenologia da Percepção.* São Paulo: Martins Fontes, 1999.

MILLER, J.-A. A invenção do delírio. In: *Opção lacaniana on line,* n. 5, 1995. Disponível em: <http://www.opcaolacaniana.com.br/antigos/pdf/artigos/JAMDelir.pdf>. Acesso em: 27 mar. 2017.

MILLER, J.-A. *Matemas.* Rio de Janeiro: Jorge Zahar, 1996.

MILNER, J.-C. *Les noms indistincts.* Paris: Seuil, 1983.

RODRIGUES, N. *Flor de obsessão.* São Paulo: Companhia das Letras, 1997.

Semiologia do pensamento e da linguagem: do juízo de realidade ao delírio universal

Frederico Feu de Carvalho, Romildo do Rêgo Barros

Delírio e crença

Os manuais de psiquiatria concordam, de modo geral, que não existe definição satisfatória e unificada para a noção de delírio, embora nossa sensibilidade ordinária possa muitas vezes identificá-lo a partir de alguns traços. "De um ponto de vista prático, considera-se como provável delírio toda crença ou convicção que tenha um caráter ilógico e saturado de afetividade, centrada no próprio sujeito e mantida com tenacidade" (Alonso-Fernández, 1978, p. 261). Foi esse caráter ilógico e a tenacidade de seu apego subjetivo que levou algumas correntes psiquiátricas a qualificar o delírio como um "juízo errôneo incorrigível".

Mas o espectro recoberto por essa definição é tão amplo que pode abranger desde uma premissa oriunda de uma percepção imediata da qual resulta um erro comum de juízo – tal como "o Sol gira em torno da Terra" – ou a crença compartilhada em um mito até a adesão a um sistema delirante que afirma que os marcianos estão entre nós ou a convicção particular do presidente Schreber de que ele se transformaria em uma mulher para ser fecundado por Deus e gerar uma nova raça de homens. Todos podem se mostrar, de alguma forma e em um determinado momento, ilógicos, incorrigíveis e ser defendidos com tenacidade.

Os psiquiatras foram levados a concordar que critérios de verdade ou erro não são os mais indicados para qualificar um delírio. De fato, não saberíamos onde situar o ponto exterior desde o qual poderíamos decidir sobre a racionalidade de um sistema de pensamentos. Falta-nos a *Wirklichkeit*, a realidade efetiva, na qual poderíamos apoiar o nosso julgamento do que é falso e do que é verdadeiro e conforme a realidade. Mas, do ponto de vista da consciência prática e enunciativa da loucura, mencionada por Foucault em *A história da loucura*, o que designa um delírio permanece, em última instância, na dependência da sensibilidade com que se julga o grau de afastamento que uma ideia apresenta, seja em relação aos discursos estabelecidos, seja em relação a uma suposta realidade das coisas. Essa gradação permite afirmar que se um delírio pode assumir contornos extremos de fabulação e proliferação imaginária, ao ponto de que sua extravagância o torna reconhecível para qualquer um, em se tratando do discurso ordinário não saberíamos mais dizer com precisão onde começa e onde termina um delírio.

Os manuais de psiquiatria também argumentam que entre o universo das crenças e o delírio, em sua característica patológica, seria preciso enfatizar mais o grau de adesão subjetiva a uma ideia do que o fato de essa ideia exceder ou não a uma norma social. Tal distinção seria útil, por exemplo, quando se trata de diferenciar um delírio de uma ilusão ou mesmo de uma especulação de caráter científico. A ilusão se distingue de um delírio por ser mais susceptível a uma contraprova ou argumentação, aceitando a prova de realidade. A especulação científica, por sua vez, tem como condição que a ideia especulativa seja posteriormente submetida à demonstração ou ao tratamento experimental, de forma a produzir uma convicção que seja objetivamente fundamentada e coletivamente validada.

O critério da adesão subjetiva da crença nos deixa em apuros, entretanto, quando buscamos distinguir um delírio de uma superstição, na medida em que esta última se caracteriza igualmente por uma forte adesão subjetiva a um determinado conteúdo proposicional, como no pensamento "se eu passar por debaixo dessa escada, sobrevirá algo de mal". Mas, se uma superstição se caracteriza por uma forte adesão do sujeito a uma crença que pode parecer absurda para outra pessoa, falta à superstição o fundamento de saber que encontramos no delírio, na medida em que este se apresenta como uma interpretação constitutiva da própria realidade ou de parte dela. Além disso, podemos argumentar que uma superstição permanece restrita a determinados encadeamentos de ideias que são compartilhados, contrariamente ao delírio, que se apresenta, de um modo geral, como uma crença particular que pode chegar a reconfigurar a realidade como um todo.

Uma breve análise que leve em conta modalidades de adesão subjetiva a uma ideia ou proposição nos fará dar um passo a mais na tentativa de diferenciar uma crença de um delírio e ingressar no terreno dos juízos de realidade. Pode-se argumentar, com razão, que toda proposição em relação à realidade não passa, em última análise, de uma crença ou de um sistema de crenças. Seria importante, contudo, conferir o modo como um sujeito adere gradativamente a uma proposição ou, mais exatamente, ao postulado de verdade de uma proposição. Para tanto, deve-se levar em conta que "verdade" e "falsidade" não se referem à realidade, mas às proposições sobre a realidade.

Isso nos conduz à questão do assentimento (*Zustimmung*). Trata-se do "ato do espírito que adere a uma proposição, ou estado que resulta desse ato" (Lalande, 1988). Portanto, não estamos mais no terreno da proposição como tal, mas no terreno da crença que, como um ato do sujeito, adere a uma proposição tida por verdadeira.

O movimento que designa o assentimento deve ser distinguido do consentimento, visto que posso consentir com a verdade de uma proposição a partir de inferências racionais que me levam a adotá-la como tal, sem que isso implique uma adesão subjetiva. Posso mesmo consentir contra o meu desejo. Por exemplo, posso consentir em me casar com fulana, embora a isso se oponha o meu desejo mais íntimo, de forma que posso consentir sem assentir. O que conta substancialmente no ato de assentimento é mais "o efeito da verdade *sobre* o agente" (Assoun, 1990, p. 36) do que o movimento do espírito em direção ao conteúdo de verdade de uma representação segundo sua racionalidade, como o que se revela, por exemplo, em uma demonstração matemática. O assentimento seria, nesse sentido, "a marca da reapresentação subjetiva de uma representação" (Assoun, 1990, p. 36).

Na problemática do assentimento, o que é visado, portanto, não é tanto a verdade como atributo da proposição, a verdade objetivada e subjetivamente esvaziada cujo modelo é a proposição científica, mas a relação do sujeito com uma representação ou percepção que se apresenta com uma "carga" de verdade para o sujeito. De fato, podemos assentir a uma proposição, como "a Terra gira em torno do Sol", não porque nossa percepção a confirma, mas porque "isso é o que a ciência diz ser verdade". É a crença na ciência ou o argumento de autoridade que comanda aqui o assentimento. O assentimento designa, enfim, uma precipitação do sujeito em direção a uma afirmação tomada por verdadeira, sem que se faça necessária uma argumentação lógica, tendo afinidade com um ato da vontade que impele o sujeito a aderir à proposição em causa. Dito de outra forma, o que conta na problemática aberta pela questão do assentimento a um conteúdo qualquer é mais o *objeto* que se apresenta no campo perceptivo que designa a realidade para um sujeito do que o seu conteúdo representativo.

Foi graças à metafísica de inspiração cristã do século XIX que a questão do assentimento adquiriu todo o seu relevo, na defesa da primazia da verdade da fé sobre as verdades da razão. De fato, a dimensão do objeto torna-se mais relevante para o assentimento do que as razões que se apresentam ao espírito quando se trata das verdades da fé. O nome mais relevante para o desenvolvimento de uma *gramática do assentimento* é, sem dúvida, o Cardeal Newman (1946). Ele opõe o assentimento conceitual ao assentimento real, aquele no qual "o espírito encontra o próprio real de seu objeto". A esse assentimento real Newman irá atribuir um sentido ilativo: "espécie de inferência natural, capacidade instintiva do espírito de condensar em um objeto preciso todas as suas faculdades, para ir direto a uma conclusão irredutível à explicação, em suma, para assentir realmente, em uma aquiescência completa do espírito que encontra a própria coisa" (Newman *apud* Assoun, 1990, p. 39).

O que é preciso ressaltar, tendo em vista o tópico do delírio e dos juízos de realidade, é o fato da presença do objeto da crença poder condicionar e aprisionar em torno de si o julgamento da verdade ou da falsidade de uma representação da realidade, interditando dessa forma o próprio juízo de realidade e a função crítica a ele associado. Por isso, o pensamento lógico, assim como a filosofia transcendental kantiana, procurou desde sempre separar o objeto dito "patológico" de toda construção racional da realidade.

Tomando como analogia a constituição do campo visual, o sujeito transcendental kantiano, a partir do qual se edificam as possibilidades do conhecimento racional, é como o olho que percebe o campo visual sem ser, ele mesmo, visto. O olho não pertence ao campo visual que ele próprio delimita. Ele se subtrai desse campo, justamente porque a figuração do mundo exige que o sujeito que representa seja ele próprio um ponto fora da representação. Não é o que podemos verificar, de um ponto de vista psicanalítico, quando se trata de pensar as relações do sujeito com a realidade. Se tomarmos como paradigma a noção freudiana de "realidade psíquica", o sujeito que representa a realidade é, de fato, incapaz de ver o ponto de vista a partir do qual ele a representa. O trabalho de uma psicanálise, no entanto, orienta-se no sentido de reaprender esse sujeito, de trazê-lo de volta, por assim dizer, de forma que ele possa se perceber como sujeito da representação. É a psicose que nos permite desvelar a báscula que existe entre o sujeito que representa e o objeto da representação, na medida em que nessa estrutura sujeito e objeto não se separam. Podemos tomar como exemplo o testemunho frequente do psicótico que diz se sentir olhado, observado, numa inversão que desmente o plano de projeção da analogia com o campo visual. De fato, para um psicótico, o próprio olhar que vê está inserido no campo da representação pictórica, de forma que o sujeito bascula para o lado do objeto observado.

Todo estudo que vise formular algo sobre o delírio deve partir, portanto, da realidade psíquica que caracteriza a nossa vida de sujeito, e não da verdade que se aplicaria a uma proposição sobre a realidade. O manejo clínico das psicoses depende dessa distinção. Um delírio é sempre verdadeiro, na medida em que ele está referido à realidade psíquica de quem o enuncia. Se o delírio tem estrutura de linguagem, é preciso tomá-lo em sua própria articulação significante, sem pretender referi-lo à prova de realidade. Nesse sentido, um delírio é uma fala fora do discurso, na medida em que não se apoia em um laço social – embora possamos testemunhar com frequência formações sociais que tomam seu fundamento de um delírio – e que circula em torno de um objeto que fascina, aterroriza, captura o próprio sujeito da representação. Cabe, então, ao clínico encontrar os traços significantes do objeto em torno do qual esse delírio se edifica.

Lacan lembra que também a frase fantasmática própria às neuroses, como "uma criança é espancada", não pode ser dita, a rigor, nem verdadeira nem falsa. Ela se enuncia como um fato. A frase fantasmática não postula uma verdade, como uma proposição referida à realidade, mas um modo de gozo ou de satisfação pulsional. Da mesma forma, um delírio é uma estrutura argumentativa que se constrói a partir de um enunciado primário que diz respeito à presença de um signo de gozo no mundo.

O que está implicado, portanto, nessa autorreferência da fala delirante é o fato de ela não necessitar do consentimento do outro social e de não estar propensa a nenhuma mediação dialética. A inserção da fala no discurso requer, por sua vez, uma operação de subtração de gozo, na medida em que toda comunidade discursiva define o que pode e o que não pode ser dito, o que tem e o que não tem pertinência no interior do campo que ela organiza. Mas a linguagem, para o delirante, não está organizada por essa subtração. Por isso, o delirante se encontra convicto da presença do gozo no mundo. No fundo, dirá Freud, o que caracteriza a psicose é a *Unglaube*, a descrença que se dirige ao discurso comum devido ao esvaziamento de gozo do qual depende a organização do sentido compartilhado socialmente, uma vez que o delirante se vê diante de um objeto que inunda o seu campo perceptivo, revelando-se a partir de signos que estão apagados ou neutralizados por esse discurso comum.

A força do assentimento psicótico que caracteriza a certeza delirante pode ser derivada do fato de que, na psicose, a palavra não suprime a coisa que ela representa. A palavra é a coisa, ela se *coisifica* sob determinadas condições subjetivas. Na ausência dessa distância representativa, o delírio coloca em jogo a presença real desse objeto do qual o psicótico não se separou – e que na neurose se liga a uma falta fundamental, a falta do objeto do desejo.

Há várias versões desse objeto nas psicoses: o objeto precioso do Eu psicótico visado pelo Outro nos delírios de perseguição ou megalomaníacos; o objeto perdido ou depreciado com o qual o melancólico se identifica; o objeto reencontrado da excitação maníaca; o objeto imprescindível ao Outro que o sujeito incorpora na erotomania; o objeto usurpado a que se tem direito nos delírios de reivindicação; e até mesmo o objeto *kakon*, versão do objeto mal e invasivo que transtorna o corpo na esquizofrenia.

Para entendermos melhor como se constitui essa vertente delirante do objeto na psicose examinaremos, a seguir, o que a tradição psiquiátrica denomina "vivência delirante primária", da qual deriva a "elaboração delirante", e a distinção entre as "ideias deliroides" e as "ideias delirantes autênticas".

A vivência delirante primária

Vimos no capítulo precedente "A Semiologia da percepção: o enquadre da realidade e o que retorna no real" que o senso comum toma como essência da loucura uma alteração perceptiva da realidade, sem se dar conta de que a própria percepção dita normal depende da crença irrefletida em uma ideia de realidade que ela própria não consegue definir. Por isso, dizemos que *o discurso da psicopatologia se apresenta cativo de um preconceito irrefletido do mundo na concepção do fenômeno perceptivo*. Alguns autores, entretanto, entre os quais podemos citar Jaspers e Conrad, confrontaram essa ideia geral com o argumento de que o fator primário da loucura é, desde o início, o enigma da significação da realidade. É a esse enigma, expresso pela presença inquietante de um significante fora da cadeia discursiva, que a interpretação delirante visa responder na tentativa de religá-lo a uma cadeia de sentido privativa do sujeito na psicose.

A evolução de um delírio seria, assim, passível de ser elucidada pelo acompanhamento de sua evolução desde seus elementos mínimos e primeiros, os seus "fenômenos elementares",[1] até a concatenação desses

---

[1] *Grosso modo, fenômenos elementares* seriam aqueles dados primários a partir dos quais se estrutura toda a fenomenologia clínica das psicoses. Esse seria o caso, por exemplo, das vozes impostas de uma alucinação ou da convicção inabalável que sustenta um delírio.

elementos num conjunto articulado de relações, a "elaboração delirante". Tal esforço de elaboração requer mais e mais a atividade do sujeito que o constrói, em contraste com a aparente passividade de sua posição diante dos fenômenos elementares. A presença ou não desses "fenômenos elementares" na eclosão da psicose opõe teses continuístas e descontinuístas sobre a gênese dos delírios, ora em favor da continuidade entre personalidade e paranoia (Kraepelin), ora em favor de um acontecimento irruptivo organicamente determinado (Jaspers, Clérambault), caracterizado pela intrusão de um elemento que não estava presente antes do desencadeamento. A despeito das versões organicistas que sustentam a descontinuidade, o importante a salientar é que a intrusão desse elemento heterogêneo obriga o sujeito a um grande esforço de elaboração para religá-lo ao discurso. Para muitos autores, o delírio seria então secundário em relação a esses fenômenos primários da psicose.

Quanto a Lacan, ele considera que o delírio tem a mesma estrutura que se manifesta no fenômeno elementar, tal como a estrutura de uma folha reproduz a estrutura da árvore da qual ela faz parte. Para citar um exemplo conhecido, toda a construção delirante de Schreber pode ser relacionada à intrusão de um pensamento que precede a eclosão dos fenômenos e do qual dependerá a evolução posterior do delírio, ou seja, o pensamento de "como deve ser belo ser mulher e submeter-se ao ato da cópula", ao qual Schreber faz alusão em suas *Memórias de um doente de nervos* e que o acometera certo dia de maneira inesperada antes de dormir, quando estava entre o sono e a vigília.

Podemos atribuir a esse pensamento todas as características de um fenômeno elementar: a passividade que caracteriza a recepção da mensagem pelo sujeito; o fato de ele não se reconhecer como seu emissor; o caráter intrusivo e espontâneo do pensamento; o enigma de sua apresentação; a indignação que o pensamento provoca, tal como poderíamos esperar de uma injúria; o esforço de réplica, que o obriga a responder a essa injunção. A essas características próprias de um fenômeno elementar – que poderíamos encontrar igualmente em uma alucinação verbal – podemos acrescentar ainda a evocação explícita do gozo feminino como acontecimento corporal. Sabemos que tal pensamento é mais ou menos contemporâneo da sua nomeação como presidente da Corte de Apelação de Leipzig, à qual comumente atribuímos as razões para o desencadeamento da sua psicose, na medida em que faltariam a Schreber os recursos simbólicos para o exercício dessa função. A temática delirante de Schreber não se refere, contudo, aos efeitos dessa nomeação, mas ao elo que se estabelece entre aquele pensamento e a forma final do delírio que o próprio relatório do médico que o acompanhou durante a longa internação descreve como uma "reconstrução da sua personalidade". Essa "engenhosa estrutura delirante", ainda conforme os termos do referido relatório, foi tecida ao longo de mais de 10 anos e estava baseada na missão de redimir o mundo e de restituir à humanidade o seu estado perdido de beatitude que seria alcançado por meio de uma gradativa transformação do seu corpo no corpo de uma mulher a ser fecundado por Deus. Assim diz Schreber em suas *Memórias de um doente dos nervos*:

> Dei-me claramente conta de que a Ordem das Coisas [*sic*] exigia imperativamente a minha eviração, gostasse ou não disso pessoalmente, e que nenhum caminho razoável se abre para mim exceto reconciliar-me com o pensamento de ser transformado em mulher. A outra consequência de minha eviração, naturalmente, só poderia ser a minha fecundação por raios divinos, a fim de que uma nova raça de homens pudesse ser criada (Schreber, 1984, p. 125).

O delírio de Schreber seria, assim, uma elaboração de saber em torno do fenômeno elementar da psicose, não ao modo de uma superestrutura, mas como um desdobramento do que se apresenta, desde o início, como uma significação imposta.

Na visão jasperiana, por sua vez, o delírio seria uma transformação da consciência global ou parcial da realidade por um falso juízo. "Só onde se pensa e se julga pode nascer um delírio", diz Jaspers (1987, p. 118). A atividade delirante autêntica é definida por ele como uma supressão das relações de sentido que afeta as relações com a realidade ao longo do tempo. Um delírio autêntico seria uma forma de juízo que escapa à compreensão, evocando-se como hipótese para essa descontinuidade a ocorrência de um processo orgânico postulado pela psicopatologia jasperiana.

É essa incompreensibilidade do fenômeno que está presente na *vivência delirante primária*. "Os doentes sentem algo estranho, há alguma coisa que pressentem. Tudo tem nova significação" (Jaspers, 1987, p. 121). O fenômeno primário não atinge a própria percepção, mas a sua significação, impedindo que a cadeia de sentido se estabeleça. Há no ambiente uma "iluminação estranha", uma "atmosfera indefinível", uma "tensão suspeita" à qual Jaspers associa a "disposição para o delírio", mesmo que não se tenha, de início, um conteúdo ideativo determinado. As vivências delirantes primárias são assim análogas a visões de significação. Do ponto de vista afetivo, tal situação é vivida como insuportável; e diante desse perigo indeterminado e inominável, toda significação produz um alívio (Jaspers, 1987, p. 122). Em alguns casos, a percepção já engendra uma nova significação sem que se faça necessário um período de incubação. A significação já tem caráter de realidade, são percepções de significação, como vimos em relação a Schreber.

Podemos aproximar essa vivência delirante primária da vivência do *trema*, proposta por Conrad, assim como do *operador de perplexidade*, descrito por Miller (1995, p. 17), remetendo ao que Lacan isolou como uma *significação de significação* (Lacan, 1998, p. 544). O fenômeno elementar presente na vivência delirante primária se caracteriza por *querer dizer algo*, mesmo que não se saiba *o quê*. A vivência delirante primária remete, assim, ao colapso da realidade referida ao discurso estabelecido pela emergência de um signo de gozo que não encontra lugar na cadeia discursiva.

A interpretação delirante

É com base nessa *vivência delirante primária* e em sua incompreensibilidade que Jaspers distinguiu as ideias delirantes autênticas das ideias deliroides. As ideias deliroides surgem de modo compreensível de outro processo psíquico e em continuidade com estes, remontando a determinadas vivências, temores, desejos ou impulsos. É possível então rastrear e remontar a origem psicológica do transtorno, em geral transitório, do qual decorre a ideia delirante. Nas ideias delirantes autênticas, por sua vez, é justamente por faltar esse elo da compreensão que o sujeito é levado a construir um nexo que ligue os elementos primários às significações posteriores. O delírio progride, assim, segundo uma exigência lógica interna, do signo da percepção delirante até a construção de um sistema coerente de pensamentos. Um delírio autêntico seria o resultado de um trabalho de justificação daquilo que se apresentou primeiramente de forma incompreensível.

A posição de Lacan difere da posição defendida por Jaspers por considerar que a ruptura das relações de compreensão que encontramos no desencadeamento de uma psicose não reenvia necessariamente a um processo orgânico. Se Lacan admite a descontinuidade implicada na vivência delirante, ele visa reencontrar as causas dessa ruptura não em um processo orgânico, mas na própria estrutura simbólica que a determina. Para Lacan, se não há nenhuma psicogênese que possa traçar uma linha de continuidade ou restabelecer uma cadeia de sentido entre o que existia antes e depois da vivência delirante, é porque a própria experiência já se manifesta como ruptura com a cadeia de sentido suportada pelo discurso. Como já tivemos a oportunidade de explicitar nos capítulos precedentes, é preciso buscar a causalidade da psicose na foraclusão de um significante primordial, o significante do Nome-do-Pai, a ser entendido em sua dupla função: como suporte da cadeia de sentido que estrutura o campo da realidade e como significante que limita a presença do gozo no mundo.

Em outras palavras, a descontinuidade entre a história do sujeito e sua vivência delirante primária se mostra no ponto de ruptura provocado pela experiência enigmática da psicose que se faz sentir na irrupção de um *signo de gozo* que normalmente deveria estar ausente do campo da realidade. Como vimos no capítulo precedente, *o sujeito delirante sofre de uma espécie de inundação de signos numa realidade que transborda de sentido potencial.*

> Um de nossos psicóticos conta-nos em que mundo estranho ele entrou já há algum tempo. Tudo para ele se tornou signo. Não somente ele é espiado, observado, vigiado, falam dele, julgam-no, indicam-no, olham-no, dão-lhe uma piscadela de olho, mas tudo isso invade [...] o campo dos objetos reais inanimados, não-humanos [...]. Se ele encontra na rua um carro vermelho [...], não é por acaso, dirá ele, que esse carro passou naquele exato momento (Lacan, 1985a, p. 17).

A experiência enigmática requer interpretação. Não se trata aqui de um privilégio da psicose. Todos nós dependemos do Outro para aceder à linguagem na qual se estabelecem as relações de sentido. O enigma provém da pergunta pelo desejo do Outro que nos liga ao campo da significação. O que ele quer dizer com isso? O que ele quer de mim?

Quanto à interpretação delirante, ela pode estar mais ou menos incorporada à personalidade. De um modo geral, os manuais de psiquiatria distinguem as psicoses delirantes crônicas e agudas. Ambas remontam às vivências delirantes primárias, descritas por Jaspers, ou aos estados agudos de automatismo mental, descritos por Clérambault, com seus fenômenos invasivos e xenopáticos, como pensamentos intrusivos e impostos, vazios e ecos de pensamento, impulsos e enunciações de atos que precedem as alucinações. Mas, ao passo que as manifestações agudas das psicoses delirantes se caracterizam pela "eclosão súbita de um delírio transitório geralmente polimorfo em seus temas e suas expressões" (Ey; Bernard; Brisset, 1981, p. 299), as psicoses delirantes crônicas se distinguem pela permanência do delírio, que se incorpora assim à própria personalidade do doente, podendo se apresentar tanto de forma sistemática, num conjunto de crenças bem-articuladas e mais próximas da paranoia, quanto de forma caótica e fantasiosa, mais próximas da esquizofrenia (Ey; Bernard; Brisset, 1981, p. 506). De qualquer forma, um autêntico delírio, justamente por se incorporar ao Eu do delirante, transcende as experiências delirantes agudas das quais, passado o momento delirante, o Eu se afasta.

Uma das formas clássicas da psicose delirante crônica é o *delírio de interpretação* descrito por Sérieux e Capgras (Ey; Bernard; Brisset, 1981, p. 513 e seq.). Os autores evocam a "loucura racional" que consiste em tudo explicar e tudo decifrar a partir de um sistema fundamental de significação. Aos poucos, o que se impõe a esses delirantes autênticos é a força da crença nesse sistema de significações construído pelas interpretações delirantes até a sua cristalização na forma de um saber.

Nesse sentido, o que o delírio de interpretação nos permite confirmar é que "o delírio *é* uma interpretação", conforme já afirmava Lacan em sua tese de 1932. O privilégio dado à paranoia pela psicanálise pode ser derivado justamente do fato de que nessa estrutura clínica "o fenômeno elementar, irredutível, está aqui no nível da interpretação" (Lacan, 1985a, p. 30).

> Que diz o sujeito, afinal de contas, sobretudo num certo período de seu delírio? Que há significação. Qual, ele não sabe, mas ela vem no primeiro plano, ela se impõe, e para ele, ela é perfeitamente compreensível. E justamente porque ela se situa no plano da compreensão como fenômeno incompreensível, se assim posso dizer, é que a paranoia é para nós tão difícil de discernir e que ela apresenta também um interesse maior (Lacan, 1985a, p. 30-31).

Onde podemos encontrar esse "plano da compreensão" a que se refere Lacan? Certamente não em uma psicogênese, mas no modo de criação do novo sentido articulado ao delírio; não no "quê", mas no "como" isso se articula. A loucura não diz respeito apenas aos fenômenos de sentido, mas também aos fenômenos de linguagem (Laurent, 1993). É o que ocorre, por exemplo, com a criação de neologismos, termos que não estão no léxico e que reportam a uma experiência subjetiva única do psicótico com a língua. Como mostrou Lacan, Freud se interessou mais pelo trabalho do sonho (*Traumarbeitung*) do que pelo sentido do sonho. É essa mesma lógica que Freud aplica à decifração do delírio de Schreber até chegar a reconstituir a *língua fundamental* da qual ele se serve. Freud aplica o processo primário do sonho ao contexto do delírio. Em outras palavras, um delírio é o resultado de processos metafóricos e metonímicos que mantêm uma relação estrutural com a sua célula fundamental. A prevalência da metáfora aponta para o que Lacan chamou *intuição delirante*, descrita como "um fenômeno pleno que tem para o sujeito um caráter submergente, inundante" (LACAN, 1985a, p. 44), que o preenche e estanca o deslizamento da significação. Por sua vez, a prevalência da metonímia é uma "fórmula que se repete, que se reitera, que se repisa com uma insistência estereotipada. É o que podemos chamar, em oposição à palavra, o ritornelo" (LACAN, 1985a, p. 44). Aqui também a significação se detém em uma espécie de autor-referência, parasitando a cadeia discursiva. "É, portanto, a economia do discurso, a relação da significação com a significação, a relação de seu discurso com o ordenamento comum do discurso, o que nos permite distinguir que se trata do delírio" (LACAN, 1985a, p. 44).

É importante salientar que um delírio envolve, de modo geral, uma "significação pessoal". Não só porque o sujeito se sente particularmente visado na vivência delirante primária, mas especialmente pelos efeitos de nomeação que essa vivência induz. Assim, um sujeito que ao longo da vida construiu um sistema delirante muito articulado referiu certa vez o que considera o ponto de partida de todas as injúrias de que sofre ao momento em que teria escutado, de um transeunte qualquer, uma alusão à sua homossexualidade. Outra paciente relata ter encontrado certa vez, nos jardins de sua casa, uma ficha telefônica, uma imagem de Maria Madalena e um fusível, o que a levou a deduzir, numa espécie de intuição delirante: "se liga, você é uma prostituta".[2]

Não é por acaso que esses efeitos de nomeação estejam referidos, em última análise, ao campo sexual. De fato, a clínica psicanalítica das psicoses permite verificar, para uma série de casos, que os efeitos do delírio se estendem ao menos em duas direções. Por um lado, na ausência do significante fálico que articula o gozo à sua mediação simbólica, o delírio cumpre a função de reconstrução imaginária da realidade, criando para o sujeito uma espécie de cenário no qual ele tenta reorganizar o elemento pulsional que transborda o seu corpo e que se manifesta no desencadeamento. É por se dar no nível do Imaginário que o Eu, essa construção especular imaginária por excelência,[3] aparece como um tema privilegiado do delírio, ao ponto de se poder dizer que "o delírio de grandeza é o delírio fundamental, na medida em que é o delírio

[2] Para uma leitura da íntegra desse caso remetemos o leitor a Souto (2000).

[3] Ver capítulo anterior sobre a semiologia da consciência e do eu.

por excelência do Eu" (MILLER, 1995, p. 23). Mas a função do delírio também se estende, por outro lado, no sentido de um tratamento do real a partir do simbólico. O delírio permite localizar, dominar e cifrar uma parcela do gozo invasivo e transbordante da experiência psicótica. Dessa forma, o desenvolvimento do delírio de Schreber permitiu que ele emergisse dos fenômenos corporais associados ao desastre do imaginário, diante do qual as primeiras reações foram a vivência hipocondríaca e o estupor catatônico, reconstruindo a sua relação com o seu corpo. Em sua reconstrução delirante, foi necessário primeiro localizar o gozo na figura de seu médico e, depois, na figura de Deus. Assim, Schreber interpreta que os eventos corporais dos quais ele era vítima tinham como objetivo a sua transformação em uma mulher para fazer dele objeto de um gozo sexual. Essa tentativa de localizar o elemento pulsional excessivo no campo do Outro foi também essencial à estratégia paranoica de esvaziar o gozo invasivo que deu às primeiras manifestações da psicose seu colorido hipocondríaco. Num segundo momento, foi possível então reconciliar-se com a ideia de sua transformação em mulher. Como bem observa Freud, tal reconciliação se colocou a serviço do Eu, uma vez assumida a finalidade formulada por Schreber de criar uma nova raça de homens e restituir à humanidade seu estado perdido de beatitude. Graças à "realização assintótica do desejo", como se refere Freud ao expediente de lançar sempre para o futuro a consumação de seu transexualismo, essa solução se mostrou, enfim, aceitável.

Lacan assinala que o delírio de Schreber adquiriu, dessa forma, o estatuto de uma metáfora, a metáfora delirante, condensada em torno da ideia de "ser a mulher de Deus". No caso de Schreber, essa metáfora foi uma solução provisória que não impediu um novo desencadeamento da psicose. Pode-se também dizer que ela teve um estatuto precário, uma vez que nem tudo pôde ser metaforizado pelo delírio, especialmente em se tratando do gozo transexual.

Mas, o que confere ao signo, como o carro vermelho da vivência delirante primária a que se referiu Lacan, o seu valor enigmático? O que condiciona a percepção delirante? Que "outra realidade" é essa que faz sua irrupção no âmbito dessa realidade a que estamos acostumados, essa realidade que se encontra integrada ao nosso campo perceptivo como se o sentido das coisas já nos fosse dado? Isso nos levará a desenvolver um pouco mais a questão relativa ao objeto da percepção delirante que deixamos em suspenso. Para tanto, será necessário retomarmos a definição freudiana da *fantasia*, para dela extrair a noção lacaniana do *objeto a*.

Do juízo de realidade ao delírio universal

Em seu artigo "Formulações sobre os dois princípios do funcionamento mental", de 1911, Freud considera como observação comum o fato de que "toda neurose tem como resultado e, portanto, provavelmente como propósito, arrancar o paciente da vida real, aliená-lo da realidade" (Freud, 2010a, p. 109). Essa perda da "função do real", conforme a expressão de Pierre Janet, tão característica das psicoses alucinatórias, seria extensiva às neuroses e se harmoniza com a tese freudiana de que o recalque incide sobre algum aspecto da realidade que o sujeito considera insuportável ou sobre uma ideia incompatível (*Unverträglich*) com as representações ideais do Eu. O afastamento da realidade em favor da vida de fantasia é considerado, nesse artigo, a característica mais notável das neuroses, evidenciando que a dominância psíquica do princípio do prazer se mantém mesmo após o advento do princípio de realidade.

Na verdade, como diz Freud, o princípio de realidade nada mais é do que uma espécie de proteção e de adaptação do prazer às condições impostas pela realidade em detrimento do funcionamento primário do aparelho psíquico. Em linhas gerais, um processo primário é descrito como a forma mais primitiva de o aparelho psíquico obter prazer, via de regra através da alucinação, tal como ocorre nos sonhos. O que o advento do princípio de realidade introduz é a distinção entre o objeto da alucinação e o surgimento desse mesmo objeto no mundo externo, obrigando então o aparelho psíquico a se desenvolver no sentido do juízo de realidade. Mas a tenacidade com que nos apegamos às fontes de prazer à nossa disposição e a dificuldade com que a elas renunciamos liberou a atividade da fantasia do teste de realidade, mantendo-a vinculada ao princípio do prazer. Além disso, a continuidade do autoerotismo e a sua maior independência de um objeto externo possibilita que o gozo sexual permaneça menos submetido ao princípio de realidade e se estabeleça um elo mais sólido entre sexualidade e fantasia.

A fantasia se revela, assim, como uma moeda de troca na passagem do princípio do prazer ao princípio de realidade. Por um lado, a fantasia funciona como uma reserva de prazer, tal como sugere a analogia freudiana com a criação de um parque florestal que preserva as características naturais de uma determinada área em meio à construção de uma cidade. Por outro lado, a extração da fantasia se mostra como uma condição mesma dessa passagem, na medida em que a perda de gozo implicada na assunção do princípio de realidade pelo sujeito é compensada com a recuperação de uma parcela de gozo na fantasia. A fantasia é, nesse sentido, uma forma de extração, de condensação e de localização do gozo que permite o enquadramento da realidade. Tal extração seria, portanto, constitutiva do próprio campo da realidade, na medida em que é preciso neutralizar a presença excessiva do gozo nesse campo, restringindo-o ao objeto da fantasia. É este objeto que Lacan designa como objeto *a* no matema da fantasia: $\$ \diamond a$.

O campo da realidade "só se sustenta pela extração do *objeto a,* que, no entanto, lhe fornece seu enquadre", dirá Lacan, em nota acrescentada aos *Escritos* em 1966 (Lacan, 1998, p. 560).[4] A fantasia funciona como uma janela que permite o enquadramento da realidade, mas também como uma tela que filtra o excesso de luz para que a cena da realidade se projete e seja interpretada pelo sujeito. Em suma, essa extração é também a condição da função do juízo de realidade. É por meio da extração da fantasia que a atividade do pensamento poderá julgar se o objeto que se apresenta em seu campo perceptivo corresponde ou não ao objeto de sua representação fantasmática.

Se a fantasia pode ser aproximada do sonho, sendo mesmo a sua continuação quando estamos acordados, alimentando assim os nossos desejos, a existência de um delírio pressupõe, por sua vez, que a realidade seja representada de acordo com a fantasia. É essa possibilidade da transposição da fantasia em um saber que diz respeito à realidade que faz de todo sujeito um delirante em potencial.

A partir da função de enquadramento e de tela da fantasia, Lacan define a psicose como um caso de *não extração do objeto* a *do campo da realidade*, o que pode ser exemplificado pela presença das vozes e do olhar que inundam esse campo. É essa presença excessiva do gozo não condensado pela fantasia no campo da realidade que dá ao signo o caráter de uma significação pessoal na psicose. O sujeito se sente particularmente visado, observado ou escolhido; sofre inveja e ameaças; imagina-se grandioso pela

[4] Essa nota de Lacan foi objeto de um minucioso comentário de J.-A. Miller, de quem reproduzimos o esquema acima. Cf. Miller (1996b, p. 150-154).

posse de um bem ou em ruínas por uma perda irreparável; torna-se, ele próprio, o objeto de um gozo alheio. Podemos verificar essa presença de um gozo não extraído da realidade na temática delirante de Schreber. Conforme ele escreve em suas *Memórias*, seus nervos vivem em estado de grande excitação devido a uma comunicação direta com Deus, esse mesmo Deus que manipula o seu corpo a fim de experimentar volúpia sexual, exigindo dele um estado constante de prazer que o extenua.

O trabalho delirante visa, portanto, localizar e cifrar esse gozo excessivo através da elaboração de um saber. Mas isso é feito sem levar em conta o juízo de realidade, cuja possibilidade é dada justamente pela extração da fantasia. A solução encontrada por Schreber, a de assumir uma atitude feminina para com Deus, foi a base a partir da qual se erigiu o delírio e se reduziu essa exigência de gozo. Sabemos que, ao cabo de mais de 10 anos de intensa elaboração delirante, Schreber se encontra perfeitamente adaptado à realidade em que vive ao mesmo tempo que mantém preservado o seu delírio.

Quanto à fantasia neurótica, ela funciona como um anteparo diante do real. A visão da realidade é modelada pela fantasia neurótica e só pode ser corrigida por uma espécie de atitude crítica do juízo ou por uma verificação objetiva semelhante à que encontramos na ciência. O juízo implica essencialmente duas decisões a tomar, de acordo com Freud, em seu artigo "A negação", de 1924: "ele deve conferir ou recusar a uma coisa uma determinada qualidade e deve admitir ou contestar se uma representação tem ou não existência na realidade" (Freud, 2014, p. 23).

A primeira dessas decisões está associada ao eu-prazer (*Lust-Ich*), ou seja, "expresso na linguagem das mais antigas moções pulsionais orais: isto eu quero comer ou quero cuspir – e numa transposição mais à frente: isto eu quero introduzir em mim e isto eu quero excluir de mim" (Freud, 2014, p. 23). A outra decisão é uma tarefa do eu-realidade (*Real-Ich*): "agora não se trata mais da questão de saber se algo percebido (uma coisa) deve ou não ser acolhido no Eu, mas se algo presente no Eu como representação pode também ser encontrado na percepção (realidade)" (Freud, 2014, p. 23).

Podemos extrair dessa dupla decisão do juízo algumas implicações. A primeira é que o *juízo de existência*, a cargo do eu-realidade, pode ficar aprisionado ao *juízo de atribuição* que caracteriza o eu-prazer, de forma que a percepção da realidade permaneceria submetida ao eu-prazer. A segunda implicação pode ser derivada da observação de Freud de que "o primeiro e mais imediato objetivo da prova de realidade não é, portanto, o de encontrar na percepção real um objeto correspondente ao representado, mas, sim, o de reencontrá-lo, de se convencer de que ele ainda existe" (Freud, 2014, p. 25).

Sendo assim, a prova de realidade exige que "tenham sido perdidos os objetos que um dia proporcionaram uma real satisfação" (Freud, 2014, p. 27).

Podemos concluir, a partir desse breve e denso artigo freudiano, que a percepção da realidade não é de forma alguma um processo passivo, mas o resultado de interpretações cuja condição é o investimento libidinal do sujeito na fantasia. Esta, por sua vez, pressupõe a perda do objeto de satisfação cujos substitutos buscamos reencontrar no campo da realidade efetiva.

O estatuto paradoxal da "perda de realidade", à qual Freud se refere, também em 1924, em seu artigo "A perda de realidade na neurose e na psicose", estaria assim atrelado à retenção do objeto de satisfação. Neurose e psicose se diferenciam em seus propósitos iniciais. Na neurose, esse primeiro tempo seria caracterizado pelo fato de que o Eu toma partido das exigências da realidade e sacrifica uma parte de sua satisfação pulsional, ao passo que em uma psicose acontece o processo inverso: o Eu toma partido da satisfação pulsional e se afasta de um fragmento de realidade. Freud não diz explicitamente a que se refere esse fragmento de realidade, mas podemos inferir que se trata da consideração de algo relacionado à organização discursiva da percepção externa que se coloca como incompatível com a satisfação do desejo. A consequência mais imediata dessa primeira diferenciação é que, na neurose, o recalque tem como consequência o investimento libidinal na fantasia e seus prolongamentos no inconsciente, enquanto, na psicose, o investimento libidinal permanece direcionado a encontrar o objeto através de um processo de substituição da realidade externa socialmente compartilhada por uma realidade delirante privativa.

A perda de realidade na psicose seria então equivalente a uma recusa da perda do objeto, e seu efeito seria a inflação de gozo que se manifesta na realidade delirante. Devido a isso, o segundo tempo da psicose estaria ligado às tentativas de reconstrução delirante da realidade da qual o sujeito se afastou, visando religar esse gozo excessivo a uma cadeia de sentido. Como vimos, esse trabalho corresponde ao delírio psicótico e é feito de acordo com uma significação pessoal, frequentemente autorreferente, sem o auxílio do agenciamento discursivo do Nome-do-Pai. Na neurose, por sua vez, o segundo tempo seria caracterizado pela perda de realidade que foi evitada no seu primeiro tempo, o que podemos associar ao retorno do recalcado. Esse retorno é o resultado do fracasso do recalque diante das exigências pulsionais, que sempre acabam por triunfar, segundo a predominância do princípio do prazer na vida psíquica, e visa recuperar uma parcela do gozo perdido. Assim, o fragmento da realidade que deu origem ao recalque será remodelado de acordo com a fantasia e tratado, na neurose, também de forma delirante, de acordo com o desejo em causa.

Freud conclui que "neurose e psicose distinguem-se muito mais entre si na primeira reação introdutória do que na subsequente tentativa de reparação" (Freud, 2016, p. 281). A diferença é que "a neurose não recusa [*verleugnet*] a realidade, apenas não quer saber nada sobre ela; a psicose a recusa e procura substituí-la" (Freud, 2016, p. 282). A alucinação seria, nesse sentido, um resultado do fato de que, na psicose, o fragmento rejeitado da realidade se impõe à mente, fazendo seu retorno no real. Na neurose, o sujeito está mais confrontado à tarefa de evitar o fragmento de realidade que foi inicialmente objeto de recalque e de substituí-lo por outro, mais de acordo com seu desejo, tal como ocorre nos sonhos e nas fantasias.

Alucinação e delírio universal

A alucinação é um ponto de partida fundamental na obra de Freud. Dada uma primeira – e desde então mítica – experiência de satisfação (por exemplo, a saciedade resultante do primeiro encontro com o seio materno), uma segunda ocorrência psíquica se seguirá sob a forma de reativação de uma lembrança que, em princípio, reinveste o traço do objeto que ficou associado às condições em que se deu aquela primeira experiência. Essa reativação psíquica do objeto é o núcleo da alucinação, matriz que funda a série permanente das relações do sujeito com os seus objetos substitutivos na busca de reencontrar a experiência de satisfação primordial. A esse respeito, Lacan afirmava em seu comentário de Freud:

> o sujeito não tem de *encontrar* o objeto do seu desejo, ele não é levado a isso por canais, trilhos naturais de uma adaptação instintiva mais ou menos preestabelecida, e aliás mais ou menos tropeçante, tal como a vemos no reino animal; ele deve, ao contrário, *reencontrar* o objeto, cujo aparecimento é fundamentalmente alucinado (Lacan, 1985a, p. 101-102).

Entre essa matriz alucinatória e as percepções subsequentes, ainda segundo Freud, o sujeito experimenta uma decepção – trata-se, portanto, de uma série descontínua. É essa decepção que o leva do pensamento alucinatório que caracteriza os processos primários a uma *ação específica*, o que representará uma nova maneira de encarar o mundo externo.

> Foi apenas a ausência da satisfação esperada, o desapontamento experimentado, que levou ao abandono desta tentativa de

> satisfação por meio da alucinação. Em vez disso, o aparelho psíquico teve que se decidir a formar uma ideia das reais circunstâncias do mundo exterior e em se empenhar em sua real transformação (Freud, 1969, p. 238).

Lacan, por sua vez, afirma em *O seminário, livro 3*:

> [O sujeito] jamais o reencontra, e é precisamente nisso que consiste o princípio de realidade. O sujeito não reencontra jamais, senão um outro objeto, que corresponderá de maneira mais ou menos satisfatória às necessidades de que se trata (Lacan, 1985a, p. 102).

É algo parecido com o que acontece na historinha do baile de máscaras que contava Lacan: os dois mascarados que se procuram não se encontram nunca, e, se isso ocorrer..., não eram eles.

O enquadramento da realidade terá, portanto, uma perda como condição. É a discrepância entre o objeto lembrado e aquele que é efetivamente obtido que instaura o desejo e lhe impõe o movimento que Freud considera como indestrutível em *A interpretação dos sonhos*. A cada reencontro, o sujeito se verá às voltas com um objeto cuja conquista depende dos desfiladeiros da linguagem onde se inscreve sua demanda, e o objeto poderá ser-lhe concedido ou não. Seja como for, esse objeto não será nunca aquele que por hipótese inspirou a sua procura, mas um sucedâneo dele, um *Ersatz*, determinado pela linguagem.

No segundo momento, portanto, que se segue à experiência alucinatória, a criança se dá conta de que o objeto alucinado não atende à necessidade concreta de alimento, o que introduz o teste de realidade, que tem como consequência a descoberta de que essas necessidades somente podem ser atendidas por intermédio de um Outro que venha em seu auxílio (alimentar-se, por exemplo, exige uma "ação específica" que a criança pequena não pode executar sozinha). Assim, estabelece-se uma dialética entre o sujeito e o Outro, por força da qual todo objeto, elemento de uma série, será ao mesmo tempo igual a si mesmo e diverso dele mesmo.

Em face da impossibilidade de satisfação com o primeiro objeto alucinado, os objetos substitutivos serão sempre sub-rogados insuficientes dessa primeira experiência. Por isso a realidade se apresenta de forma essencialmente precária para o sujeito. O sujeito estará para sempre confrontado, por um lado, com as imposições da realidade que não coincide com sua demanda de satisfação, e, por outro, com a precariedade dessa relação com objetos substitutivos que caracteriza a busca do desejo. No que concerne a esse ponto, podemos afirmar que a linguagem atesta o desvio constitutivo da falta que constitui o desejo ao separar o sujeito de seu objeto, no sentido em que é próprio da linguagem gerar um efeito de distanciamento sobre o dado imediato do objeto referido.

Ao nos determos, portanto, no exame da linguagem que está na base de nossa experiência da realidade, constatamos que a língua, por ser um sistema que só habilita as diferenças, não nos permite alcançar a identidade de um referente externo. A palavra sempre remete a outra palavra que habita o seu contexto, e nunca à coisa mesma. Por isso podemos mentir ou falar do que não existe, como quando dizemos, conforme o conhecido exemplo de B. Russell, que "o rei da França é calvo". Não é sequer necessário, à estrutura da linguagem, o encadeamento lógico da significação, visto que tanto as frases verdadeiras quanto as falsas ou absurdas admitem a mesma estrutura de linguagem (J.-C. Milner, 2012, p. 33-52). Tampouco existe uma linguagem superior que possa funcionar como metalinguagem em relação à linguagem ordinária para impedi-la de mentir. Disso se segue, de acordo com J.-A. Miller, que se quisermos manter a definição do delírio como pensamento que não encontra seu correlato na realidade, temos de nos haver com o caráter universal da constatação de que todo mundo delira. A clínica do sujeito falante é uma clínica do delírio generalizado pelo simples fato de que falamos, já que não existe nada de inerente à linguagem que a vincule a um referente externo:

> Chamo delírio uma montagem de linguagem que não tem correlato de realidade, ou seja, a que nada corresponde na intuição. Chamo delírio uma montagem de linguagem construída sobre um vazio. E digo: todo mundo delira. Essa é a perspectiva que chamo de delírio generalizado (Miller, 1999, p. 95).

É verdade que o sintagma "delírio universal" é historicamente datado. D. Diderot já se valia dessa expressão em sua *Enciclopédia*, editada entre 1751 e 1772, para se referir à mania em oposição ao delírio parcial que caracteriza a melancolia. O que é universal, nesse contexto, é a extensão do delírio, que abrange todos os objetos e situações da vida. Mas quando J.-A. Miller se refere a um delírio generalizado, ele está se referindo a uma ampliação do delírio não para o universo das coisas do mundo, mas para o universo dos sujeitos: a ideia da generalização é solidária, por um lado, com a frase de Lacan segundo a qual "todo mundo é louco, isto é, delirante", e, por outro, com a ausência de um referente no campo da linguagem. Delírio universal passa a significar a condição de todo sujeito ou ser falante, no sentido em que a dependência da linguagem produz necessariamente uma separação em relação à realidade que se tenta designar por seu intermédio. Todo sentido dado através da linguagem a alguma coisa se produz num campo separado da coisa, sem que haja uma instância superior que permita regular a relação entre o que se diz e aquilo do que se fala.

Mas o que nos impede então de ser loucos se o significante, como tal, nada significa, se a mera consideração da linguagem nos obriga a supor uma clínica universal do delírio? Sabemos que, na neurose, a realidade, definida como sendo a integral dos fatos para um sujeito, depende da convenção normativa estabelecida pelo discurso. Só existe fato enquanto fato de discurso, ou seja, só há fato enquanto recorte imposto por uma prática discursiva que não necessita se justificar do ponto de vista de sua pertinência: todo discurso é dependente do semblante organizado por uma crença, não havendo discurso que não seja do semblante. Dizer que não há discurso que não seja do semblante significa também reconhecer que todo discurso só permite referir a linguagem à realidade ao colocá-la sob a autoridade de um significante mestre (Miller, 1999, p. 92-101). É por essa razão que Lacan denuncia a presença do mestre no horizonte do discurso ontológico, nele reconhecendo a referência ao ser como efeito de uma prescrição. Para estar integrado à realidade, o sujeito deve admitir esse gesto normativo suplementar que institui o laço, de outro modo ausente, entre a linguagem e o referente externo a ela. A consistência lógica da realidade se apoia, em última instância, sobre a base ilógica do assentimento, o que exige do sujeito a adesão a uma norma que não demonstra sua razão de ser. Esse ponto do assentimento encerra a possibilidade, virtualmente aberta a todos, de uma dispersão radical da realidade, no sentido em que ele escapa a todo cálculo subjetivo. A ordenação do referente pelo significante deriva, portanto, de um princípio que só pode se exercer se não for questionado pelo sujeito. Trata-se de um princípio que deve ter inquestionavelmente razão, por ser a própria possibilidade de julgamento factual sobre a verdade e o erro.

O que nos parece então decisivo, quando se trata do delírio, é a maneira como a perda de satisfação pulsional é tratada e como cada sujeito aparelha o gozo à linguagem. Como vimos, se o delírio é universal, se a diferença entre uma psicose e uma neurose não se refere em última instância à existência ou não do delírio, tal diferença pode ser rastreada pela forma como cada estrutura resolve o conflito entre a perda de realidade e a sua substituição delirante. Em uma psicose, a realidade recusada é reconstruída pelo delírio. Em uma neurose, o processo de substituição pressupõe o investimento na fantasia a partir da qual o sujeito interpreta a realidade, além da série de equivalências simbólicas em torno do objeto perdido. São esses jogos simbólicos, que também caracterizam o brincar, o fantasiar e a criação artística, que permitem ao sujeito contornar o vazio deixado pela perda do objeto, como na operação do oleiro que constrói seu vaso de barro contornando um buraco central.

Uma das formas mais notáveis de remodelação fantasmática da realidade pode ser verificada pela sublimação, na medida em que ela cria um objeto que, por sua vez, é uma recriação da própria realidade. Poderíamos também conceber em torno da função do Ideal do Eu outra maneira de intromissão da fantasia na realidade. Um exemplo dessa configuração fantasmática do mundo a partir do ideal pode ser encontrado em *Psicologia das massas e análise do eu*, texto freudiano de 1921 (Freud, 2011, p. 13-113). O que caracteriza a análise freudiana do fenômeno da massa, que muitos comentadores consideram uma antecipação do que viria a ocorrer com a ascensão do fascismo, é a fascinação hipnótica vivida em torno da figura do líder. Esse investimento libidinal no líder, do qual resulta uma espécie de fantasia ou de delírio coletivo, só é possível porque os indivíduos do grupo assentiram em colocar, através de sua crença, um único e mesmo objeto no lugar de seu ideal do Eu. É pela via do ideal que o objeto pode vir a ser recuperado nos delírios coletivos de massa, com todas as repercussões segregativas que conhecemos.

Por essa capacidade de localizar o gozo na autoridade prescritiva do mestre, todo discurso finalmente funciona como uma defesa contra o real. Não há discurso que não seja semblante, que não se funda em algum tipo de configuração condicionada pela crença. A isso se coloca em exceção a ironia presente do esquizofrênico que zomba dos discursos estabelecidos, revelando o caráter irracional da crença que os sustenta. É nesse sentido que J.-A. Miller propõe chamar de esquizofrênico o sujeito que "não se defende do real por meio do simbólico. Ele não se defende do real através da linguagem porque para ele o simbólico é real" (Miller, 1996a), como se verifica no dito alucinatório, nas frases interrompidas e nas vivências de palavras impostas. O preço da descrença psicótica no sentido veiculado pelos discursos estabelecidos é a certeza da Coisa. É essa certeza que está presente na vivência delirante primária ou nos signos da percepção delirante, quando a cadeia significante do discurso se quebra e uma parte do simbólico se torna real. Para além da ironia esquizofrênica, o que prevalece é somente a estrutura de ficção da linguagem. Dessa forma, todos nós, seres falantes, psicóticos ou não, falamos do que não existe, enquanto giramos em torno do objeto indizível de nosso desejo.

Referências

ALONSO-FERNÁNDEZ, F. *Compendio de psiquiatria.* Madrid: Editorial QTEO, 1978.

ASSOUN, P. L. *Freud e Wittgenstein.* Tradução de Álvaro Cabral. Rio de Janeiro: Campus, 1990.

EY, H.; BERNARD, P.; BRISSET, C. *Manual de psiquiatria.* Tradução de P. C. Geraldes e S. Loannides. Rio de Janeiro: Masson, 1981.

FOUCAULT, M. *A história da loucura na idade clássica.* São Paulo: Perspectiva, 2010.

FREUD, S. *A interpretação dos sonhos (II).* Rio de Janeiro: Imago, 1969. (Edição Standard das Obras Psicológicas Completas de Sigmund Freud, V).

FREUD, S. *A negação.* Tradução de Marilene Carone. São Paulo: Cosac Naify, 2014.

FREUD, S. A perda de realidade na neurose e na psicose. In: *Neurose, psicose, perversão.* Belo Horizonte: Autêntica, 2016, p. 279-285 (Obras Incompletas de Sigmund Freud).

FREUD, S. Formulações sobre os dois princípios do funcionamento psíquico. In: *Sigmund Freud, Obras Completas, vol. 10: Observações Psicanalíticas sobre um caso de paranoia relatado em autobiografia (o caso Schreber), artigos sobre técnica e outros textos.* São Paulo: Companhia das Letras, 2010a. p. 108-121.

FREUD, S. Observações psicanalíticas sobre um caso de paranoia relatado em autobiografia (o caso Schreber). In: *Sigmund Freud, Obras Completas, vol. 10: Observações Psicanalíticas sobre um caso de paranoia relatado em autobiografia (o caso Schreber), artigos sobre técnica e outros textos.* São Paulo: Companhia das Letras, 2010b. p. 13-107.

FREUD, S. Psicologia das massas e análise do eu. In: *Sigmund Freud, Obras completas, vol. 15: Psicologia das massas e análise do eu e outros textos.* São Paulo: Companhia das Letras, 2011. p. 13-113.

JASPERS, K. *Psicopatologia geral.* Rio de Janeiro; São Paulo: Atheneu, 1987. v. 1.

LACAN, J. De uma questão preliminar a todo tratamento possível da psicose. In: *Escritos.* Rio de Janeiro: Jorge Zahar, 1998. p. 537-590.

LACAN, J. *O seminário, livro 3: As psicoses.* Rio de janeiro: Jorge Zahar, 1985a.

LACAN. J. *O seminário, livro 11: Os quatro conceitos fundamentais da psicanálise.* 2. ed. Rio de Janeiro: Jorge Zahar, 1985b.

LACAN, J. *O seminário, livro 17: O avesso da psicanálise.* Rio de Janeiro: Jorge Zahar, 1992.

LACAN. J. *O seminário, livro 18: De um discurso que não fosse semblante.* Rio de Janeiro: Jorge Zahar, 2009.

LALANDE, A. *Vocabulaire technique et critique de la philosophie.* 10e éd. Paris: Presses Universitaires de France, 1988.

LAURENT, É. Trois enigmes: le sens, la signification, la jouissance. *La Cause Freudienne*, n. 23, p. 43-50, 1993.

MILLER, J.-A. A invenção do delírio. *Opção Lacaniana Online.* 1995. Disponível em: <https://goo.gl/s53Cag>. Acesso em: 17 fev. 2017.

MILLER, J-A. A psicose no texto de Lacan. *Curinga*, Belo Horizonte, n. 13, p. 92-101, set. 1999.

MILLER, J-A. Clínica irônica. In: *Matemas I.* Tradução de Sérgio Laia. Rio de Janeiro: Jorge Zahar, 1996a. p. 190-199.

MILLER, J.-A. Foraclusão generalizada. In: BATISTA, M. C.; LAIA. S. (Org.). *Todo mundo delira.* Belo Horizonte: Scriptum, 2010, p. 15-32.

MILLER, J.-A. Mostrado em Prémontré [1984]. In: *Matemas I.* Rio de Janeiro: Jorge Zahar, 1996b. p. 150-154.

MILNER, J.-C. Da linguística à linguisteria. In: *Lacan, o escrito, a imagem.* Tradução de Yolanda Vilela. Belo Horizonte: Autêntica, 2012. p. 33-52.

NEWMAN, J. H. *A Grammar of Assent.* London: Longmans, Green and Co., 1946.

SCHREBER, D. *Memórias de um doente dos nervos.* Rio de Janeiro: Graal, 1984.

SOUTO, S. Foraclusão: uma cena primária é imposta. *Revista Curinga*, Belo Horizonte, n. 14, p. 46-51, 2000.

Semiologia da afetividade: o afeto que se encerra na estrutura

Marcus André Vieira, Angélica Bastos, Antônio Teixeira

Introdução

Quando tentamos abordar a semiologia da afetividade, a partir da leitura dos textos canônicos de psicopatologia, deparamo-nos de saída com um grave problema de definição. Ora concebida como um pensamento confuso, na versão clássica de Descartes, ora como fenômeno psíquico não intelectual, na versão mais contemporânea de Brentano, a noção de afeto permanecerá imprecisa e terminará por receber, por parte de Jaspers, uma definição puramente negativa: chamamos de afeto o que não se sabe nomear de outro modo em nossa disciplina.

O paradoxo é marcante: incerto em sua definição epistêmica, o afeto é o que há de mais certo em sua vivência pelo sujeito. Sua verdade, para o sujeito afetado, é a de ser o que é. Embora possa ser dito de formas diferentes, sua experiência sofrida não deixa dúvida quanto a sua ocorrência. A tristeza na vida ou no teatro será sempre triste, atestando que há sofrimento, mesmo que não saibamos de onde ele provém, por mais que ignoremos por que choramos ou que desconheçamos a determinação simbólica do sentimento vivido. Diante de um fato inusitado, podemos não saber se iremos rir ou chorar, mas uma vez que a tristeza se instala em nós, uma coisa é certa: ela é sentida como triste. É da essência de um sentimento ser percebido pela consciência (Freud, 1986, p. 203-206).

Mas como diferenciar, então, em nossa psicopatologia dos fenômenos afetivos, o afeto patológico do afeto saudável, se não dispomos sequer de uma ideia clara do que é o afeto em si? Como falar de uma paixão normal por oposição a uma paixão patológica, quando o próprio termo "patologia", etimologicamente derivado do léxico grego *pathos*, tira sua origem da ideia de paixão? Como traçar fronteiras entre a normalidade e a patologia nesse campo pantanoso, carente de clareza conceitual? Essas perguntas, para as quais até hoje não se dispõe de resposta definitiva, foram encaminhadas de formas diversas ao longo do tempo. Sabemos, por exemplo, que uma condição afetiva como a melancolia era tratada como uma disposição psíquica que bordeia tanto a genialidade quanto a loucura no problema 30 de Aristóteles. Sabemos também que o termo "mania", que na filosofia antiga servia para designar a agitação do comportamento irracional, como no caso do guerreiro Ajax golpeando o rebanho que julgava serem os companheiros de batalha que o haviam traído, será tomado como sinônimo de loucura em Pinel e Esquirol. Ao que tudo indica, a semiologia do afeto dito patológico parece se reportar a um problema de intensidade: ao passo que os afetos moderados de tristeza e de alegria seriam, via de regra, tomados como reações normais, a excessiva tristeza, acompanhada por vezes de negativismo, indiferença e mesmo torpor, ou a excessiva alegria, seguida de exaltação, agitação e perda de senso crítico, entrariam na esfera propriamente patológica. Mas o que dizer, então, da imensa tristeza de quem quase tudo perdeu numa situação trágica, como no caso de um refugiado do campo de concentração? Seria normal que ele estivesse menos triste? O que dizer, por sua vez, da intensa exaltação vivida por uma pessoa que se libertou de uma situação opressiva? Seria normal que ela ficasse menos feliz? Sabemos, além do mais, que diante do culto à exaltação consumista que se manifesta nas formas tardias do capitalismo, o comportamento exaltado tende a se aproximar da normalidade na mesma proporção em que a tristeza é tratada como patologia. Como se vê, a diferença entre o afeto normal e o afeto patológico não se deixa captar tão facilmente; ela não se conforma à definição puramente estatística de uma curva de Gauss. E não podemos, no entanto, renunciar a construir sua semiologia, já que o que justifica a intervenção clínica do terapeuta é justamente o fato de que algo é ali apreendido como uma condição patológica.

Sabemos que, no campo da psiquiatria moderna, o desenvolvimento da semiologia repousa nas três seguintes premissas:

> **i.** A identificação entre a experiência subjetiva e o funcionamento de um mecanismo (Foucault, 1977).
> **ii.** A decomposição dessa máquina em seus elementos constitutivos, a serem analisados separadamente, em conformidade com a orientação cartesiana clássica.

iii. A descrição das principais alterações em cada um desses elementos.

O exame psíquico materializa esse modelo nos dois momentos em que se desdobra: o primeiro momento da anamnese, em que os sintomas são inseridos em sua diacronia própria, e o segundo momento, da avaliação do estado mental, que é uma espécie de *flash* sincrônico da situação clínica. Vários itens das funções mentais tidas como normais são avaliados e percorridos, compondo o essencial da súmula psicopatológica. Humor e afetividade são agrupados nos eixos principais do exame, assim como a consciência, o pensamento, a inteligência e a sensopercepção, sem, no entanto, esgotar a lista das funções.

Não há exagero em dizer que o exame psíquico segue uma espécie de reconstituição da gênese discursiva do que se espera ser um homem racional. Ao avaliar as funções mentais de nosso paciente, concebemo-lo como um sujeito pensante que acorda, inicialmente toma consciência do ambiente, dirige sua atenção a objetos percebidos e reage afetivamente a eles, para deles elaborar conceitos e encadear raciocínios que lhe permitam finalmente julgar o que vê a partir do que sente e pensa segundo seu modo de inserção mental no mundo. A esse despertar do sujeito dito normal a psicopatologia opõe o funcionamento anormal da loucura, no qual esses elos se encontram seja desligados, seja ligados de maneira idiossincrática, não compartilhada socialmente.

Nos livros de psicopatologia, normalmente se distingue o humor da afetividade, estabelecendo-se o humor como uma disposição básica para ser emocionalmente afetado. Essa disposição tímica geral que conserva uma certa estabilidade no tempo, por oposição ao afeto, que se manifesta no nível da reação imediata, ocupa aqui um papel fundamental, no sentido em que autoriza uma avaliação de caráter quantitativo. A oscilação do humor se concebe entre três polos, a exaltação – hipertimia –, a depressão – hipotimia – e a indiferença, sendo a normalidade imaginada como uma linha mediana, conforme a concepção aristotélica do justo meio e da temperança. Distintamente do humor, o afeto se registra sempre em relação a determinado conteúdo emocional, como uma espécie de tonalidade da experiência notadamente qualitativa referida ao momento da situação vivida; dali decorre seu caráter temporal evanescente. Normalmente se espera, na avaliação da afetividade, a compatibilidade da reação com o conteúdo da situação vivida, quando, por exemplo, falamos de uma reação afetiva de tristeza coerente com uma situação de perda. A reação afetiva incoerente seria aquela que não apresenta essa compatibilidade esperada, como no caso de alguém que se ri ao comentar um evento catastrófico. Quando uma disposição afetiva se torna mais estável, fixando-se, por exemplo, numa expectativa intensa e prolongada sobre determinado acontecimento, como Dom Quixote em busca de Dulcineia, ela se apresenta na forma da paixão. Sua característica é de produzir uma deformação na construção de juízos sobre a realidade, com sobrevalorização daquilo que se encontra em conformidade com o esperado e uma subestimação do que a contraria. Via de regra, o conteúdo das ideias sobrevalorizadas coincide com a tonalidade da paixão, como é o caso da percepção de sinais de traição por parte do sujeito tomado pela paixão do ciúme. Tais ideias podem adquirir tamanha adesão por parte do sujeito que por vezes não se consegue distingui-las do produto de uma atividade delirante.

Sabemos, ademais, que as relações entre humor e afeto não são lineares ou rígidas. O rebaixamento do humor pode não estar acompanhado por afeto de tristeza, manifestando-se, por exemplo, na atitude de incúria ou de indiferença. No caso do humor exaltado, os afetos negativos podem estar presentes, na forma, por exemplo, dos casos de mania em que uma hipertimia se acompanha de irritação e labilidade afetiva.

Observações preliminares sobre a semiologia do afeto

Certos porta-vozes equivocados do senso comum frequentemente afirmam que a falha maior do discurso psicanalítico seria a de deixar o problema do afeto de lado, por lidar somente com o aspecto predominantemente formal da estrutura simbólica. No intuito de nos posicionar diante dessa crítica recorrente, devemos salientar que a psicanálise jamais negligenciou a dimensão do afeto, mas nem por isso deixou de referenciar essa dimensão à esfera da linguagem. Para a psicanálise, o afeto se encerra na estrutura, ele não é um dado corporal inefável. Por isso o afeto deve ser pensado em sua relação com o inconsciente. A dinâmica afetiva do inconsciente se encontra eminentemente ligada ao modo de inserção do sujeito na linguagem, ainda que o próprio sujeito ali não se reconheça, na forma pronominal do "eu". Como tentaremos demonstrar na sequência, a consideração do afeto nos interessa como instrumento semiológico para distinguir a posição do sujeito no nível da estrutura do inconsciente, para além de todo consentimento empírico. Mas antes de adentrarmos nessa semiologia, vejamos em que sentido a psicanálise interpela a psiquiatria, no que tange à abordagem fenomenológica da afetividade.

Grosso modo, as tentativas de delimitação semiológica das patologias do humor utilizaram-se de três parâmetros: *intensidade, duração* e *qualidade*. Os dois primeiros não se prestaram devidamente à tarefa de produzir critérios para diferenciar normalidade e patologia, uma vez que sua mensuração é difícil e suas conclusões nem sempre são compatíveis com nosso esforço de desvelar a natureza de uma doença. É certo que ao olhar clínico não passaram despercebidas as variações de intensidade das patologias afetivas, tais como os fenômenos de bradipsiquismo, empobrecimento do conteúdo do discurso e lentificação psicomotora, nos casos de depressão grave, ou de taquipsiquismo, exuberância semântica e agitação psicomotora, nos casos maniformes. Todavia, estamos longe de produzir um afetômetro coerente, em que pesem os patéticos esforços de construção de escalas para aferir as variações do nível de humor, cujos questionários pseudocientíficos mais se assemelham a enquetes de revistas de moda, telenovelas e futilidades afins, do que a verdadeiros protocolos de investigação clínica. Passemos, então, ao terceiro critério, o da qualidade, que foi sem dúvida o mais marcante no desenvolvimento da psiquiatria, só decaindo de importância com o advento da Classificação Internacional de Doenças (CID) e do *Manual Diagnóstico e Estatístico de Transtornos Mentais* (DSM).

Do ponto de vista da distinção qualitativa, tentou-se diferenciar a depressão exógena da dita endógena, numa oposição correlativa àquela entre a neurose e a psicose. Ao passo que a tristeza exógena seria predominantemente reativa ou neurótica, desencadeada por motivos compreensíveis que poderiam ser rastreados na história de vida do paciente, a tristeza endógena seria um fenômeno predominantemente processual ou psicótico, cuja causalidade deveria ser sondada em algum tipo de etiologia somática, já que não pode ser psicologicamente compreendida a partir da avaliação dos motivos apreendidos na história clínica. À primeira deveriam se aplicar as abordagens ditas psicodinâmicas, ao passo que para a segunda estariam mais indicadas as intervenções psicofarmacológicas ou psicofísicas, como a eletroconvulsoterapia. Como se nota, o mesmo Jaspers permanece sendo o norte dessa divisão semiológica: é ele quem situa, por um lado, *desenvolvimento* e *reação* como dimensões psicologicamente compreensíveis, em oposição ao *processo* psicologicamente incompreensível que se manifesta como uma ruptura com a personalidade anterior do paciente a partir da instauração da patologia.

Quando falamos, por conseguinte, de depressão endógena, estamos supondo uma causalidade orgânica que autorize uma intervenção da mesma natureza, mesmo que essa suposição não possa ser empiricamente confirmada.[1] Mas mesmo que ela assim o fosse, a oposição endógeno-exógeno traz consigo a marca da distinção cartesiana entre *res cogitans* e *res extensa* que orienta a abordagem das patologias do humor desde a psiquiatria clássica. Vale salientar que o psicanalista não superpõe à distinção neurose e psicose a oposição entre reação compreensível e ruptura processual, já que ele tampouco compactua com a premissa cartesiana do dualismo entre substância pensante e substância extensa que a psicopatologia coloca na base da distinção entre causalidade orgânica e motivação psicológica. Conforme explicita e desenvolve o ensino de Lacan, o corpo não é, nem na neurose nem na psicose, rejeitado para a extensão: assim como se dá com o problema do afeto, a relação com o corpo deve ser concebida no nível da estrutura simbólica.

O afeto para a psicanálise

"Aja de acordo com seu coração", aconselha o manual de *self-help* ao homem entediado pela constância da vida prática a que sacrificou suas paixões. "Foi mais forte do que eu", confessa o sujeito ao terapeuta, atordoado pela paixão que o conduziu a decisões impensadas, gerando rumos imprevistos. "Mas ela me disse isso chorando!", replica o amante exasperado com o olhar indiferente do amigo incrédulo, convencido de que as lágrimas da amada atestariam a verdade do que lhe foi proferido. "O coração tem razões que a própria razão desconhece", comenta por fim o filósofo, em tom acaciano, citando o eminente aforisma de Blaise Pascal. Cada uma dessas frases parece a seu modo expressar, como se vê, a crença de que o transbordamento do afeto estaria mais próximo da verdade íntima do sujeito do que o cálculo pesado do raciocínio e das abstrações. Não é exato, "*le senti-ment*", replica Lacan. À exceção da angústia, nenhum outro afeto é necessariamente verdadeiro, o afeto também pode ser fonte de engano. Incidência sobre o corpo de um dizer, o afeto, longe de ser um dado primordial ou um elemento pré-verbal, é antes um efeito contingente secretado pelo discurso.

Não é tarefa simples pensar uma semiologia do afeto, em relação ao inconsciente freudiano, considerando que o próprio Freud recusa a ideia do afeto inconsciente, ao afirmar que a operação do recalque incide

[1] Os psiquiatras que se formaram na década de 1980 se lembram dos esforços para se isolar, a partir da mensuração do nível de ácido vanil mandélico na urina, o que seria a comprovação da causalidade somática da depressão endógena mediante a constatação da diminuição dos metabólitos dos neurotransmissores. Essa pesquisa resultou infrutífera e dela não mais se falou.

somente sobre as representações. Como ilustra o caso do pequeno Hans, cujo pavor do cavalo se explica pelo deslocamento do afeto de uma representação recalcada, o afeto não sofre o recalque, ele apenas se move para outras representações. Quando examinamos o tratamento dado por Freud à questão da afetividade, que ele aborda sem incorporar a distinção psiquiátrica entre afeto e humor, notamos que primeiramente ele define o afeto como energia psíquica indiferenciada, para em seguida tratá-lo como um estado qualitativo cuja essência seria a de ser percebido pela consciência. Mas onde situar, então, a referência ao inconsciente, se é da essência do afeto sua expressão consciente?

Será preciso considerar a distinção que Freud propõe mais tarde, em 1914, entre o afeto e a dimensão pulsional, para termos uma ideia mais clara da referência ao inconsciente. No dizer de Freud, o elemento indiferenciado seria na verdade a pulsão, que só ganha qualidade perceptiva, como afeto, ao se associar ao objeto que lhe confere uma representação. O afeto passa assim a ser definido como tonalidade subjetiva da descarga pulsional associada a esse elemento representativo. Nesse sentido, notamos que a pulsão só afeta a percepção se receber uma representação da linguagem, cujos elementos se organizam, como se verá, numa lógica independente do discurso da consciência. Decerto podemos dizer, como o faz Freud, que se tememos bandidos no sonho, os bandidos do sonho podem ser falsos, mas o medo permanece real. Mas isso não é suficiente. É preciso acrescentar que a pulsão somente será percebida como medo se for associada a um elemento de linguagem que evoque, em sua recepção pelo sujeito, alguma experiência significativa determinante da ideia de pavor, a partir de relações associativas que escapam às regras do discurso consciente.

Vejamos, então, em que sentido podemos articular a semiologia do afeto com a dimensão do inconsciente, a partir de uma discussão sobre a semiologia lacaniana dos afetos depressivos.

Semiologia lacaniana dos afetos depressivos

Conforme afirmamos acima, é inegável que existe, em nossa contemporaneidade marcada pelo ideal consumista do capitalismo tardio, certa tendência em patologizar os afetos depressivos e aceitar como normal a exaltação maniforme. Podemos argumentar, em relação a esse ponto, que a psicanálise concede sua margem de razão ao sujeito deprimido, por reconhecer o valor de verdade do seu sofrimento. Afora isso, faz parte da experiência psicanalítica o afeto de tristeza resultante do luto que ela provoca ao fazer tombar os ideais: a psicanálise expõe, em seu percurso, a frivolidade dos valores imaginários que sustentam a felicidade dos imbecis, ao confrontar o sujeito com sua condição primordial de desamparo.[2]

Mas ainda que a psicanálise não reprove o deprimido, com vistas a salvaguardar os valores que sustentam o modo atual de coesão social, nem por isso ela deixa de formular um julgamento ético sobre a depressão. Lacan dirá, sem meias palavras, em *Televisão*, em referência ao afeto depressivo, que este resulta de uma covardia moral (*lâcheté morale*). Necessitamos, porém, entender que, ao qualificar a depressão como efeito de uma *lâcheté*, Lacan está antes se referindo a ela como efeito de uma frouxidão, de uma ausência de tensão necessária ao exercício lógico do pensamento, termo que, aliás, aplica-se metaforicamente ao comportamento do sujeito covarde, quando o qualificamos, por exemplo, como um frouxo, como alguém sem firmeza de caráter. A *lâcheté* é antes de tudo efeito de uma lassidão, de uma falta ética do sujeito que se exime do engajamento ou da tensão subjetiva necessária ao exercício lógico do bem dizer. A falta de vontade constante do sujeito depressivo resulta de sua recusa ética de se situar, através do pensamento, na estrutura simbólica do desejo que o determina no inconsciente.

Tem interesse notar que Lacan não se deixa ler frouxamente, displicentemente. É preciso criar uma tensão do pensamento para acompanhar seu raciocínio, além de estar atento às suas referências. Vejamos, então, o que nos diz Lacan em suas próprias palavras, ao tratar, em *Televisão*, do afeto da tristeza:

> A tristeza é qualificada de depressão, ao se lhe dar por suporte a alma, ou então a tensão psicológica do filósofo Pierre Janet. Mas esse não é um estado de espírito, é simplesmente uma falta moral, como se exprimiam Dante ou até Espinosa: um pecado, o que significa uma *lâcheté* moral, que só é situado, em última instância, a partir do pensamento, isto é, do dever de bem dizer, ou de se referenciar no inconsciente, na estrutura (Lacan, 2003, p. 524).

A começar então pela noção de pecado, ou de falta moral, é preciso dizer que a psicanálise corrobora, a seu modo, a noção de pecado original que nos chega pela tradição judaico-cristã. Para a psicanálise, o pecado é original, no sentido não religioso, mas no sentido em que a culpabilidade,

[2] A discussão que nesse item se segue foi extraída de: TEIXEIRA, A. Depressão ou lassidão do pensamento: reflexões sobre o Espinosa de Lacan. *Psicologia Clínica*, Rio de Janeiro, v. 15, n. 2, p. 27-41, 2008. Disponível em: <https://goo.gl/lwikcY>. Acesso em: 17 fev. 2017.

longe de ser um dado contingente ou circunstancial, é um fato de estrutura. Ela resulta do próprio efeito de divisão que a linguagem imprime sobre o sujeito, fazendo com que ele perceba o gozo próprio como algo qualificado de impróprio pelo discurso que o determina. Tal é a raiz da autorreprovação experimentada na vergonha e em sentimentos afins, em que o sujeito, por não se reconhecer em determinado modo de satisfação pulsional, passa a recusá-lo como um desejo culpável. A expressão dessa recusa é o sentimento de culpabilidade inconsciente – aliás, o único afeto inconsciente que Freud admite –, que faz com que o sujeito encontre sua satisfação no sofrimento, por só aceder ao gozo que a linguagem lhe interdiz pela via do desprazer. Daí se explica a referência lacaniana ao Canto VIII do *Inferno*, de Dante, no qual se descrevem os homens tristes, submersos em água nauseosa, onde permanecem por efeito de inércia: a tristeza consiste em se afundar nela mesma, em condescender com essa satisfação pela via do sofrimento por dela não querer saber. A tristeza, nesse sentido, resulta de uma falta lógica derivada desse não querer saber relativo à causa do desejo, cuja consequência pode ser uma displicência que se estende a todo campo perceptivo. Por isso, Dante descreve os homens tristes como pessoas submersas na água morna, de onde só saem, de tempos em tempos, para emitir queixas entrecortadas, ou seja, lamúrias ou farrapos significantes sem consequência. No dizer de F. Regnault, o enfado do depressivo, longe de ser uma baixa da tensão psicológica, como queria Pierre Janet, é uma falta de tensão lógica determinada pela recusa ética do pensamento (Regnault, 2003, p. 129).

Dessa ausência de tensão resulta, por sua vez, a dolorosa anestesia que acomete o sujeito deprimido, cujo campo perceptivo se dilata numa proliferação infinita de coisas insignificantes. É, aliás, nesse sentido que para o filósofo Martin Heidegger a experiência do tédio (*Langeweile*), descrita como algo que nos arrasta e nos deixa vazios, alimenta-se precisamente de sua ausência de localização (Heidegger, 1992, p. 125). Diante dessa ausência de localização, a psicanálise nos convoca ao dever ético de situar, através do bem dizer, a causa do desejo que nos determina no inconsciente. É nesse ponto que encontramos, em Espinosa, a terceira e talvez a mais importante de nossas referências para se pensar a semiologia do afeto. Ao passo que a referência a Dante servia para tornar pensável a relação inercial da tristeza com a falta moral, Espinosa é quem aparece, no horizonte do discurso lacaniano, quando se trata de diagnosticar a natureza da paixão da tristeza para afirmar a ética do bem dizer. Pois são justamente os efeitos de lassidão subjetiva, consoante ao abandono da tensão que dirige o pensamento, que estão em questão no momento em que Espinosa se refere às paixões da tristeza.

O argumento central, a ser extraído da primeira definição do terceiro livro da *Ética*, de Espinosa, refere-se ao fato de que as paixões, por corresponderem aos afetos dos quais não somos a causa, apresentam-se como ideias frouxas, desamarradas do raciocínio. A lassidão que acompanha a tristeza seria consequência, nesse sentido, da frouxidão associativa relacionada ao modo de recepção passiva da sensibilidade. Mas Espinosa acrescenta, na demonstração da Proposição I do Livro III, que essas mesmas paixões, que para o espírito humano são ideias confusas, encontram sua causa adequada em Deus, ou na natureza, que são para ele a mesmíssima coisa. De tal sorte que se sua ética se estabelece como um projeto que visa determinar a lógica da afetividade, é porque ele supõe a natureza como uma rede de conexões causais cuja inteligibilidade pode e deve ser alcançada pelo pensamento. Diferentemente do que acreditava Descartes, não há, para Espinosa (Livro V, Proposição 4), um domínio de ideias obscuras relacionadas ao corpo, por oposição ao campo de ideias claras e distintas derivadas do pensamento. Não existem ideias obscuras: o que existem são, quando muito, ideias amputadas, desconexas de sua causalidade própria.[3]

Daí se explica a desvalorização, por parte de Espinosa, da função da consciência. Segundo observa Deleuze, já há muito se anunciava, no pensamento espinosista, uma descoberta do inconsciente como lugar de conexões causais que a consciência desconhece, na medida em que dessas conexões ela somente consegue recolher os efeitos (Deleuze, 1981, p. 29).[4] Na medida em que só temos consciência dos efeitos dessa rede de composições causais, estamos condenados a ter ideias inadequadas e confusas que nos deixam em estado de lassidão e nos fazem sofrer. É nesse igual sentido que o sintoma psíquico se revela, na perspectiva freudiana, como uma ideia confusa porquanto separada de suas conexões causais. Não devemos, portanto, hesitar em reconhecer a clínica psicanalítica como uma prática de inspiração essencialmente espinosista, considerando que sua experiência visa estabelecer a causa que determina, no inconsciente, a posição do sujeito. E muito embora Freud jamais tenha teorizado sobre Espinosa – o que não o impediu de externar sua imensa admiração pelo filósofo em carta datada de 1932 –, é claramente visível a orientação espinosista de sua teoria, conforme se pode verificar, entre tantos outros exemplos, na explicação que

---

[3] Cf., a esse propósito, Guéroult (1974, p. 578-580).

[4] Cf. igualmente Deleuze (1968, p. 236).

ele constrói do sintoma de Emma, ao tratar da psicopatologia da histeria na última parte do seu *Projeto para uma psicologia científica*.

O sintoma obscuro de Emma se manifestava como um impedimento de entrar sozinha numa loja, sem entender claramente o que tanto a angustiava. Lembrava-se apenas de ter corrido assustada ao ver os vendedores rindo, quando entrou numa loja aos 12 anos de idade, acreditando que estavam zombando do seu vestido. A angústia de estarem rindo de seu vestido é a falsa conexão, a falsa premissa (*próton pseudos*) que a consciência recolhe, facilmente refutável pela ausência da angústia quando ela se encontra acompanhada. É somente mais adiante, ao longo do tratamento psicanalítico, que ela se recorda de uma cena anterior, ocorrida aos 8 anos de idade, na qual a verdadeira conexão aparece: quando criança, ao entrar numa confeitaria, um dos vendedores a teria abordado sexualmente, beliscando-lhe os genitais sob o vestido, num estabelecimento ao qual ela retornou, para depois se reprovar por isso. Ela ainda relata que o vendedor teria feito isso rindo.

Conforme se vê, se o sintoma constitui-se, em sua expressão confusa, como uma falsa conclusão colhida de uma falsa premissa, seu tratamento consiste, por sua vez, em recompor as conexões amputadas da consciência, no sentido de determinar sua verdadeira causa. É indispensável, para tanto, estabelecer a natureza dessas conexões causais a partir do modo como essas ideias se encontram ligadas. Pois muito embora o tratamento psicanalítico vise recompor as conexões que se encontram amputadas da consciência, não é possível seguir essas conexões a partir de uma determinação puramente conceitual do sentido representado no sintoma. Nada mais distante de Freud e de Espinosa do que a clínica de orientação fenomenológica construída por Jaspers a partir da leitura de Husserl. A análise fenomenológica do conceito de loja, em sua redução eidética do objeto ali representado, de nada vale para alcançar o fator traumático na causalidade do sintoma – no caso: o atentado sexual. Para tomarmos outra ilustração cara à fenomenologia de Husserl, por mais que se reduza a definição de triângulo às suas propriedades essenciais, no sentido em que se tirarmos uma só delas o triângulo deixa de ser pensável, não há nada nessa operação de redução que nos conduza, por exemplo, à ideia de um triângulo amoroso, surgida em associação na fala de um paciente que sonhara com um problema de geometria. Dito em outras palavras, é preciso se haver com conexões causais definidas não pela significação transcendental do conceito, mas pela intensidade da carga afetiva ligada às representações em razão das circunstâncias acidentais em que elas se produziram. São ligações causais que dependem antes da carga de energia libidinal da qual essas ideias foram acidentalmente investidas, em razão de experiências de satisfação ou de dor ocorridas na história de um determinado sujeito.

Quando consideramos, assim, as conexões causais inconscientes em razão da corrente afetiva que liga as representações, independentemente da determinação universal do conceito, não podemos deixar de perceber, na elaboração freudiana, a herança da orientação espinosista num de seus aspectos mais inovadores. Pois é nesse exato sentido que se pode ler Espinosa, sobretudo no Livro III, dedicado aos afetos, quando ele afirma, na Proposição XIV, que "se o espírito foi uma vez afetado por dois afetos ao mesmo tempo, quando mais tarde um dos dois o afetar, o outro o afetará também" (Spinoza, 1988, p. 226-227). Espinosa nos instrui a perceber a contingência associativa entre o afeto e seu objeto, a qual se confirma na Proposição XV, em que se afirma que "qualquer coisa pode ser acidentalmente causa de alegria, de tristeza ou desejo" (Spinoza, 1988, p. 226-227). Daí se entende, conforme lemos no Escólio,

> que pode acontecer que amemos ou que odiemos certas coisas sem que conheçamos a razão para isso, mas somente por simpatia ou antipatia. E é a isso que se deve igualmente relacionar os objetos que nos afetam com alegria ou tristeza pelo simples fato de que tenham alguma semelhança com objetos que nos causam habitualmente os mesmos afetos (Spinoza, 1988, p. 228-229).

Basta, portanto, enuncia a Proposição XVI, "que uma coisa tenha alguma semelhança com um objeto que afeta habitualmente o espírito de alegria ou de tristeza, mesmo se aquilo em que ela se assemelhe não seja a causa eficiente desses afetos, ainda assim nós a amaremos ou a odiaremos". Donde também se explica, na Proposição XVII, o famoso fenômeno de ambivalência afetiva observado por Freud, sobretudo nos quadros de neurose obsessiva. A saber, que "se imaginamos que uma coisa, que nos afeta habitualmente com o afeto de tristeza, tenha alguma semelhança com uma outra, que nos afeta habitualmente com um afeto de alegria de grandeza igual, odiaremos e amaremos ao mesmo tempo essa coisa" (Spinoza, 1988, p. 230-231).

Conforme se vê, a consideração significante do afeto, longe de obscurecer o fenômeno clínico, dá-nos a inteligibilidade de suas conexões. Não existe, aos olhos de Espinosa, um campo afetivo, dito obscuro, separado do campo intelectual, dito claro, assim como não há tampouco eminência da mente sobre o corpo. A mente e o corpo não são substâncias distintas, mas modos de uma substância única, que seguem trajetórias paralelas. É fundamental, por esse motivo, estar atento ao emprego do termo "modo", por parte de Espinosa, para designar tanto o pensamento e o corpo quanto os demais elementos da natureza.

Dizemos que "modos", em sua concepção por Espinosa, são poderes de afetar e ser afetado por aquilo que lhe é conexo, numa ontologia cujos elementos se definem por suas ligações. Afirmar que "a natureza produz uma infinidade de coisas numa infinidade de modos" (Livro I, Proposição XVI) significa dizer que os efeitos gerados pela natureza não se encontram fora dos atributos em que são produzidos. Sendo a natureza uma vasta rede de conexões causais, os seres, por sua vez, são poderes de ser afetado e de afetar, tanto no plano do corpo quanto no plano do pensamento. Cada elemento da realidade deve ser concebido não através da abstração formal de seu conceito, mas pelos afetos que são capazes de provocar e receber. É nesse igual sentido que podemos entender, do ponto de vista da teoria psicanalítica, o que significa, para a paciente de Freud, entrar sozinha na loja, servindo-nos de uma teoria dos modos como capacidade de afeto. O que interessa não é a definição conceitual da loja em si, tampouco o riso dos vendedores, mas a rede de conexões através da qual Emma se sente afetada por essas representações. Do mesmo modo que a loja, no caso de Emma, tem mais parentesco com um lugar de assédio sexual do que com qualquer outro estabelecimento de vendas, para Espinosa, afirma Deleuze, o cavalo domesticado tem mais parentesco – ou seja: mais afetos em comum – com o boi do que com o cavalo selvagem (Deleuze, 1981, p. 167).

Nos vemos, por conseguinte, distantes da atitude racional do sujeito cartesiano, disposto a sacrificar as informações provenientes dos sentidos – ou seja, daquilo pelo qual o corpo é afetado – para alcançar a verdade intelectual do pensamento. Embora as paixões sejam frequentemente fonte de engano e de erro, elas ainda assim constituem uma realidade irredutível de nossa condição. É próprio da paixão preencher nosso poder de ser afetado por algo exterior do qual não somos a causa, separando-nos de nossa potência de agir. Quando somos afetados por um corpo exterior que não convém com o nosso (ou seja: cuja conexão com ele não se compõe), experimentamos o sentimento de tristeza. Já quando esse corpo nos convém, nossa potência de agir é aumentada, suscitando a experiência da alegria. Mas a alegria ainda é uma paixão, visto que ligada a uma causa exterior. Ficamos ainda separados de nossa potência de agir. É preciso, portanto, com relação a uma paixão, chegar ao princípio exato do seu conhecimento, para assim transformá-la em ação. Nesse sentido, a tristeza corresponderia, aos olhos de Espinosa, à impotência em que se encontra o sujeito diante de um afeto que, por se mostrar confuso, não lhe permite encontrar a necessidade lógica pela qual ele determina o seu agir. Seu corolário seria o abatimento, que se traduz, clinicamente, ao modo da deflação libidinal que se manifesta na perda de iniciativa do sujeito deprimido.

Não obstante, do mesmo modo que a conexão causal de uma ideia não se reduz ao conceito abstrato de sua representação, já que ela depende, como antes dissemos, da carga afetiva que a liga a nossa experiência vital, uma paixão que nos atinge não pode tampouco ser suprimida por sua simples intelecção. Para Espinosa (Proposição 7, Livro IV), um afeto só pode ser suprimido ou reduzido por outro afeto contrário, sem deixar de acrescentar, na Proposição 14, que a intelecção da causa não pode contrariar nenhum afeto, a não ser que se considere a intelecção ela própria como um afeto. É necessário, portanto, que haja desejo de conhecimento como afeto gerador de tensão lógica para suprimir a lassidão da tristeza.

Fica novamente visível a proximidade clínica dessa passagem com a discussão conduzida por Freud, em seu texto sobre a análise selvagem, acerca da inutilidade de se explicitar a causa das neuroses fora da situação transferencial. Do mesmo modo que, para Espinosa, o conhecimento puramente intelectual é impotente contra os afetos, aos olhos de Freud é um equívoco pensar que basta remover a ignorância da qual padece o sujeito neurótico para que ele possa se recuperar de seu sofrimento. Não se suprime a fome lendo um cardápio. Uma vez que a psicanálise deve trazer à luz essas conexões causais ignoradas, sua eficácia depende de duas condições prévias: "primeiro, o paciente deve ter alcançado ele próprio a proximidade das conexões recalcadas e, segundo, ele deve ter formado uma ligação tão ampla com o analista (transferência) para que seu relacionamento emocional com este torne uma nova fuga impossível" (Freud, [1910] 1969b, p. 212). É somente ao transportar o paciente, através da via ficcional da transferência, à situação emocional em que se produziu o recalque que o psicanalista logra alterar as condições afetivas do seu sofrimento.

Necessitamos, para tanto, entender que o pensamento, longe de ser uma representação abstrata do objeto pensado, deriva necessariamente da atividade ou do esforço do sujeito que pensa. É no nível desse esforço (*conatus*) que se articulam, aos olhos de Espinosa, a razão e os afetos, no sentido em que a essência ali se afirma no modo real da existência. Se a razão se afirma, então, ao estabelecer relações inteligíveis entre aquilo que nos afeta, é porque sua atividade consiste em construir o que Espinosa nomeia de *noções comuns*, ou seja, "ideias que se explicam formalmente por meio de nossa potência de pensar". Diferentemente, portanto, das ideias confusas que nos chegam através da sensibilidade, as noções comuns se apresentam como ideias claras e distintas, porquanto dependem unicamente da própria afirmação da racionalidade, cuja atividade consiste em ligar o que convém com a nossa composição.

Mas o que dizer então da razão psicanalítica, por comparação ao tratamento dos afetos que encontramos na via de Espinosa? Haveria enfim, para a experiência da psicanálise, um solo comum, homólogo ao *conatus* espinosista, que nos permite tratar o sintoma pelo significante, o gozo pela palavra, o real pelo simbólico, o afeto pelo que o sujeito dele tem a dizer? Nossa resposta é que sim: dispomos de um solo comum para operar chamado amor de transferência. O amor transferencial seria, por assim dizer, a função que promove o enlace libidinal do significante pela via da associação livre, permitindo ao sujeito estabelecer conexões causais inusitadas, determinadas afetivamente a partir de elementos que podem ser conceitualmente desconexos. É nesse sentido que a experiência psicanalítica permite ao sujeito se localizar na estrutura, numa quase perfeita homologia entre a ética espinosista do bem pensar e a ética lacaniana do bem dizer.

Uma *quase* perfeita homologia, cabe frisar, pois há algo no hiato desse *quase* que diferencia radicalmente a psicanálise do que se pode esperar da orientação espinosista. Distintamente da perspectiva de Espinosa, para quem a regra ética consiste em cada um procurar o elemento conexo que lhe é útil, ou seja, que está de acordo com a sua composição, o objeto causa de desejo que a psicanálise desvela, no cerne de sua experiência, é algo de essencialmente inútil, que não se presta a nenhum tipo de composição simbólica. O objeto de desejo que a psicanálise isola é uma peça sem uso, no dizer de J.-A. Miller, uma peça fora de toda e qualquer conexão na maquinaria significante. Essa peça avulsa, que para nada serve, é a figura do sem sentido, daquilo que não se emenda na significação. Trata-se de uma peça que não se presta a nenhuma composição definida no nível da linguagem, por mais que se amplie a rede de conexões causais ignoradas pela consciência. Essa peça impossível de se conceituar corresponde à radical ausência da conexão sexual que a psicanálise explicita enquanto elemento irredutível de contingência, no sentido em que não há como programar simbolicamente o que determina o encontro com o parceiro sexual. Não é por acaso que o estado de beatitude concebido por Espinosa, no último livro de sua *Ética*, como lugar de realização de uma racionalidade integral, esteja condicionado pelo esquecimento da questão da sexualidade.[5]

Semiologia lacaniana dos afetos maniformes

Quando abordamos a semiologia dos afetos maniformes, somos quase invariavelmente conduzidos a tomar o taquipsiquismo como distúrbio primário da síndrome maníaca. Todas as alterações descritas dali derivam: a agitação psicomotora, a insônia, a loquacidade, a logorreia, a distraibilidade, a irritabilidade, a desinibição, as ideias de grandeza, etc. seriam epifenômenos de um comprometimento de base marcado pela aceleração da atividade psíquica. Conforme o tipo de reação do indivíduo ao ambiente, a mania será classificada ora como exaltada ou franca, ora como irritada ou disfórica, sendo qualificada como hipomania quando se apresenta em intensidade menor. Sua alternância constante com os quadros de humor depressivos, nas assim chamadas formas bipolares, gerou uma série de conjecturas acerca do tipo de causalidade envolvida.

Na tese clássica desenvolvida por Freud, em *Luto e Melancolia e Psicologia de massas e análise do eu*, o humor maniforme é descrito como alvoroço imotivado no plano afetivo e como suspensão da inibição no plano da conduta. Do ponto de vista do seu mecanismo psíquico, a mania é colocada em lugar simétrico à melancolia. Ao passo que a melancolia é pensada como efeito subjetivo de uma perda, sendo por isso colocada em paralelo com a experiência do luto, a mania é concebida como alegria da transgressão, sendo posta em paralelo com a festa enquanto triunfo da exigência pulsional através da supressão da censura. Dessa comparação inicial se seguiu, como se sabe, toda uma profusão de teorias que buscavam pensar o comportamento maníaco por analogia com a representação orgiástica do ritual dionisíaco, da expansão sem freios dos foliões de Carnaval e daí por diante...

Mas muito embora essa explicação freudiana do comportamento nos permita pensá-lo como efeito de uma desinibição, ela não esclarece, critica Colette Soler, a exaltação jubilosa que o sujeito ali exibe. O fato é que a transgressão não é necessariamente festiva. Basta ler *A filosofia na alcova*, do Marquês de Sade, para verificar que a transgressão não se acompanha da alegria, sendo, pelo contrário, no mais das vezes lúgubre e sombrio o triunfo da exigência pulsional sobre a censura do Ideal do

[5] MILLER, A. *Pièces détachées*. Curso inédito do dia 1 de dezembro de 2004.

Eu. O maníaco não se confunde com o cínico gozador, tampouco com o homem das paixões que se entrega a seus desejos (Soler, 2007, p. 57 et seq.). É-nos necessário, por conseguinte, diferenciar a vitalidade bizarra que observamos no comportamento maníaco da afirmação assumida e sem freios das pulsões pelo homem libertino.

Lacan nos propõe, para tanto, tomar distância da analogia que vincula a mania à festa, em contraponto ao paralelo do luto com a melancolia, e retomar o problema novamente do ponto de vista de uma ética que envolve a decisão do sujeito. Como vimos a propósito dos afetos depressivos, ao tratar a tristeza nos termos de uma covardia moral, Lacan nos convida a concebê-la como efeito de uma lassidão causada pela recusa, por parte do sujeito, do tensionamento lógico que ele deveria gerar para se situar no nível da causa do desejo que o determina no inconsciente. Dessa recusa de se situar logicamente deriva o sentimento de indeterminação que acomete o sujeito depressivo, que se traduz nos termos de uma indiferença ou de um "não querer saber" acerca da causa do seu sofrimento.

Partindo dessa mesma perspectiva ética, Lacan põe de lado toda a profusão de teorias que pensam o fenômeno da mania em analogia com a descrição exuberante da festa, para reduzi-la ao termo mais lacônico de "excitação". Nas pouquíssimas linhas em que se refere ao fenômeno maníaco, Lacan retoma a formulação anteriormente mencionada da recusa ética, por parte do sujeito, do dever de se situar com relação à causa do inconsciente, para completar afirmando que essa recusa pode chegar ao ponto radical da foraclusão. Ao tratar dessa recusa radical, por parte do sujeito, em saber da causa que o determina no inconsciente, Lacan concebe a mania como sendo o efeito do retorno, no real, do inconsciente rechaçado que se manifesta na fuga de ideias, na desorientação e na desregulação mortífera dos ritmos vitais.

Trata-se de um retorno no real da própria linguagem em que se estrutura o inconsciente, que se manifesta, conforme vimos a propósito da percepção delirante, no capítulo dedicado à semiologia da percepção, como uma patologia do encadeamento significante. No início da psicose esquizofrênica, esse desencadeamento ocorre a partir do surgimento de um significante autônomo, emancipado da cadeia, que o sujeito tenta reencadear em sua interpretação privativa, dando ao signo da percepção delirante uma significação não compartilhada socialmente. Já na mania, esse desligamento se manifesta como um fenômeno de falência do ponto de basta que deveria fechar o significado da frase com seu último termo, de acordo com a intenção significativa que preside a sequência significante. A falência do ponto de basta se traduz, então, por um desfiar "da metonímia infinita e lúdica da cadeia significante" que observamos na fuga de ideias: um significante é associado ao outro, sucessivamente, sem que se possa alcançar o termo final da frase como fechamento indicativo do que se quer dizer. Donde se explica a impaciência característica do interlocutor do sujeito maníaco: "Mas aonde diabos você quer chegar?!". Tem-se uma fala descomprometida com a obrigação semântica do discurso, estruturalmente distinta da associação livre com a qual se assemelha, já que nesta última o sujeito, por mais que se disperse em suas divagações, ainda assim endereça ao Outro sua intenção significativa.

A angústia como afeto que não engana

Em meios aos mais diversos sentimentos afetivos, cujo poder enganoso resulta dos efeitos variáveis de sentido secretados pelo discurso – tais como estar triste por não querer saber; chorar para fazer crer; ser efusivo a fim de convencer; sentir-se culpado para pecar novamente, etc. –, Lacan isola a angústia, enquanto afeto à parte, como correlato de algo que não engana, de algo que está fora de dúvida, que marca a aproximação do real. Frequentemente traduzida com o termo equivocado de "ansiedade", a angústia, cuja significação etimologia deriva do léxico "estreitamento", é um afeto especial que merece ser discutido separadamente. Presente com intensidade variável em quase todas as condições clínicas e singularmente ausente nas verdadeiras perversões, ela é a expressão subjetiva da proximidade do real como fator pulsional que transborda os vínculos das representações que compõem a realidade no discurso do sujeito.

É no sentido desse transbordamento que Lacan qualifica com o termo "à deriva" o afeto desligado da representação, exemplarmente manifesto nas crises de pânico. Essa concepção nos permite pensar o sintoma enquanto tentativa de reconectar esse afeto desligado da angústia, como se dá no caso da fobia, em que basta ao sujeito ficar distante do elemento conectado a esse excesso transbordante, como é o caso do pavor pelo cavalo, no exemplo clínico descrito por Freud do pequeno Hans, para que a angústia não se manifeste. Os rituais obsessivos impediriam, por sua vez, o aparecimento da angústia ao ligar a carga libidinal em regras detalhadas, por mais absurdas que elas se mostrem, assim como na histeria o excesso pulsional é convertido em sintomas corporais, gerando o quadro característico do sofrimento sem angústia que se manifesta na "*belle indifférence*" das histéricas.

Inicialmente concebida por Freud como aumento de tensão por ausência de descarga pulsional, a angústia será assim pensada como afeto provocado por esse represamento ao conduzir o sujeito a conter essa descarga pela via do recalque e sua ligação ao sintoma. Mas logo em seguida essa concepção será reformulada: a angústia não será vista apenas como efeito contingente do represamento libidinal gerado por causas circunstanciais; sua presença se atesta como algo que diz respeito à própria condição humana, relacionado à experiência do desamparo primordial da criança. O perigo sinalizado pela angústia resulta de uma elevação da quantidade de estímulos num momento em que não se pode dominá-la psiquicamente ou descarregá-la (Freud, 1969c, p. 161), fazendo da condição do desamparo infantil um fato estrutural ligado à sua incapacidade de tratar por si mesma desse excesso de estímulos. O sujeito infantil depende, assim, da intervenção da mãe, que realiza a "ação específica" necessária à satisfação, estabelecendo a mediação capaz de lhe permitir sua descarga na forma de uma experiência prazerosa. Dali se deduz, então, um silogismo clínico: se por um lado o perigo é o acúmulo de excitação e por outro a mãe é a via de sua descarga terapêutica, então o perigo maior será o de perder a mãe, e a proteção contra esse perigo será o de garantir sua presença.

Sendo a mãe percebida pelo sujeito infantil como objeto capaz de criar esse estado de satisfação inicial, o que se segue é que toda construção da realidade será guiada por uma tentativa de reencontrar esse objeto primeiro, a partir de atributos conexos à sua representação. Só existe, portanto, construção da realidade pelo sujeito a partir de uma falta, ou seja, a partir da subtração desse objeto cuja ausência impõe sua busca na experiência do sujeito. Importa salientar que o que se perde, na representação desse primeiro estado de satisfação, não é a mãe no sentido de sua presença puramente empírica. A falta em questão diz respeito àquilo que produz sua intervenção, ou seja, ao desejo que move o Outro materno, manifesto na forma do enigma relativo ao ser do próprio sujeito: o que eu sou para esse Outro que me ampara, que faz com que me eleja e se ocupe de mim?

Lacan formaliza tal enigma no matema DM/x, em que se lê Desejo da Mãe como significante cujo significado seria o x relativo à questão do ser do sujeito visado nesse desejo. Para que o sujeito possa escapar à arbitrariedade desse desejo enigmático, para que ele não se reduza a ser o x obscuro da vontade caprichosa do Outro materno, é necessário que ao Desejo da Mãe se substitua a lei do Nome-do-Pai (NP), cujas insígnias constituem o polo de orientação do sujeito no interior das normas socialmente compartilhadas:

$$\frac{NP}{DM} - \frac{DM}{X} \longrightarrow NP - \left[\frac{A}{Falo}\right]$$

Pode-se ler, nessa equação, a célebre fórmula da metáfora paterna: seu produto final é a colocação do Nome-do-Pai como vetor de significação do Outro (A) em sua relação com o valor simbolicamente determinado como falta fálica, no lugar em que antes o Desejo da Mãe encobria o valor enigmático do x. Ao referir o Desejo da Mãe ao significante fálico, o Nome-do-Pai estabelece o vínculo da pulsão com o campo do Outro articulado ao plano da linguagem. Mas nem tudo no campo do Outro se apresenta como linguagem. Dessa operação se separa algo que a linguagem não alcança, que não se deixa simbolizar, algo vivido pelo sujeito como uma perda de satisfação na forma denominada por Lacan de objeto pequeno *a*. O x cede lugar ao objeto *a*, referido como um fator que desperta o desejo do sujeito sem que ele possa definir sua representação discursiva.

Querer falar didaticamente do objeto *a*, num livro-texto de psicopatologia, é, portanto, uma tarefa no mínimo insana. Não é simples abordar discursivamente algo cuja natureza é a de se furtar a toda apropriação discursiva. O constante uso, por parte dos psicanalistas, de rodeios retóricos tais como "algo da ordem de", "o que aqui chamamos", "se podemos dizer assim" sinaliza a dificuldade em dar forma narrativa a esse elemento inenarrável. Quando entramos no campo do objeto *a*, nada mais está dado, nossas representações discursivas se mostram ineficazes.

Conforme descrevem Sérgio Laia e Adriano Amaral de Aguiar no primeiro capítulo deste livro, esse objeto se apresenta, em relação à realidade normalizada pela atividade representativa da linguagem, como um resto que dessa realidade se furta, tomando outras dimensões. Ora sentido como uma voz de sonoridade estranha, ora como um olhar separado da visão, ora como uma palavra incompreensível, alheia ao registro discursivo e a qualquer referência encontrada no mundo das coisas, o objeto *a*, quando se aproxima, produz no sujeito o sentimento angustiante de perda da realidade e a certeza de estar diante de algo que lhe concerne intimamente. Por ser a falta introduzida pelo simbólico a condição de construção da realidade, a aproximação do objeto *a* se produz como falta dessa falta estruturante que se traduz ao modo de um estado de perplexidade. Quando nada falta, quando não se sabe mais o que se poderia desejar, esmaga-nos o mudo desespero da angústia, definida por Lacan como "a falta da falta".

O que encontramos, no desencadeamento da psicose, descrito como operador de perplexidade por Jacques-Alain Miller (1995), é justamente a aproximação angustiante desse objeto que não foi subtraído pela metáfora paterna: algo de grave vai acontecer, algo significativo cuja expectativa angustiante se traduz por um sentimento de estranheza e intensa indeterminação.

Referências

DELEUZE, G. *Spinoza et le problème de l'expression*. Paris: Minuit, 1968.

DELEUZE, G. *Spinoza: philosophie pratique*. Paris: Minuit, 1981.

FOUCAULT, M. *O nascimento da clínica*. Rio de Janeiro: Forense Universitária, 1977.

FREUD, S. Contribuição à história do movimento psicanalítico. In: *Sigmund Freud, Obras completas, vo. 11: Totem e tabu, Contribuição à história do movimento psicanalítico e outros textos*. São Paulo: Companhia das Letras, 2012. p. 245- 321.

FREUD, S. *A interpretação dos sonhos (II) e Sobre os sonhos (1900-1901)*. Rio de Janeiro: Imago, 1969a. (Edição Standard das Obras Psicológicas Completas de Sigmund Freud, V).

FREUD, S. Psicanálise silvestre. In: *Cinco lições de psicanálise, Leonardo da Vinci e outros trabalhos (1910)*. Rio de Janeiro: Imago, 1969b. p. 207-216. (Edição Standard Brasileira das Obras Psicológicas Completas de Sigmund Freud, XI).

FREUD, S. Inibição, sintoma e angústia. In: *Um estudo autobiográfico, Inibições, sintomas e ansiedade, Análise leiga e outros trabalhos (1925-1926)*. Rio de Janeiro: Imago, 1969c. p. 107-201. (Edição Standard Brasileira das Obras Psicológicas Completas de Sigmund Freud, XX).

GUÉROULT, M. Obscurité, confusion, mutilation, inadéquation des idées. In: *Spinoza*. Paris: Aubier Montaigne, 1974. t. II: L'Âme. p. 578-580.

HEIDEGGER, M. *Les concepts fondamentaux de la métaphysique*. Paris: Gallimard, 1992.

LACAN, J. *Outros Escritos*. Rio de Janeiro: Jorge Zahar, 2003.

MILLER, J.-A. A invenção do delírio. *Opção lacaniana on line*, n. 5, 1995. Disponível em: <http://www.opcaolacaniana.com.br/antigos/pdf/arti-

gos/JAMDelir.pdf>. Acesso em: 27 mar. 2017.

REGNAULT, F. Passions dantesques. *La Cause Freudienne*, n. 58. Paris: ECF, 2003. p. 128-143.

SPINOZA, B. *Éthique*. Paris: Seuil, 1988.

SOLER, C. Mania: pecado mortal. In: *O inconsciente a céu aberto nas psicoses*. Rio de Janeiro: Jorge Zahar, 2007. p. 81-96.

TEIXEIRA, A. Depressão ou lassidão do pensamento: reflexões sobre o Espinosa de Lacan. *Psicologia Clínica*, Rio de Janeiro, v. 15, n. 2, p. 27-41, 2008. Disponível em: <https://goo.gl/lwikcY>. Acesso em: 05 abr. 2017.

VIEIRA, M. A. *A ética da paixão*. Rio de Janeiro, Jorge Zahar, 2001.

Semiologia da temporalidade e da espacialidade

Ilka Ferrari, Analícea Calmon, Antônio Teixeira

O universal da vivência do tempo e espaço

Quando tentamos abordar as categorias do espaço e do tempo em psicopatologia, não podemos deixar de reconhecer a relação estreita que nosso saber mantém com a reflexão filosófica moderna, sobretudo a kantiana. Nossa teorização parece se conformar ao que Kant propõe nas páginas dedicadas à estética transcendental de sua *Crítica da razão pura*, quando define o espaço e o tempo como condições transcendentais da sensibilidade, na forma de intuições *a priori* da percepção. Ao definir o espaço e o tempo como condições transcendentais da sensibilidade, Kant ([1781]2001, p. 87-113) quer com isso dizer que essas duas dimensões determinam a possibilidade objetiva de nossa experiência sensível, sem se dar como objeto dessa experiência. Tudo que percebemos, percebemos no espaço e no tempo, mas não percebemos o espaço e o tempo. Ou seja, toda percepção de objeto ocorre num espaço e numa temporalidade determinados, sem que o tempo e o espaço se ofereçam como objetos circunstanciais da percepção. Esse estatuto de condição universal, *a priori*, da percepção é o que justifica, aos olhos de Kant, sua validade epistêmica: ainda que a espacialidade e a temporalidade sejam vivências subjetivas relativas à apreensão de um objeto, o que está em questão nessa subjetividade não é o sujeito psicológico da experiência particular. Trata-se, antes, do sujeito tomado como condição transcendental, transcendental no sentido, referido acima, em que sua estrutura se impõe para toda experiência sem ser dado como objeto de nenhuma experiência.

É nesse mesmo sentido que Jaspers propõe pensar, no volume 1 de seu livro *Psicopatologia geral* (1959), as dimensões de temporalidade e espacialidade enquanto vivências presentes na sensibilidade. Tempo e espaço são vivências universais, embora radicalmente diferentes, abrangedoras de tudo que é objetivo, ainda que não possuam em si nenhuma objetividade. São duas formas da sensibilidade que existem, anteriores a toda experiência, como modos *a priori* de intuição. Jaspers se refere a elas no capítulo da "estética transcendental" da primeira crítica kantiana, construída na sustentação de que o homem possui a sensibilidade como fonte primeira de conhecimento, seguida pelo entendimento, objeto de uma analítica transcendental, que opera com conceitos abstratos. Por esses caminhos Jaspers assegura a interiorização do mundo por meio da vivência de tempo e espaço, tanto na vida psíquica normal como na anormal, já que todas as representações, sensações e objetos sensíveis os supõem. Sua visão é partidária da ideia de que espaço e tempo não existem por si, mas através dos objetos que os preenchem ou delimitam, ou seja, são reais quando ocupados por algo. Por estarem presentes é que suas formas de manifestação, os modos de vivenciá-los, seus tamanhos e durações se modificam. Quando considerados vazios possuem o caráter básico de natureza quantitativa. Ao serem preenchidos tornam-se qualitativos. Haveria, assim, o espaço qualitativo apreendido a partir do centro do corpo em movimento, da esquerda para direita, em cima e embaixo, perto e distante, contando com o toque e o olhar, ao que se acrescenta o espaço perceptível do mundo tridimensional em que a pessoa se movimenta, por oposição ao saber do espaço matemático da geometria, onde se opera com objetos não intuitivos por suporem uma construção de pensamento.

Ainda em referência ao tempo como condição *a priori* da percepção, Jaspers propõe que se distinga o tempo cronológico do tempo histórico, relativo à historicidade da existência do homem. Assim sendo, pode-se dizer de um "saber do tempo" que trata de sua objetividade e avaliação, seja esta correta, falsa ou delirante em sua essência, de muito interesse para a psicologia do rendimento. Pode-se falar, ainda, de "vivência do tempo" supondo experiência que não é avaliação particular, mas consciência total do tempo, de interesse para sua psicopatologia, que essencialmente descreve fenômenos, ainda que busque compreendê-los e, em caso de não ser possível a compreensão, explicá-los. Quando se diz da experiência de "tratar o tempo", expressão própria do mundo fenomenológico, diz-se da condição humana fundamental na forma de comportamento temporal, de amadurecimento, decisão, consciência biográfica da vida, consequentemente, de algo que interessa de perto à psicologia compreensiva. Para finalizar, Jaspers considera a questão biológica sobre o processo temporal da vida e, assim sendo, postula que toda forma de vida possui o tempo correspondente de sua espécie, o que denota objetividade qualitativa no tempo vital.

Do ponto de vista dos modos de diferenciação do ser, o tempo se apresenta como dimensão do sucessivo, ao passo que o espaço se dá no nível da contiguidade. Do ponto de vista da experiência interior destituída de objeto, Jaspers chega a aceitar que se possa dispensar a espacialidade, mas o tempo estará sempre presente, a despeito das afirmações dos místicos quanto à possibilidade de uma experiência atemporal de eternidade.

Semiologia descritiva das alterações temporais

Do ponto de vista da semiologia descritiva, podemos delinear as seguintes alterações das vivências temporais:

i. **Alterações da consciência do curso atual do tempo**: nos limites da normalidade, assim como a ocupação interessante e variável permite a consciência da velocidade do passar do tempo, a desocupação ou a espera de acontecimentos geram a vivência de lentidão do tempo e conduzem ao enfado. Descreve-se, no entanto, em casos de pacientes melancólicos graves e psicóticos com grande comprometimento afetivo, situações em que tais pessoas permanecem longo tempo sem atividade, sem relatar sentimento de lentidão temporal ou enfado, como se houvesse uma anestesia da vivência temporal. Pode haver assim a consciência do tempo reduzida, referida a um sentimento de cessação de vivência do tempo, constatado nos casos em que se perde a capacidade de realizar atividades e, com isso, a consciência da duração temporal. Nessas situações, é frequente a perda da realidade do tempo e a vivência de sua imobilização.

ii. **Alterações da consciência da extensão temporal do passado**: pode-se ter a consciência de um dia longo, após ele ter sido repleto de trabalho, embora para a consciência retrospectiva ele pareça breve. Se as vivências passadas são muito vivas, o tempo percorrido após suas ocorrências parecerá curto, e se o número de vivências é grande, mais longo ele parece. A sensação que se tem de que a velocidade de passagem do tempo se acelera com o passar dos anos se deve, por outro lado, à diminuição do volume de processamento de estímulos produzida pela rotina das atividades. A presença de estímulos novos é vivida como uma dilatação do tempo, ao passo que a repetição do mesmo circuito de estímulos é apagada da recordação, gerando o sentimento de contração da vivência temporal. Mas há recordações sobre o curso do tempo que não são compreensíveis por meio dessa lógica, como nos casos de vivências delirantes de imobilização do tempo, de vivências sublimes de poucos minutos evocadas como se tivessem durado eternamente, além de experiências psicodélicas que proporcionam o sentimento de distensão do tempo, ou mesmo a aura que precede as crises epilépticas, nas quais se relata que o segundo pode ser vivido como sem tempo ou eterno.

iii. Alteração da consciência do presente em relação com o passado e o futuro: como nos casos de vivência do *déjà-vu* e do *jamais vu*, cuja ocorrência é, na maior parte das vezes, normal, embora possa se produzir em situações de aura epiléptica.

Semiologia descritiva das alterações espaciais

Do ponto de vista, ainda, da semiologia descritiva, pode-se delinear as seguintes alterações das vivências espaciais:

i. Alterações da vivência perceptiva do espaço, expressa em micropsias, em que todos os objetos são vistos de tamanho menor; macropsias, situação em que eles são grandes; e dismegalopsias, em que os objetos sofrem toda sorte de transformações, por exemplo, entortam-se, crescem de um lado e se encurtam do outro.

ii. Alterações da vivência afetiva do espaço, em que o mundo circundante pode se apresentar como ameaçador ou benfazejo. Pode-se também mencionar o assim chamado sentimento oceânico, relatado como vivência de infinidade do espaço. Seria igualmente possível mencionar as alterações de vivência do espaço nos assim chamados estados crepusculares, em que o sujeito fica absorto num determinado conteúdo psíquico que o impede de se abrir para a percepção de seu entorno.

Como se nota nessas divisões, se permanecermos no campo de uma semiologia descritiva, podemos criar modos de classificação cuja extensão se amplia ou se retrai conforme nossa consideração inclua ou deixe de lado determinados aspectos. Poderíamos, por exemplo, opor a vivência eufórica do espaço à vivência sombria do espaço depressivo, como podemos falar de um aumento do espaço egoico no narcisismo, da vivência de similitude dos objetos no espaço nos quadros de transitivismo, no desencantamento do espaço no cálculo objetivo, e assim por diante. Nada impede que se acrescentem novas classes no interior dessa tipologia.

Para não se perder nesse leque inconsistente da semiologia descritiva, a semiologia da espacialidade e da temporalidade necessita se organizar em torno da universalidade dessas condições *a priori*. Quando avaliamos a orientação temporal de um paciente, somos kantianos, mesmo sem sabê-lo, mesmo desconhecendo a teoria da primeira crítica. Normalmente perguntamos ao paciente o horário e a data da entrevista, sua idade e a data de seu nascimento, porque supomos que a faculdade de se localizar temporalmente se encontra universalmente presente no modo normal do funcionamento psíquico, interpretando sua ausência ou diminuição como fenômenos deficitários. O comprometimento da orientação temporal poderá, por exemplo, ser referido a uma alteração da faculdade da atenção, em razão de uma diminuição do nível de consciência num estado de torpor, ou de um excesso de distraibilidade, numa alteração de humor maniforme, ou senão a uma alteração da capacidade de fixação da memória num quadro demencial. Somos igualmente kantianos ao fazer a avaliação da orientação espacial: interrogamos o paciente sobre o local em que ele se encontra numa dada distribuição geográfica, supondo, igualmente, sua dificuldade de localização como decorrente de alguma alteração do funcionamento mental esperado. Caberá ao clínico detectar se essa incapacidade de se localizar espacialmente resulta de algum comprometimento específico da faculdade de percepção da realidade, podendo ir de uma alteração acentuada do nível de consciência, como nos casos de torpor causados por intoxicação, a estados deficitários avançados de demência ou de grave retardo mental.

Do ponto de vista, portanto, dessa semiologia da capacidade de orientação temporal e espacial do paciente, duas ou três páginas de questionário são suficientes para estabelecer os critérios de avaliação psíquica. Basta estipular uma lista de perguntas para determinar a localização têmporo-espacial do paciente e inserir sua resposta em graus de escalas que permitam quantificar as alterações. O que justifica para nós, portanto, a redação de um capítulo de semiologia da temporalidade e da espacialidade é algo que vai mais além dessa visão objetivante. Interessa-nos uma semiologia que nos habilite a pensar os tipos de organização discursiva das dimensões do tempo e do espaço, levando em conta as consequências subjetivas desses modos de percepção.

O tempo como categoria discursiva

Ao assistirmos às cenas iniciais do grande clássico de Stanley Kubrick *2001: uma odisseia no espaço*, observamos, primeiramente, a manifestação do tempo circular no modo de existência repetitivo do símio antropoide. A cena do comportamento gregário do grupo se passa do amanhecer ao anoitecer para recomeçar idêntica, no dia seguinte, repetindo-se no movimento circular de uma valsa sem fim. Sendo um dia idêntico ao outro, não existe um passado por oposição ao futuro, segunda-feira por oposição ao domingo, ou dia útil por oposição ao feriado. Toda experiência parece se dar num presente eterno, monótono e constante. Mas eis que, num momento de contenda, um dos símios se apropria do fêmur de uma caça, dele se servindo como instrumento de luta. O tempo circular do símio antropoide, reproduzido na valsa giratória dos corpos celestes que se movimentam ao som de *O Danúbio azul*, cede subitamente lugar ao tempo linear do progresso humano, agora representado pelo tema sequencial do poema sinfônico de *Assim falou Zaratustra*. No lugar em que o animal permanecia imerso no tempo circular do ambiente, o símio antropoide se constituiu como humano ao emergir no tempo linear da progressão, ou seja, ao substituir a imersão no mundo pelo distanciamento necessário a uma apropriação instrumental dos seus elementos. A passagem da experiência do tempo circular ao tempo linear se mostra assim condicionada espacialmente: é preciso tomar distância dos elementos do mundo, sair de sua imersão, para se chegar à percepção instrumental relativa ao progresso humano. Nesse sentido, quando falamos, conforme a psicanálise, de uma atemporalidade do inconsciente, estamos na verdade nos referindo à temporalidade circular do circuito pulsional, que não se modifica com o tempo, relativo ao modo de satisfação libidinal que não se deixa apreender na apropriação instrumental do mundo que condiciona a passagem do tempo circular ao tempo linear.

Necessitamos, portanto, entender os modos de expressão do tempo libidinal relativo à expectativa do ser falante, cuja experiência temporal se dilata nos períodos de tédio e de angústia e se retrai nos momentos de satisfação e felicidade. Sabemos, por exemplo, que o grande apreço da filosofia, em sua fundação platônica, pelas verdades das proposições matemáticas se devia a seu caráter atemporal. É como se houvesse, no dizer de J.-A. Miller, um *horror temporis* da filosofia, uma recusa filosófica da variação que a passagem do tempo linear imprime ao conhecimento das coisas perecíveis, reduzindo o valor afetivo atribuído à dimensão mítica da eternidade. Por se querer atemporal, o conhecimento matemático supõe, por sua vez, um espaço ideal abstrato, não afetado pelo curso temporal dos acontecimentos. É nesse sentido que a ciência geométrica somente é válida, para Platão, porque lida com demonstrações de propriedades espaciais imutáveis que não podem ser corroídas pelo tempo, como se dá no caso do conhecimento prático circunstancial.

É certo que o pensamento quase sempre necessitou das representações espaciais para conceber o tempo, metaforicamente figurado na forma de uma linha unidimensional, como uma corrente na qual se ligam os elos sucessivos dos momentos. Somente com Newton chegamos a uma concepção do tempo independente, não afetada pelo dado empírico da intuição espacial, cuja tradução filosófica foi a formulação por Kant do tempo como condição transcendental *a priori*, independente da experiência. Mas esse caráter do absoluto temporal proposto por Newton, que dá ao tempo seu estatuto de dimensão *a priori* na filosofia kantiana, será contestado pela teoria da relatividade restrita formulada pelo físico alemão Albert Einstein (1879-1955) em 1905. Para demonstrá-la intuitivamente, Einstein nos propõe imaginar a experiência de um observador situado num trem que se dirige de uma estação para outra em velocidade próxima à da luz, ao qual se opõe outro observador que assiste o que ocorre entre as duas estações de fora do trem. Em dado momento, se dois raios incidem simultaneamente, para um observador externo, sobre dois postes localizados em ambas as estações, o observador que se encontra dentro do trem verá o raio incidir primeiramente sobre o poste que se encontra na estação adiante. A noção de simultaneidade, que supõe a presença do tempo como dimensão absoluta, na física de Newton, vê-se assim questionada. Um evento será simultâneo ou não segundo as condições empíricas em que ele é percebido, jogando por terra a noção kantiana do tempo como dimensão *a priori* da percepção.

Dois anos após a publicação, por Einstein, de sua teoria da relatividade restrita, Hermann Minkowski, que foi professor de matemática de Einstein, demonstraria que essa teoria se deixa interpretar, geometricamente, como um espaço de quatro dimensões: três dimensões espaciais (altura, profundidade e largura) e uma dimensão temporal. Essa configuração matemática, conhecida como "espaço-tempo de Minkowski", constituiria a quadridimensionalidade do espaço, distinta da tridimensionalidade espacial euclidiana: nessa interpretação o tempo é uma quarta dimensão do espaço e não transcorre independentemente dele. Nessa estranha quadridimensão, empiricamente verificada mediante experimentos com aceleradores de partículas instáveis, quando algo se desloca em velocidades próximas à da luz, quanto mais rápido é esse movimento, mais lentamente se dá o fluxo temporal. No caso de dois indivíduos gêmeos, se fosse possível a um deles viajar numa direção em velocidade próxima à da luz, quando este retornasse, se veria mais jovem do que aquele que ali permaneceu.

Mas o que nos interessa disso tudo reter é o caráter perturbador das teorias de Einstein e Minkowski; nossa hipótese é que elas perturbam porque nos mostram que a própria experiência do tempo sofre variações temporais, contrariando a tendência de nosso pensamento em subtrair o tempo da temporalidade. Querer conceber o ser do tempo como dimensão absoluta, como fazem Newton e Kant, é querer que o próprio tempo fique fora do tempo, mantendo seu fluxo como algo constante ou atemporal. Ao *horror temporis* da filosofia se somaria, assim, o *horror temporis* do pensamento conceitual, relativo à dificuldade de se conceitualizar o ser do tempo, ou seja, de circunscrevê-lo no interior de uma outra dimensão.

Poderíamos ainda falar do *horror temporis* do pensamento lógico, que só admite trabalhar com inferências imutáveis. Sua ilustração clássica é o célebre paradoxo dos futuros contingentes, proposto por Aristóteles no capítulo 9 de *Da interpretação*: é possível que uma batalha naval ocorra amanhã, mas se de fato ela ocorre, uma vez ocorrida, será desde sempre verdadeiro que ela ocorreu. Impossível que o que ocorreu não tenha ocorrido. Mas como pode, então, ao que era possível ser necessário? Para solucionar o paradoxo, Jacques-Alain Miller propõe pensar a conversão do possível em necessário pelo efeito de retroação. Existe, para além da oposição entre tempo circular e tempo linear, outra distinção temporal determinada pela retroação do significante sobre a diacronia linear da cadeia. Por oposição ao tempo que progride, marcado por uma abertura dos possíveis, coloca-se o tempo retroativo que engendra a significação de necessidade.

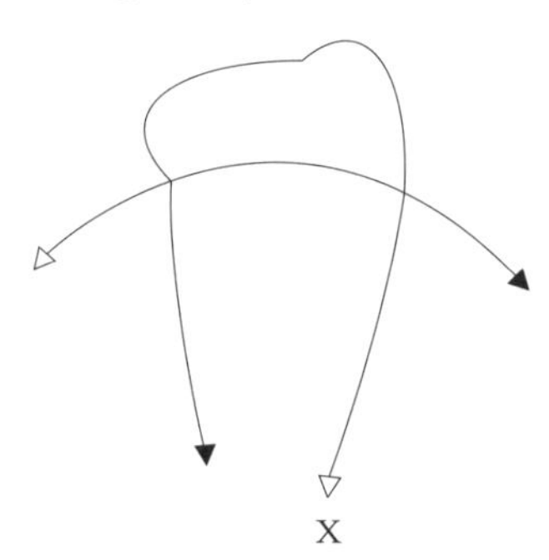

O leitor irá encontrar, na célebre Carta 52 que Freud endereçou a Fließ, as bases de uma nova temporalidade orientada pela retroação: "um evento sexual ocorrido numa fase determinada atua sobre a fase seguinte como se fosse um evento atual e, por conseguinte, não é passível de inibição" (Freud, [1896] 1969, p. 320). A defesa patológica intervém, retroativamente, quando um evento, segundo no tempo, recorda a inscrição originária de uma satisfação inaceitável para a consciência, sempre de cunho sexual (Freud, [1896] 1969, p. 319). A noção freudiana de trauma se encontra, assim, regida por essa lógica retroativa de temporalidade, pois um acontecimento só é traumático em referência a outro anterior, ressignificado retroativamente. O caso Emma, publicado na Parte II de seu *Projeto para uma psicologia científica*, em 1895, é exemplar para se pensar esse efeito de retroação.

Emma se dirige a Freud tomada por uma inibição que a impedia de entrar em uma loja sozinha, com medo de ser alvo de risos dos vendedores. No curso do tratamento, ela evoca uma primeira recordação de um evento ocorrido quando tinha 12 anos: ela entrou numa loja para comprar algo, viu dois vendedores (recorda-se de um deles) rindo juntos, saiu correndo tomada por uma espécie de susto. Concluiu que riam de suas roupas e lembrou-se de que sentiu atração sexual por um deles. Freud reflete sobre a questão e afirma que as lembranças evocadas não explicavam o seu sintoma. Mas eis que surge uma segunda lembrança, que Emma assegurava não haver recordado quando lhe contou a primeira cena: aos 8 anos, ela teria entrado numa confeitaria para comprar doces, e o proprietário, sorrindo, tocou-lhe os genitais sob sua roupa. Apesar desse acontecimento, voltou à confeitaria pela segunda vez, e recriminava-se por isso, pois era como se estivesse querendo provocar novo toque.

Entende-se a cena 1, combinando-a com a cena 2, através do vínculo associativo entre elas, que nesse caso Emma localiza no "riso": o riso dos vendedores evocou, inconscientemente, o riso do proprietário da confeitaria, e nas duas cenas ela estava sozinha. A lembrança evocou o que na ocasião ela não estava apta para sentir, ou seja, uma liberação sexual que se transformou em angústia, e a fez temer que os vendedores pudessem repetir o ocorrido. Como diz Freud, a cena 2 ocorreu em estado de espírito muito diferente da cena 1, porque contava com as mudanças trazidas pela puberdade. O sexual entrou na consciência, por meio da atração sexual sentida por um dos vendedores, e expresso na preocupação com suas "roupas". Isso significa que da vivência da cena 1 reteve-se no inconsciente sua representação, manifestando-se pela via de uma lembrança encobridora: "roupas", lembrança das mais inocentes, aparentemente.

Percebe-se assim que a necessidade do trauma, vivida pelo sujeito como uma fatalidade enigmática, produz-se como efeito contingente de uma significação retroativa entre dois acontecimentos aparentemente independentes. Dela resulta a ilusão de um saber atemporal expresso pelo paciente: eu sempre soube disso, a verdade esteve sempre ali, sob meu nariz, e só agora me dei conta. O vetor retroativo faz crer que o que pertence ao futuro já estava escrito no passado, corroborando a ideia, formulada por Freud, de uma atemporalidade do inconsciente.

Em sentido contrário a essa atemporalidade do inconsciente, sabemos que o desejo sexual com o qual o sujeito deve se haver varia temporalmente de intensidade. É diante, aliás, desse caráter temporal e efêmero do desejo sexual, cujo objeto diminui de valor com a experiência de satisfação, que o amor visa instaurar, no dizer de J.-A. Miller, a dimensão atemporal constitutiva do desejo inconsciente como desejo não satisfeito. No lugar do objeto de desejo sexual, cujo valor depende da intensidade libidinal que se declina, o amor tenta superar o tempo, reportando-se ao objeto eterno, como nos versos de Shakespeare: "Por amor de ti, em guerra o tempo enfrento/ O quanto ele em ti suprime é quanto te acrescento". A psicanálise constata que se no lado masculino o desejo se esvai com a satisfação, o lado feminino se caracteriza pela demanda do amor eterno. Dali resulta a estratégia histérica de não permitir o gozo para dar alguma permanência ao desejo, projetando, no seu horizonte, a eternização do amor como desejo insatisfeito. No caso do neurótico obsessivo, conhece-se bem, mesmo na psiquiatria, sua vocação para procrastinar, postergar ao máximo a realização de desejo, gozando nessa posição. Foi, aliás, por considerar esse efeito de procrastinação que Freud, ao tratar do Homem dos Lobos, viu-se levado a manobrar o tempo de análise, marcando seu final com o intuito de produzir uma aceleração do tempo da experiência analítica.

A esse *horror temporis* subjacente à posição neurótica parece se aliar o *horror temporis* da reflexão estética. Ele se ilustra no caso mencionado por Freud do triste poeta que deprecia a beleza da paisagem florescente do verão, por sabê-la fadada ao desaparecimento no inverno. Sua tristeza se deixa assim pensar como uma recusa, por parte do sujeito depressivo, de usufruir do transitório, por antecipar que apenas a extinção tem permanência: toda construção é transitória, somente a ruína é constante. Em sua necessidade sintomática de se ater ao real como constância inevitável do pior, sob as superestruturas ficcionais da realidade que sempre variam, a atitude depressiva revela a recusa estética da temporalidade, desprezando todo esforço de construção em razão de sua provisoriedade.

Caberia finalmente falar do *horror temporis* do pensamento ontológico, relativo aos impasses que a progressão do tempo coloca para a apreensão do ser. Conforme destaca J.-A. Miller, em sua erótica do tempo, o essencial do problema isolado por Aristóteles no Livro IV de sua *Física* diz respeito justamente à questão do sítio temporal do ser: se o ser não está no futuro, que ainda não é, nem no passado, onde o ser já se foi, ele deve se encontrar no presente. Mas como pensar o ser no presente se o presente não tem duração? Tal como o ser do sujeito concebido por Lacan, que se coloca como presença evanescente no intervalo entre dois significantes, o ser do agora desaparece no mesmo momento em que acreditávamos vê-lo emergir. O tempo sem espessura, em sua realidade evanescente de agora, manifesta-se como operador de negatividade ontológica do qual fala Hegel, aqui versificado pelo poeta Haroldo de Campos (1997, p. 12):

> Dialética do agora
> Este agora, agora
> Mas ele já deixou de o ser
> Quando nos foi posto à mostra.
> E Ora se nos mostra o agora
> vemos que o agora está sempre nisto:
> Enquanto ele é
> De já não mais ser.
> O agora que ora se nos mostra
> É um ter sido
> E nisso está sua verdade:
> Ele não tem a verdade do que está sendo.
> Mas é verdade isso
> Dele ter sido.
> Mas o ter sido não fica sendo de fato uma essência.
> Ele não é e nosso afazer era o ser.

A despeito, contudo, dessa negatividade formal do agora, registrada na impossibilidade lógica de sua apreensão, não há como negar que do ponto de vista prático agimos como se o agora tivesse alguma duração.

Atribuímos ao agora uma certa espessura, quando dizemos, por exemplo, que estamos agora reunidos nesta discussão. Para entender a natureza dessa espessura prática do agora, Jacques-Alain Miller indica a leitura de Santo Agostinho, mostrando-nos, no 11° livro de suas *Confissões*, de que modo o presente extrai do passado e do futuro sua duração. No dizer de Santo Agostinho, haveria um presente no futuro e um presente no passado, relativos, respectivamente, aos sentimentos de expectativa ou de lembrança que animam nossa experiência. Quando estamos envoltos numa expectativa, o agora extrai sua duração do futuro; quando numa lembrança, sua espessura se compõe da lembrança do passado. Para dizê-lo em termos psicanalíticos, o presente extrai sua espessura da libido: é preciso que o agora do sujeito simbólico (**$\$$**), pontual e evanescente, ligue-se ao objeto libidinal que encarna a inércia do gozo, na forma da expectativa ou da lembrança de uma satisfação pulsional. É nesse sentido que se pode entender a associação da vivência subjetiva de aceleração do tempo à expectativa de gozo, nas situações de contentamento ou de transe maníaco, como se a espessura do presente estive voltada para o futuro, assim como entendemos a vivência de lentificação do tempo nas situações de tristeza e melancolia, como se a duração do presente estivesse voltada para o passado, presa à nostalgia de uma satisfação perdida. O presente se nutre da lembrança e da nostalgia com relação ao passado, e da expectativa e do projeto com relação ao futuro.

O espaço como categoria discursiva

Ao tratar o espaço como uma intuição *a priori*, Kant projeta no sujeito transcendental, conforme se viu, a capacidade de organizar a experiência perceptiva, sem se constituir ele próprio como parte da experiência. Dessa condição resulta o caráter universal de sua estética transcendental, cuja objetividade e independência, aos olhos de Kant, seria atestada no fato de que a geometria euclidiana não tenha sofrido nenhuma transformação, pelo menos desde sua constituição, no século III a.C., até o momento que ele escrevia esse comentário. Diante dessa estabilidade aparente da geometria euclidiana, Kant propõe naturalizar o sujeito transcendental, afirmando que seria próprio ao funcionamento de nossa mente pensar o espaço euclidianamente. É contra essa naturalização do sujeito que Lacan se insurge, ao dizer que a estética transcendental, assim formulada, não é mais sustentável. Ao fazê-lo, Lacan nos faz ver que é o discurso, e não o sujeito, que na verdade funciona como operador transcendental.

Para explicá-lo, tomemos a geometria em seu nascimento mundano, tal como ela foi gerada no Egito, em face da necessidade de se refazerem os limites das áreas de cultivo após cada enchente nos entornos do rio Nilo. Podemos supor que os egípcios já sabiam, mediante o raciocínio indutivo,[1] que a soma dos ângulos internos de um triângulo equivale a 180°, ou que a área de um paralelogramo é igual à do retângulo que tem a mesma base e a mesma altura. O que diferenciava os egípcios dos gregos é somente que estes apreciavam a geometria em razão do seu valor teórico, independentemente de todo interesse prático. Foi em virtude dessa separação entre teoria e interesse prático que a geometria euclidiana permaneceria, até o século XIX, como modelo daquilo que o pensamento científico deveria ser.

Do ponto de vista, portanto, de sua constituição formal, o saber geométrico comporta leis que não podem ser demonstradas, no sentido em que se colocam no próprio princípio de toda demonstração: elas ali funcionam como premissas básicas, na forma de axiomas e postulados. Já as leis que podem ser demonstradas a partir da aplicação de regras formais regidas por postulados seriam os teoremas, como é o caso, por exemplo, do célebre teorema de Pitágoras.

São cinco os postulados de Euclides:

1. Uma linha reta pode ser traçada de um ponto para o outro.
2. Qualquer segmento de reta pode ser prolongado indefinidamente para constituir uma reta.
3. Dados um ponto qualquer e uma distância qualquer, pode-se traçar um círculo de centro naquele ponto e raio igual à distância.
4. Todos os ângulos retos são iguais entre si.
5. Postulados das paralelas. Se uma reta cortar duas outras, de modo que a soma dos dois ângulos interiores de um mesmo lado seja menor que dois retos, então as duas outras retas se cruzam, se prolongadas, do lado da primeira reta em que se acham os dois ângulos.

Diferentemente dos postulados, que tratam de questões geométricas, os axiomas se apresentam como comparações de grandeza que não são específicas à geometria. São eles:

---

[1] A discussão que ora se segue foi extraída do livro de Barker (1976).

1. Duas coisas iguais a uma terceira são iguais entre si.
2. Se parcelas iguais forem adicionadas a quantias iguais, os resultados continuam sendo iguais.
3. Se iguais quantias forem subtraídas das mesmas quantias, os restos serão iguais.
4. Coisas que coincidem são iguais.
5. O todo é maior do que as partes.

No intuito de sistematizar os termos empregados na geometria, para evitar ambiguidades e falácias, Euclides ainda propõe as definições no livro primeiro dos *Elementos*:

1. Um ponto é aquilo que não tem partes.
2. Uma linha é um comprimento sem largura... etc.

Por supor que os postulados e teoremas euclidianos admitem uma necessidade e uma universalidade que não está presente em nenhuma generalização empírica, Kant propõe tratá-los como juízos sintéticos *a priori*, ou seja, como enunciados universais que acrescentam um saber acerca do seu objeto sem a necessidade do recurso à experiência. Seu funcionamento atestaria, como vimos, uma misteriosa capacidade natural da mente humana, como se representasse o modo real da faculdade de sensação operar. Mas se relermos com atenção os postulados de Euclides, notamos que as coisas não são tão naturais assim. Observamos, logo de saída, que o 5° postulado parece anômalo: ao passo que os demais são simples e sucintos, o quinto é tagarela, fala demais, ele é, como se diz, demasiado discursivo. Ele se apresenta fora do contexto, assemelha-se mais a um teorema do que a um postulado, além de se mostrar complicado ou menos claramente verdadeiro em seu modo de enunciação: ele não possui o caráter autoevidente que caracteriza os demais postulados. Por isso tanto se tentou substituir o 5° postulado de Euclides, na forma, por exemplo, do postulado das paralelas (ou axioma de Playfair): por um ponto situado fora de uma reta só se pode traçar uma paralela à reta dada (axioma de Playfair). Ou, ainda, o princípio de que a soma dos ângulos internos de um triângulo é igual a dois retos. Mas nenhum desses princípios se revelou mais simples do que o 5° postulado de Euclides.

Essa disparidade levou os geômetras a pensar, a partir do século XIX, que o 5° postulado seria independente dos outros quatro, ou seja, que haveria sistemas geométricos consistentes nos quais o 5° postulado poderia ser substituído. Se tomarmos o espaço não mais como um plano euclidiano, mas na forma, por exemplo, de uma curvatura ou geodésica, estaremos criando geometrias não euclidianas nas quais é possível, entre outras coisas, traçar mais de uma reta por dois pontos dados:

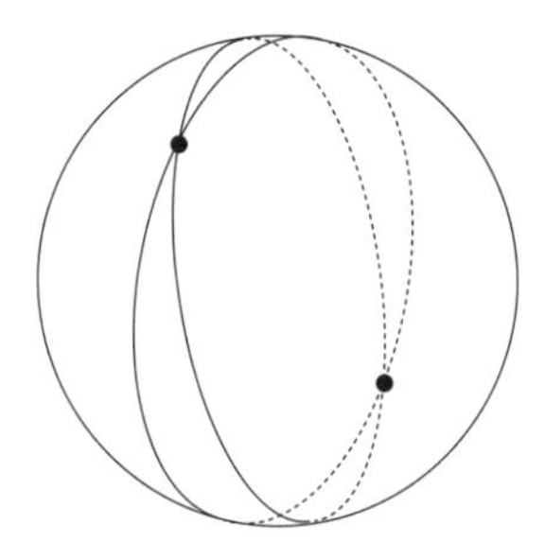

Nessa curvatura, a soma dos ângulos internos de um triângulo é sempre maior do que dois retos, e a razão entre a circunferência e o diâmetro terá sempre valor maior do que Pi. A geometria euclidiana nada mais seria, sob esse ponto de vista, do que um caso particular de geometria aplicada a espaços planos, ou de curvatura nula. Ao passo que no espaço euclidiano as geodésicas se apresentam como linhas retas, nas superfícies curvas as linhas retas seriam arcos de círculos máximos.

Diante das resistências que essa mudança de paradigma suscitou, tornou-se imperioso, para as geometrias não euclidianas, evitar falhas de raciocínio a fim de assegurar a estrita credibilidade de suas demonstrações. Não é mais permitido se contentar com a evidência intuitiva dos diagramas: o objetivo é expor demonstrações cuja validade dependa exclusivamente de sua forma lógica. O raciocínio não se guia mais por uma suposta luz natural do intelecto: no lugar da evidência intuitiva, a verdade é um efeito de dedução relativo ao modo de organização simbólica no interior de um sistema discursivo.

A se considerar que as geometrias não euclidianas são tão logicamente consistentes quanto a geometria euclidiana, não há como manter a ideia kantiana de um modo transcendental de organização do raciocínio. Mas o que se passa quando saímos do plano puramente formal e tentamos transformar as proposições da geometria em hipóteses empíricas acerca do mundo? O universo real seria finalmente euclidiano, como queria Kant, ou teria ele a forma de uma curvatura?

Se partirmos, por exemplo, do termo "linha reta", que na geometria euclidiana corresponde à noção de menor distância entre dois pontos, deveríamos nos servir de uma fita métrica para medi-lo, supondo que o instrumento de medida não se dilate nem se contraia, ao ser deslocado (se o fio for de metal, e a variação da temperatura for considerável, a expansão térmica induzirá a erros, etc.). Mas poderíamos nos servir também de outra noção relativa ao caráter retilíneo da linha, derivada da prática de carpintaria. A trajetória retilínea da luz num campo de refração uniforme é a referência do carpinteiro. Diríamos, então, que na visão do carpinteiro, assim como na visão newtoniana do mundo, a geometria euclidiana seria verdadeira, e as demais, falsas. Num ponto situado fora de um raio luminoso, somente um raio luminoso pode passar paralelo a este. Mas para aquele que se atém à teoria da relatividade de Einstein, hoje corroborada pela evidência experimental, dois raios luminosos sempre se cruzam, desde que devidamente prolongados. Os campos gravitacionais podem afetar tanto as trajetórias de raios luminosos quanto o cumprimento de fitas métricas, de sorte que o mundo admite a estrutura geodésica na qual o universo apresentaria uma curvatura constante, o que resulta na derradeira e completa refutação da estética transcendental kantiana.

Não existe, portanto, sujeito transcendental naturalmente dado. O transcendental é o tipo de organização simbólica que se dá em conformidade com a prática discursiva que determina nossa apreensão do mundo. É por isso que Lacan assevera que não há universal fora do discurso.

Referências

CAMPOS, H. Hegel poeta. *Folha de São Paulo*, 26 jan. 1997. Disponível em: <http://www1.folha.uol.com.br/fsp/1997/1/26/mais!/23.html>. Acesso em: 05 abr. 2017.

BARKER, S. *Filosofia da matemática.* Rio de Janeiro: Jorge Zahar, 1976.

FREUD, S. A deformação dos sonhos [1900a]. In: *A interpretação dos sonhos (I) (1900).* Rio de Janeiro: Imago, 1969. p. 143-172. (Edição Standard Brasileira das Obras Psicológicas Completas de Sigmund Freud, IV).

FREUD, S. A história do movimento psicanalítico [1914]. In: *A história do movimento psicanalítico, artigos sobre a metapsicologia e outros trabalhos (1914-1916).* Rio de Janeiro: Imago, 1969. p. 13-122. (Edição Standard Brasileira das Obras Psicológicas Completas de Sigmund Freud, XIV).

FREUD, S. A psicologia dos processos oníricos: O inconsciente e a consciência – realidade [1900b]. In: *A interpretação dos sonhos (II) e Sobre os sonhos (1900-1901).* Rio de Janeiro: Imago, 1969. p. 648-660. (Edição Standard Brasileira das Obras Psicológicas Completas de Sigmund Freud, V).

FREUD, S. Além do princípio de prazer [1920]. In: *Além do princípio de prazer, Psicologia de grupo e outros trabalhos (1920-1922)*. Rio de Janeiro: Imago, 1969. p. 13-88. (Edição Standard Brasileira das Obras Psicológicas Completas de Sigmund Freud, XVIII).

FREUD, S. Análise de uma fobia em um menino de cinco anos [1909a]. In: *Duas histórias clínicas (o Pequeno Hans e o Homem dos Ratos) (1909)*. Rio de Janeiro: Imago, 1969. p. 13-156. (Edição Standard Brasileira das Obras Psicológicas Completas de Sigmund Freud, X).

FREUD, S. Carta 52 [1896]. In: *Publicações pré-psicanalíticas e esboços inéditos (1886-1889)*. Rio de Janeiro: Imago, 1969. p. 317-324. (Edição Standard Brasileira das Obras Psicológicas Completas de Sigmund Freud, I).

FREUD, S. Conferência I, Introdução [1916 [1915]a]. In: *Conferências introdutórias sobre psicanálise (Partes I e II) (1915-1916)*. Rio de Janeiro: Imago, 1969. p. 27-38. (Edição Standard Brasileira das Obras Psicológicas Completas de Sigmund Freud, XV).

FREUD, S. Estudos sobre a histeria [1893-1895]. In: *Estudos sobre a histeria (1893-1899)*. Rio de Janeiro: Imago, 1969. p. 13-296. (Edição Standard Brasileira das Obras Psicológicas Completas de Sigmund Freud, II).

FREUD, S. Inibições, sintomas e ansiedade. [1926 [1925]]. In: *Um estudo autobiográfico, Inibições, sintomas e ansiedade/Análise Lea e outros Trabalhos (1925-1926)*. Rio de Janeiro: Imago, 1969. p. 95-204. (Edição Standard Brasileira das Obras Psicológicas Completas de Sigmund Freud, XX).

FREUD, S. Nota sobre um caso de neurose obsessiva [1909b]. In: *Duas histórias clínicas (o Pequeno Hans e o Homem dos Ratos) (1909)*. Rio de Janeiro: Imago, 1969. p. 157-252. (Edição Standard Brasileira das Obras Psicológicas Completas de Sigmund Freud, X).

FREUD, S. O inconsciente [1915a]. In: *A história do movimento psicanalítico, artigos sobre a metapsicologia e outros trabalhos (1914-1916)*. Rio de Janeiro: Imago, 1969. p. 185-248. (Edição Standard Brasileira das Obras Psicológicas Completas de Sigmund Freud, XIV).

FREUD, S. O método de interpretar sonhos: uma análise de um sonho modelo [1900c]. In: *A interpretação dos sonhos (I) (1900)*. Rio de Janeiro: Imago, 1969. p. 103-130. (Edição Standard Brasileira das Obras Psicológicas Completas de Sigmund Freud, IV).

FREUD, S. Parapraxias: conferência III. [1916 [1915]b]. In: *Conferências introdutórias sobre psicanálise (Partes I e II) (1915-1916)*. Rio de Janeiro: Imago, 1969. p. 57-78. (Edição Standard Brasileira das Obras Psicológicas Completas de Sigmund Freud, XV).

FREUD, S. Projeto para uma psicologia científica (1950 [1895]). In: *Publicações pré-psicanalíticas e esboços inéditos (1886-1889).* Rio de Janeiro: Imago, 1969. p. 381-506. (Edição Standard Brasileira das Obras Psicológicas Completas de Sigmund Freud, I).

FREUD, S. Reflexões para os tempos de guerra e morte [1915b]. In: *A história do movimento psicanalítico, artigos sobre a metapsicologia e outros trabalhos (1914-1916).* Rio de Janeiro: Imago, 1969. p. 311-344. (Edição Standard Brasileira das Obras Psicológicas Completas de Sigmund Freud, XIV).

FREUD, S. Sobre a transitoriedade [1916 [1915]c]. In: *A história do movimento psicanalítico, artigos sobre a metapsicologia e outros trabalhos (1914-1916).* Rio de Janeiro: Imago, 1969. p. 345-350. (Edição Standard Brasileira das Obras Psicológicas Completas de Sigmund Freud, XIV).

FREUD, S. Suplemento metapsicológico à teoria dos sonhos [1917] 1969]. In: *A história do movimento psicanalítico, artigos sobre a metapsicologia e outros trabalhos (1914-1916).* Rio de Janeiro: Imago, 1969. p. 249-270. (Edição Standard Brasileira das Obras Psicológicas Completas de Sigmund Freud, XIV).

FREUD, S. Três ensaios sobre a teoria da sexualidade [1905]. In: *Um caso de histeria, Três ensaios sobre a sexualidade e outros trabalhos (1901-1905).* Rio de Janeiro: Imago, 1969. p. 123-238. (Edição Standard Brasileira das Obras Psicológicas Completas de Sigmund Freud, VII).

JASPERS, K. A abordagem fenomenológica em psicopatologia. Tradução de Adriano C. T. Rodrigues. *Revista Latino-Americana de Psicopatologia Fundamental*, v. 8, n. 4, p. 769-787, dez. 2005. [Texto originalmente publicado em *Zeitschrift für die Gesamte Neurologieund Psychiatrie*, 1912.]

JASPERS, K. *Psicopatologia geral: psicologia compreensiva, explicativa e fenomenologia.* São Paulo: Atheneu, 1959.

KANT, I. *Crítica da razão pura* [1781]. Lisboa: Fundação Calouste, 2001.

LACAN, J. Intervenção sobre a transferência. Tradução de Vera Ribeiro. In: *Escritos.* Rio de Janeiro: Jorge Zahar, 1998a. p. 214-228.

LACAN, J. O seminário sobre "A carta roubada". Tradução de Vera Ribeiro. In: *Escritos.* Rio de Janeiro: Jorge Zahar, 1998b. p. 13-68.

LACAN, J. *O seminário, livro 11: Os quatro conceitos fundamentais da psicanálise* [1964]. Rio de Janeiro: Jorge Zahar, 1985a.

LACAN, J. *O seminário, livro 2: O eu na teoria de Freud e na técnica da psicanálise* [1954-1955]. Rio de Janeiro: Jorge Zahar, 1985b.

LACAN, J. *O seminário, livro 20: Mais, ainda* [1972-1973]. Rio de Janeiro: Jorge Zahar, 1985c.

LACAN, J. O tempo lógico e a asserção de certeza antecipada. Tradução de Vera Ribeiro. In: *Escritos*. Rio de Janeiro: Jorge Zahar, 1998c. p. 197-213.

LAURENT, É. A psicanálise no século XXI. In: *As paixões do ser*. Salvador: EBP-BA; Instituto de Psicanálise da Bahia, 2000. p. 11-28.

MANDIL, R. Tempo e ato analítico. *Ornicar? Digital*, n. 157, fev. 2001. Disponível em: <https://goo.gl/0VrTQ2>. Acesso em: 3 nov. 2014.

MASSON, J. M. *A correspondência completa de Sigmund Freud para Wilhelm Fliess (1887-1904)*. Tradução de Vera Ribeiro. Rio de Janeiro: Imago, 1986.

MILLER. J.-A. Freud y la teoria de la cultura. In: *Elucidación de Lacan*. Buenos Aires: Paidós, 1998. p. 283-300.

MILLER, J.-A. *La erótica del tempo y otros textos*. Buenos Aires: Tres Haches, 2001.

MILLER, J.-A. *Los usos del lapso*. Buenos Aires: Paidós, 2005a.

MILLER, J.-A. Uma fantasia. *Opção Lacaniana,* São Paulo, n. 42, p. 7-18, fev. 2005b.

MILNER, J.-C. A propósito de Eyes Wide Shut de Stanley Kubrick. *Artefilosofia*, n. 2, p. 195-200, jan. 2007.

Semiologia da inteligência e da atenção: do retardo funcional à função lógica da debilidade mental

Ana Lydia Santiago, Leny Magalhães Mrech

A inteligência constitui objeto de numerosas e distintas definições na história da psicologia e da psiquiatria. A maior parte delas evoca uma capacidade geral de adaptação a situações novas por meio de processos cognitivos. O estudo das diferenças individuais no desenvolvimento da inteligência compõe um dos primeiros centros de interesse e não deixa de ser tema de pesquisas e de aplicações. Os trabalhos efetuados sobre o tema adotam perspectivas sucessivas, sem que os mais recentes façam desaparecer a utilização dos mais antigos. No caso da semiologia da inteligência, afirma-se que o velho se imiscui no novo. Na atualidade, as terapias cognitivo-comportamentais, cujo pressuposto é a racionalidade da avaliação e dos *guidelines*, impõem-se por um discurso que visa a cifras e almeja o controle de tudo e de todos. Nessa tendência, observa-se o retorno a obras, do início do século XIX, que deram origem aos primeiros testes de inteligência, objetivando a seleção de crianças para o processo de escolarização.

A psicanálise contrapõe-se a esse controle por meio de instrumentos de avaliação, do discurso psicológico e médico; o discurso analítico busca fazer prevalecer o desejo do sujeito. Com efeito, procede, antes de tudo, com o que é único, incomparável e incomensurável; por isso, o sujeito define-se pelo que pode ser contado um a um. Sob o enfoque da subjetividade singular, é próprio do discurso analítico não quantificar a inteligência e tampouco tomar a debilidade segundo o ponto de vista do presumível *quantum* insuficiente de inteligência. Em decorrência da noção de sujeito do inconsciente e da estruturação deste como uma linguagem, a psicanálise propõe-se a abordar a subjetividade do inteligente e do débil, considerando que:

i. débil é o sujeito fixado ao código; e
ii. inteligente é o sujeito aberto à mensagem, capaz de ler entrelinhas.

Para entender essas definições, é preciso ter em mente a hipótese, formulada por Jacques Lacan, do *inconsciente estruturado como linguagem.*

Para a psicanálise, linguagem é o que possibilita distinguir o código da mensagem; código, um sistema de relações estruturadas entre signos e conjuntos de signos; e mensagem, uma sequência ordenada de signos no processo de comunicação. O que discrimina tais conceitos é a perturbação possível entre a mensagem enunciada por um emissor e o que esta "quer dizer" para o receptor. A mensagem pode gerar mal-entendidos e equívocos, que, ao retornar para o emissor, produzem novo efeito de sentido. Assim, quanto mais desimpedido está para interrogar esse efeito surgido da enunciação, mais inteligente é o sujeito. E quer saber o que, nesse efeito, sinaliza-se do desconhecido de si mesmo, bem como em que medida aponta algo de seu próprio Eu. Por outro lado, quanto mais fechado à enunciação, mais débil é o sujeito na relação com a linguagem. Para tanto, a estratégia dele consiste em se fixar ao código para tentar invalidar a mensagem ou, mais precisamente, para anular o efeito de sentido que seus enunciados possam gerar no interlocutor, revelando algo do sujeito e de seu desejo. No extremo oposto do sujeito inteligente, o débil nada quer saber do efeito de sentido da enunciação, dedicando-se a fazer com que um enunciado seja apenas um enunciado.

Como comumente se crê, porém, o equívoco produzido em uma mensagem não é o sentido nem um erro de sentido. Ele tem origem no *fora de sentido*, ou seja, em um ponto vazio, impermeável à ordem simbólica. O efeito de sentido resulta, portanto, do furo que resiste a qualquer significação. Para cada ser falante, as diversas possibilidades de sentido originam-se desse vazio. Quando um ser humano é concebido, durante o tempo de gestação, em que seu corpo se desenvolve como organismo e toma forma para vir ao mundo, também adquire outra forma, esta tecida com palavras pelos respectivos genitores. Os pais falam daquele pedaço de real que ainda não sabem exatamente o que é ou o que vai ser e projetam sobre ele seus desejos, expectativas e angústias.

Essa forma tramada de simbólico corrobora a afirmação sobre a existência prévia da linguagem para o ser falante. "A linguagem com sua estrutura preexiste à entrada de cada sujeito num momento de seu desenvolvimento mental" (Lacan, 1998b, p. 498). Por isso, pode-se dizer que o ser humano apenas se torna ser falante a partir da incidência do simbólico – discurso dos pais – ou, mais especificamente, da possibilidade de inscrição de algo desse discurso no vazio original resistente ao mesmo simbólico. Se o "ser" se torna "falante", há, no que ele tem de mais íntimo, algo do outro, desconhecido do próprio sujeito. É essa a novidade revelada pela psicanálise mediante a proposta do inconsciente: em cada indivíduo, há um saber não sabido, que, no entanto, pode ser lido no que é dito: "O saber não sabido de que se trata na psicanálise é um saber que efetivamente se articula, que é estruturado como uma linguagem" (Lacan, 2011, p. 23).

Sigmund Freud explicita essa descoberta subversiva da psicanálise em relação à estrutura do saber com base no que se define como inteligência e debilidade:

> O que está em sua mente não coincide com aquilo de que você está consciente; o que acontece realmente e aquilo que você sabe são duas coisas distintas. A inteligência que alcança a sua consciência é suficiente para as suas necessidades. Você pode nutrir a ilusão de saber tudo o que é mais importante. Mas em alguns casos, como no de um conflito instintual, a função de sua inteligência falha e sua vontade não vai além do seu saber. Em todos os casos, porém, as informações de sua consciência são incompletas e, frequentemente, suspeitas; também acontece de você ter notícia dos eventos apenas depois de consumados e já não poder fazer nada para modificá-los (Freud, 1976, p. 177).

No plano consciente, o que o indivíduo é capaz de fazer para estabelecer relações com o mundo exterior, suas manobras para se adaptar, organizar condutas, manipular símbolos e alcançar coisas que se enunciam como suas metas é aferido, situado em um eixo e estipulado como grau de sua inteligência. Os resultados indicam maior capacidade de adaptação, fixam o aperfeiçoamento do organismo, a *areté* de sua espécie. Essas habilidades, contudo, não dão acesso ao não sabido, não subsidiam uma leitura que permita antecipar a ação no tempo e evitar que se tenha "notícia dos eventos apenas depois de consumados, e já não poder fazer nada para modificá-los" (Freud, 1976, p. 177). Em uma perspectiva totalmente diferente – a do indivíduo e seu saber consciente como instrumento de adaptação ao mundo exterior –, a psicanálise introduz o sujeito do inconsciente e novo estatuto do saber.

"O sujeito não é sua inteligência", afirma Freud, portanto não está no mesmo eixo do organismo que se adapta; é excêntrico a esse eixo, excêntrico com relação ao indivíduo (LACAN, 1985, p. 16). Tal diferenciação entre sujeito e indivíduo revoluciona o estudo da subjetividade e é apreensível, também, no plano objetivo, o que constitui um passo decisivo do ponto de vista científico. Lacan refere-se a ela, recorrendo à asserção do poeta Rimbaud de que o "[Eu] é um outro" – ou seja, há algo que escapa ao círculo de certezas conscientes em que o homem se reconhece como um eu.

Em relação às dificuldades que a função da linguagem impõe ao sujeito para ele se representar e se reconhecer como eu, o débil adota a posição de não pensar, mantendo-se o mais solidamente possível identificado a significantes do discurso dos pais, mesmo que seja ao preço da própria estupidez. Em certo momento de seu ensino, Lacan formula: "O pensamento é a inteligência".[1] O pensamento é a inteligência exercitando-se para se orientar nas dificuldades da linguagem. Como é possível franquear o obstáculo que se interpõe entre sentido e significação? Superar a barra e atingir o plano da enunciação do sujeito é o princípio do que Lacan designa separação – a saber, *se parare*, em latim, significa "engendrar-se como sujeito".

A experiência analítica explora não o oceano, o mar infinito de significações, mas o que se revela *fora de sentido*, de que o singular da subjetividade pode advir. A interpretação analítica visa transpor a barreira existente entre sentido e significação, a fim de produzir um efeito de sentido – efeito sujeito. Por isso, Lacan considera a análise um remédio contra a ignorância.

O sujeito débil e sua relação com o inconsciente

O termo "debilidade" sempre esteve associado a quadros de fraqueza do pensamento e de atraso intelectual. As descrições caricaturais de pessoas identificadas como débeis reforçam o elemento deficitário da relação desses sujeitos com a linguagem: 1) comumente, fazem uso limitado do conjunto do léxico; 2) geralmente, recorrem a poucas palavras; 3) às vezes, pronunciam uma série de termos de maneira deformada; e 4) seu discurso é, frequentemente, incompreensível. O mais importante, contudo, pode ser revelado pelos estudos da clínica psicanalítica: trata-se do modo como tais sujeitos se fixam por identificação a significantes de outros, de familiares mais próximos, sobretudo de sua mãe:

---

[1] LACAN, J. *Problèmes cruciaux pour la psychanalyse*. Seminário 1964-1965. Lição do dia 16 de dezembro de 1964. Inédito.

As circunstâncias e contingências que envolvem o nascimento de Charlotte reservam-lhe o lugar de objeto de distração do pai enfermo, que necessitava de cuidados especiais. Quando este vem a falecer, a menina, contando, então, 14 anos de idade, é levada pela primeira vez a uma consulta, embora já apresentasse algumas dificuldades evidentes desde o segundo ano de vida. O diálogo extraído da entrevista inicial com o psicanalista constitui um exemplo da identificação do débil ao lugar que o Outro lhe reserva no discurso: Charlotte diz "claramente que é contra tudo e que pretende ser 'papai para a mamãe'".

À pergunta:
– E se a mamãe não existisse mais?
– Nesse caso, eu seria papai para a minha irmã.
– E se a irmã não existisse mais?
– Eu seria papai para outra pessoa.
Outra forma de identificação é ao próprio pai: após seu falecimento, Charlotte torna-se "uma macaca malvada" e vive para aborrecer um terceiro. Fora assim que ela captara o que o homem enfermo significava para sua mãe (Mannoni, 1995, p. 20).

Na debilidade, a estratégia de identificação maciça a significantes do desejo e das angústias dos pais é correlata à da obstrução da dimensão da metáfora. Observa-se um bloqueio na circulação de sentidos e um fechamento a qualquer distorção no discurso que aloja o equívoco da mensagem, como indicado antes, mediante a qual pode surgir a verdade do inconsciente concernente à subjetividade.

Pela via da metáfora, esse impedimento é, também, o que torna difícil o tratamento de um débil. Primeiramente, porque, de maneira caricatural, esse sujeito repete os enunciados de outros para falar de si mesmo, e seus encontros com o terapeuta são quase invariavelmente marcados pelo silêncio como resposta a qualquer pergunta, endereçada a ele, sobre o que está dizendo ou representando:

> O sujeito traz de presente sua estupidez. O seu discurso é o relato detalhado, sem nenhuma cor afetiva, dos pequenos acontecimentos da semana: "Esta manhã fiz a feira"; "Daqui a pouco, vou almoçar fora com a mamãe"; "Tirei 10 em leitura"; "O meu irmãozinho está andando". Esse relato ouvimos sessão após sessão, com apenas algumas variações: o irmãozinho terá sorrido ou chorado, em vez de andar (Mannoni, 1995, p. 29).

Uma segunda dificuldade no tratamento do débil consiste em sua resistência à interpretação analítica, que visa à abertura a novos sentidos. A decisão explícita desse sujeito sobre anular a dimensão da metáfora faz com que qualquer interpretação seja imediatamente invalidada. Tal fenômeno pode ser observado, igualmente, na própria produção discursiva da criança débil, quando, ao refazer seus ditos, a cada vez, algo da ordem da enunciação ou do dizer se manifesta:

> O paciente não reconhece ou denega alguns significantes de sua fala, recusando, por vezes, o que acabara de dizer ou, outras vezes, o que seus desenhos sugerem de maneira evidente. Assim, um menino desenha um homem e uma mulher brigando e comenta: "Um homem e uma mulher"; em seguida, corrige: "Dois homens!". Nessa recusa radical à enunciação o paciente não deixa de destacar o significante suprimido ou evitado. Ele destaca o que quer esconder, como no processo de redução do *Witz,* que consiste em anular o efeito de sentido de um trocadilho, modificando um significante, mas conservando a significação global. Nesse sentido, o débil pode ser definido como um adepto da redução, dedicando-se a fazer com que um enunciado seja apenas um enunciado (SANTIAGO, 2005, p. 166, ver nota 2).

O bloqueio via metáfora acarreta, ainda, uma terceira dificuldade: no decorrer do tratamento, qualquer movimento de abertura à estrutura da linguagem – que tem efeito de separação da posição subjetiva do débil do lugar de alienação de ditos de seus pais – apenas acontece por meio de uma atuação, designada, na experiência clínica, *acting out*. Eis um exemplo:

> As sessões eram monótonas, o paciente passava o tempo esboçando desenhos aparentemente sem forma e nunca respondia nada às questões formuladas pelo analista sobre essas representações gráficas. Já se pensava em encerrar o tratamento, quando sobreveio um fato que mudou tal ideia: o paciente, sem mais nem menos, entrou no consultório do analista, deu-lhe uma mordida na mão e saiu correndo. Em função dessa mordida, foi atendido por mais quatro anos na instituição e, depois, no consultório. Esse *acting out* instituiu o analista no lugar de Outro, o que funda a relação transferencial, indicando a posição do sujeito na estrutura.[2]

---

[2] Passagem concernente ao tratamento de uma criança débil (caso AM), conduzido por Pierre Bruno e relatado por Ana Lydia Santiago (2005, p. 166-169).

O *acting out* é um ato, que cometido pelo débil, contrasta com as ações compulsivas e previsíveis deste, surpreendendo quem está ao seu redor. Na clínica da debilidade, o impacto do *acting out* constitui um meio de o paciente vir a quebrar a consistência do analista. Tal impacto decorre de o analista – ao ocupar o lugar de Outro, escrito com "o" maiúsculo para designar não o semelhante, mas a ordem simbólica da linguagem – ser pego de surpresa, não ter o que dizer, não saber o que fazer e de, no vácuo instituído pela ausência de uma resposta, instituir-se, para o débil, a dimensão da falta na estrutura da linguagem apresentada em face da situação: "À medida que o *acting out* escapa ao Outro, a solidez da identificação de que o sujeito débil se encontra alienado pode ser desfeita, permitindo um questionamento e uma separação com relação a essa identificação" (Santiago, 2005, p. 169).[3]

A inteligência e sua aferição: debilidade, déficit e problemas

No campo da psiquiatria, as investigações acerca da debilidade mental ultrapassam o campo de observação de determinadas funções da consciência – percepção, julgamento e sentido de realidade –, quase sempre associadas a descrições de *patologias funcionais*, e abrem-se para o *fator etiológico de déficits intelectuais orgânicos*. Os distúrbios de inteligência estão referidos, assim, desde cedo, não ao que as classificações psiquiátricas designam como "patologias funcionais", mas a comprometimentos orgânicos, que adquirem importância decisiva para suas descrições futuras.

O componente deficitário que atinge a inteligência em quadros de demência, por exemplo, torna-se um elemento compacto que compromete todo o conjunto das funções psíquicas, fazendo com que cada uma delas seja a própria expressão do déficit. Assim, verifica-se não apenas ênfase sobre qualquer produção fenomênica – entre outras, alterações no campo da consciência, da linguagem do pensamento e do juízo e, ainda, da afetividade, da memória e da percepção, que se observam na semiologia psicopatológica das psicoses –, mas também prevalência de alguma deformação ou insuficiência generalizada das atividades cognitivas que atingem o desempenho intelectual dos sujeitos em foco.

[3] É preciso considerar que o *acting out* é o sinal de uma abertura, mas esta depende da construção do analista para a produção do efeito de separação pela via da enunciação, totalmente impedida para o débil, embora não seja da ordem do impossível, como no caso da psicose.

Com base em descrições do *idiotismo*, concebido como forma de *alienação mental* por Pinel e sistematizado por seus alunos, a noção de debilidade mental ganha espaço associada à de déficit, de insuficiência do desenvolvimento mental, de origem orgânica e não funcional. Nos quadros descritos no curso dos anos subsequentes, a debilidade geralmente aparece referida à deterioração atingida na evolução da patologia e associada a degeneração moral, a retardo afetivo ou intelectual, bem como a fraqueza do pensamento.

Durante o século XIX, o problema dos idiotas toma corpo no campo da educação, de maneira que a educabilidade relativa de deficientes se torna o aspecto semiológico que melhor assinala as diversas patologias da inteligência. Deve-se assinalar que, no final desse século, as leis de obrigação escolar – apoiadas na ideia de que a escola pode normalizar a natureza infantil, agitada e heteromorfa da criança –, ao determinarem que todas as crianças devem frequentar a escola, fazem aparecer uma série de casos de difícil escolarização. Como a ineducabilidade se converte, então, em equivalente à falta de inteligência, essas crianças são identificadas, de imediato, com quadros de retardo mental. Nesse contexto, porém, o asilo, que antes se apresentara como opção de encaminhamento de tais quadros, não é mais uma opção e, sim, a própria instituição escolar, com suas classes de aperfeiçoamento conduzidas, à época, pelos pedopsiquiatras humanistas, que já vinham se dedicando a reverter a debilidade pelo emprego de métodos pedagógicos especiais. A imprescindibilidade de uma seleção impõe-se, consequentemente, para que nenhum aluno atrasado por suspeita de retardo mental seja colocado erroneamente em salas destinadas a idiotas. Em 1904, o poder público, legislando sobre o assunto, promulga lei que torna obrigatória a submissão de todas as crianças encaminhadas para salas especiais a exames médico e pedagógico. Encarregados dessa tarefa, Alfred Binet e Théodore Simon (*apud* Santiago, 2005, p. 59) proclamam "a necessidade de se estabelecer um diagnóstico científico dos estados inferiores de inteligência".

A análise da literatura psiquiátrica justifica as primeiras propostas de avaliação psicológica da inteligência fundamentando-se em dois pontos precisos:

i. o caráter subjetivo dos diagnósticos psiquiátricos concernentes ao nível de inteligência; e
ii. a ausência de definição objetiva dos termos empregados para designar diferentes graus de atraso detectados.

A escala de Binet e Simon baseia-se em um problema aplicado: a seleção de crianças incapazes de seguir a escolaridade normal e carentes de ensino especial. No âmbito da educação, a debilidade adquire a forma definitiva de qualificação mental. Assim, a debilidade mental caracteriza-se como forma de diagnóstico de alunos que revelam distúrbios de aprendizagem. A classificação das patologias da inteligência permanece, pois, associada à capacidade de adaptação do escolar aos padrões vigentes de escolarização.

A medida do nível de inteligência é pensada por Binet e Simon em decorrência de problemas concretos, próximos aos que as crianças deveriam resolver na vida cotidiana:

> A criança de 3 anos, por exemplo, é capaz de nomear nariz, olhos e boca, enumerar uma gravura, repetir 2 números, repetir uma frase de 6 sílabas, dar seu sobrenome. [...]
> Uma criança normal de 5 anos compara duas caixas de pesos diferentes, copia um quadrado, repete uma frase de 10 sílabas, conta 4, recompõe um jogo de paciência em duas partes. [...]
> Aos 11 anos, critica contendo absurdidades, inclui 3 palavras em uma frase, encontra mais de 60 palavras em 3 minutos, faz definições abstratas, ordena palavras. [...]
> Na idade de 15 anos, faz recorte, completa triângulo (Binet; Simon, 1978, p. 57-61).

As provas são classificadas por faixa etária, correspondendo à idade das crianças consideradas normais, que, em geral, conseguem responder corretamente às questões nelas propostas. Quando uma criança é avaliada, independentemente de sua idade, suas respostas são comparadas com as previstas nessa escala, elaborada como normal, para o estabelecimento da respectiva idade mental. Considera que o "anormal é vítima de um atraso na velocidade do desenvolvimento individual". No campo da escolaridade, a "criança atrasada de 12 anos, que ainda não conseguiu aprender a ler, será assimilável a uma criança normal de 6 anos, que começa a soletrar". No desenvolvimento da debilidade mental, o que diferencia a normalidade e o atraso é, basicamente, a capacidade para abstrair. Os testes aplicados oferecem questões abstratas, consideradas essenciais para detectar a debilidade: "Quando se tem necessidade de um conselho, que se deve fazer? Quando uma pessoa te ofende e vem pedir desculpas, que se deve fazer?" (Binet; Simon, 1978, p. 17-19). As respostas de uma criança, não importa sua idade real, podem aproximar-se daquelas, julgadas normais, dadas por outros alunos de determinada idade, que passa a se constituir, então, a idade mental da criança avaliada, que pode ser situada no mesmo nível, em nível adiantado ou, ainda, atrasado.

Expresso em centésimos, o quociente de inteligência (QI) resulta da divisão da idade mental pela idade cronológica, multiplicada por 100. Os testes de Binet e Simon encontram-se na base de outros testes do mesmo tipo que definem, além do QI total, o QI verbal e o QI de desempenho, ou seja, não verbal. A deficiência mental corresponde ao grau de capacidade situado em até dois desvios abaixo da média em comparação à distribuição normal de inteligência. A classificação psicométrica da Organização Mundial de Saúde (OMS) e, depois, também a da quarta edição do *Manual Diagnóstico e Estatístico de Transtornos Mentais* (DSM-IV), da Associação Norte-Americana de Psiquiatria, caracterizam a deficiência mental em valores de QI abaixo de 70. A partir desse nível, cada desvio típico identificado mais abaixo corresponde a diferentes graus de gravidade:

Níveis psicométricos de deficiência mental
Deficiência mental leve: QI de 55 a 70
Deficiência mental moderada: QI de 40 a 55
Deficiência mental séria: QI de 25 a 40
Deficiência mental profunda: QI abaixo de 25

Delimitar e mensurar os componentes da capacidade intelectual com base em estudo de diferenças individuais é o que propõe essa abordagem psicométrica, ainda considerada uma das principais concepções de inteligência já concebidas.[4] No momento em que tais testes começam a ser utilizados, Binet adverte que o instrumento permite "não a medida da inteligência propriamente dita [...], mas uma classificação, uma hierarquia entre inteligências diversas [...] e, por necessidade prática, essa classificação

[4] Os desempenhos em testes são considerados a partir de análise fatorial, que consiste em pesquisar um sistema de eixos ortogonais, de forma que se possam situar em relação a eles as diferentes provas, o que torna perceptíveis as correlações que há entre eles. Os testes utilizam questões simples, facilmente quantificáveis, e, por isso, constituem, hoje, objetos de uma análise extensiva e comparativa. Esse método permite isolar uma série de componentes ou fatores de inteligência – tanto gerais quanto específicos, como o verbal, o numérico e o espacial, entre outros –, que destacam o que, atualmente, designam-se estilos cognitivos de funcionamento.

equivale a uma medida" (Binet, 1905, p. 194-196). Essa observação não parece ter sido levada em conta e, pouco depois, ele próprio declara: "A inteligência é o que mede o meu teste". Essa asserção comporta, porém, o risco de se confundir definição, cujo estabelecimento pressupõe uma teorização prévia, e delimitação de campo, procedimento que não cabe à ciência. Portanto a aferição de níveis de inteligência, que reivindica cientificidade em decorrência do método empregado, pode colocar em questão tanto os resultados quanto os usos de testes específicos.

Introdução do sujeito na prova psicométrica

A submissão do débil a testes psicológicos é o ponto de partida das investigações clínicas sobre o problema da debilidade mental desenvolvidas por Maud Mannoni, nos anos 1960. Contudo, a propósito, ela afirma que, quanto mais avançava na abordagem psicanalítica, mais se afastava das noções psicológicas que dizem respeito à inteligência:

> A inteligência é uma noção grosseira, oposta artificialmente à afetividade. A debilidade nada tem a ver com a estupidez, que é, antes, defesa neurótica. O critério de adaptabilidade é também insuficiente como testemunho da noção de debilidade. Vimos débeis perfeitamente adaptados, obtendo até mesmo sucessos escolares e, no entanto, débeis aos testes. Não será a própria noção de inteligência que temos que rever? (Mannoni, 1995, p. 105).

A trajetória de Mannoni na abordagem clínica de crianças diagnosticadas como débeis mentais mediante testes psicológicos pode ser usada para ilustrar o que acontece, ainda hoje, no âmbito do tratamento de crianças de que se suspeita ou, muitas vezes, infere-se o diagnóstico de retardo mental em função de baixos rendimentos escolares. O procedimento é sempre o mesmo: inicialmente, traça-se o diagnóstico de inteligência de tais alunos por meio da aplicação de baterias de testes; em seguida, com base na comparação dos resultados obtidos, eles são encaminhados, ou não, para tratamento.

Maud Mannoni, aluna de Lacan, propõe-se a analisar crianças não recomendadas para tratamento em função de baixo QI e com resultados homogêneos em todas as provas da bateria de testes aplicada. O discurso analítico implica, então, efeitos surpreendentes para algumas dessas crianças, inclusive no tocante ao rendimento escolar. Concomitantemente ao progresso dos estudos que ela desenvolve, ocorre, porém, o adoecimento da mãe da criança analisada. Em decorrência desse fato, o diagnóstico psicométrico é questionado, priorizando-se o que o discurso do sujeito débil e o dos respectivos pais podem revelar sobre o verdadeiro sentido da debilidade.

Como consequência de uma relação dual entre mãe e filho determinada pelo "dizer parental" (Lacan, 1998a), a noção de debilidade mental é reformulada. Como Lacan esclarece, na relação dual, a criança fica exposta a tal suborno da fantasia inconsciente da mãe que não lhe resta outra saída senão a de alienar em si mesmo, sob a forma de déficit – no caso do débil –, a falta da mãe (Lacan, 2003, p. 369-370). A mãe da criança débil identifica-a com um dos objetos imaginários da falta, reduzindo-a a apenas suporte de seu desejo num termo obscuro (Lacan, 1985, p. 224-225).

Esse estudo clínico permite a Lacan propor algo inédito, que especifica ainda mais a posição do sujeito débil na linguagem, bem como sua estrutura em comparação com a estrutura na psicose: a holófrase do par primordial de significantes. Holófrase é o termo que designa a frase expressa numa única locução, em que código e mensagem se conjugam de forma particular. A interjeição "Socorro!" é um exemplo desse processo, pois não deixa margem a sentidos diversos. O sujeito fica, no caso, praticamente igualado à mensagem.

A noção de holófrase também permite explorar a forma de elisão do sujeito, absorvido e alienado pela estrutura do Outro materno. A aglutinação do par de significantes (S_1-S_2) anula o intervalo entre os dois elementos, ou seja, o vazio dele consequente permite ao sujeito vir a se representar. Essa solidificação do binário faz parecer que há apenas um significante (S_1) e produz efeitos distintos nos casos em que ela se manifesta, que fornecem elementos para uma distinção, no plano da estrutura clínica, como se segue:

> Na psicose:
> – A holófrase proíbe ao sujeito a abertura dialética ao Outro, o que se manifesta no fenômeno da crença (Lacan, 1985, p. 225.). A significação da falta não é questionada pelo Outro; a função da metáfora, notória no discurso e nos escritos dos psicóticos, assim como nos fenômenos alucinatórios, em que o sujeito pressupõe seu desaparecimento, fica abolida.
>
> Na debilidade:
> A holófrase não produz nada da ordem do desaparecimento do sujeito, embora a submissão convincente do débil ao Outro passe pela ideia de não existir, para ele, a estrutura do sujeito desejante. Lacan situa a criança débil no lugar de uma significação de objeto para o Desejo da Mãe dela, lugar que a deixa "*psicotizada*", na

medida em que o S_1 se torna uma potência identificatória, que reduz o sujeito ao significante imaginário da falta do Outro. O efeito da holófrase implica a obstrução do efeito de sentido dado pela metáfora, que, por conseguinte, inviabiliza a possibilidade de o sujeito interpretar a significação do que ele representa no campo do desejo do Outro. Toda criança pergunta: "*O que você quer de mim?*"; e ela própria responde a essa pergunta de várias maneiras, com sentidos diversos, a partir de indícios que capta no discurso do Outro materno. O débil, contudo, não está bem posicionado para fazer tal pergunta e recebe uma única proposta de resposta, que a faz permanecer alienado. Para ele, não se estabelece uma série de identificações, mas apenas uma única identificação compacta.

Referências

BINET, A. Les institutrices de la Salpêtrière. *Année psychologique*, n. 11, p. 194-196, 1905.

BINET, A.; SIMON, T. Le développement de l'intelligence chez les enfants. *L'Année Psychologique*, n. 14, p. 1-94. 1908.

BINET, A.; SIMON, T. *Les enfants anormaux*. Toulouse: Privat Editeur, 1978.

FREUD, S. Uma dificuldade da psicanálise [1917]. In: *Uma neurose Infantil e outros trabalhos (1917-1918)*. Rio de Janeiro: Imago, 1976. p. 171-179. (Edição Standard Brasileira das Obras Psicológicas Completas de Sigmund Freud, XVII). [Também em: *Obras completas.* São Paulo: Companhia das Letras, 2010. p. 240-251. v. 14.]

LACAN, J. *O seminário, livro 11: Os quatro conceitos fundamentais da psicanálise.* Rio de Janeiro: Jorge Zahar, 1985.

LACAN, J. *Escritos.* Rio de Janeiro: Jorge Zahar, 1998.

LACAN, J. *Outros escritos*. Rio de Janeiro: Jorge Zahar, 2003.

LACAN, J. *Estou falando com as paredes*. Rio de Janeiro: Jorge Zahar, 2011.

MANNONI, M. *A criança retardada e sua mãe* [1964]. São Paulo: Martins Fontes, 1995.

SANTIAGO, A. L. *A inibição intelectual na psicanálise*. Rio de Janeiro: Jorge Zahar, 2005.

Memória

Ariel Bogochvol, Antônio Teixeira

Mas no mesmo instante em que aquele gole envolto com as migalhas do bolo tocou o meu paladar, estremeci atento ao que se passava de extraordinário em mim. Invadira-me um prazer delicioso, isolado, sem noção de sua causa. Esse prazer logo me tornara indiferentes as vicissitudes da vida, inofensivos os seus desastres, ilusória a sua brevidade, tal como o faz o amor, enchendo-me de uma preciosa essência: ou antes, essa essência não estava em mim; era eu mesmo. Cessava de me sentir medíocre, contingente, mortal. De onde me teria vindo aquela poderosa alegria? Senti que estava ligado ao gosto do chá e do bolo, mas que o ultrapassava infinitamente e não devia ser da mesma natureza. De onde vinha? Que significava? Onde aprendê-la? [...] Estar diante de qualquer coisa que ainda não existe e a que só ele pode dar realidade e fazer entrar na sua luz. [...] Sinto estremecer em mim qualquer coisa que se desloca, que desejaria elevar-se, qualquer coisa que teriam desancorado, a uma grande profundeza; não sei o que seja, mas aquilo sobe lentamente; sinto a resistência e ouço o rumor das distâncias atravessadas. O que assim palpita no fundo de mim, deve ser a imagem, a recordação visível que, ligada a esse sabor, tenta segui-lo até chegar a mim. E de súbito a lembrança me apareceu. Aquele gosto era o do pedaço de madalena que nos domingos de manhã em Combray minha tia Leonie me oferecia depois de ter mergulhado em seu chá da Índia ou de tília, quando ia cumprimentá-la em seu quarto. [...] Quando mais nada subsistisse de um passado remoto, após a morte das criaturas e a destruição das coisas – sozinhos, mais frágeis, porém mais vivos, mais imateriais, mais persistentes, mais fiéis – o odor e o sabor permanecem ainda por muito tempo, como almas, lembrando, aguardando, esperando, sobre as ruínas de tudo o mais, e suportando sem ceder, em sua gotícula impalpável, o edifício imenso da recordação. E mal reconheci o gosto do pedaço de madalena molhado em chá que minha tia me dava, eis que a velha casa cinzenta, de fachada para a rua, onde estava seu quarto, veio aplicar-se como um cenário de teatro [...]

Marcel Proust

Introdução

A prodigiosa escrita de M. Proust descrevendo em *No Caminho de Swann*, o primeiro dos sete volumes de *Em busca do tempo perdido*, o "episódio da *madeleine*" – quando um gole de chá e as migalhas de um bolo abrem, para o protagonista, os portais de um passado transbordante e, numa epifania, possibilitam a reconstituição de sua vida – pode servir de introdução à questão da vivência do tempo e da memória.

Embora sejam noções intimamente ligadas, a psicopatologia clássica e a contemporânea separam-nas, dedicando-lhes capítulos específicos nos compêndios e tratados. K. Jaspers em sua *Psicopatologia geral* (1987), H. Ey, P. Bernard e C. Brisset no *Manual de psiquiatria* (2011), P. Dalgalarrondo em *Psicopatologia e semiologia dos transtornos mentais* (2000) e os editores de *Clínica psiquiátrica do IPq-HC-FMUSP* (2011), cada qual ao seu modo, abordam a memória e a vivência do tempo em lugares diferentes. Transcorrido um século entre a publicação do primeiro e do último livro deste pequeno *corpus* de psicopatologia, a apresentação da matéria permanece praticamente a mesma.

A despeito do desenvolvimento da psiquiatria, das neurociências, das ciências cognitivas, da psicanálise, as bases da psicopatologia não se modificaram e continuam calcadas numa psicologia de inspiração escolástica que separa a atividade psíquica – a "alma" – em faculdades ou funções específicas – orientação, atenção, sensopercepção, pensamento, linguagem, juízo, etc. – passíveis de serem afetadas de formas específicas e relativamente independentes umas das outras. A necessidade de capítulos específicos para cada função e seus transtornos choca-se, evidentemente, com a clínica, em que as funções se misturam e se embaralham, e com as teorias vigentes que ressaltam a complexidade da atividade psíquica, seu caráter sistêmico, dinâmico, reticular. A divisão se mantém porque não há, até o momento, um modelo coerente, unitário, consensual da atividade psíquica e de seus transtornos, capaz de assentar a psicopatologia em bases menos precárias.

Mnemis

A palavra "memória" origina-se do grego *mnemis*. Na Grécia antiga, era representada pela deusa Mnemosine, filha de Urano e Geia, irmã de Cronos e Oceano, e mãe das nove Musas,[1] protetoras das artes, da história

[1] As nove musas: Calíope = poesia épica; Clio = história; Melpômene = tragédia; Talia = comédia; Euterpe = música; Terpsícore = dança; Erato = poesia lírica e amorosa; Polímnia = canto e retórica; e Urânia = astronomia.

e da ciência, filhas da sua união com Zeus. Mnemosine dispensava aos seus eleitos uma onisciência do tipo divina, não do passado individual, mas do passado em geral, do tempo antigo (Bosi, 1991, p. 89). Dava aos artistas e adivinhos o poder de voltar ao passado e de lembrá-lo para a coletividade. Tinha o poder de conferir imortalidade aos mortais. Fazendo cair a barreira que separava o presente do passado, lançava uma ponte entre o mundo dos vivos e o mundo do além. Assim, quando o artista, o músico ou historiador registravam, evocavam, pintavam, cantavam os feitos, gestos, atos, palavras, fisionomia de um humano, eles traziam o morto à luz do dia para os vivos e imortalizavam-no (Chaui, 2000, p. 126).

Chegou-se a falar de memória para distinguir o vivente como tal. Depois de uma determinada experiência, uma substância viva sofre uma transformação e não reagirá à mesma experiência da mesma forma que antes. Nesses termos, a memória pode ser considerada uma propriedade universal da matéria viva (Lacan, [1954-55]1985, p. 234). A definição de memória, contudo, como a de qualquer termo usado na psicopatologia, é variável e controversa. Para C. Derouesné, B. Madec e L. Lacomblez (1999, p. 10), é a capacidade de adaptar um comportamento em função da experiência passada. Para P. Dalgalarrondo (2000, p. 91), é a capacidade de registrar, manter e evocar os fatos já ocorridos. Para M. Chaui (2000, p. 125), é a capacidade de guardar e reter o tempo que se foi e que não retornará jamais, salvando-o da perda total. A. Sims (2001), curiosamente, não se dá ao trabalho de defini-la, iniciando seu capítulo simplesmente com a constatação da importância da memória e do impacto dos transtornos de memória na vida do homem.

As definições podem ser muito amplas a ponto de incluírem fenômenos diferentes como a memória das máquinas, a celular, a animal, a humana. Não haveria razão para se confundir a memória – propriedade da substância viva – com a rememoração – agrupamento e sucessão de acontecimentos simbolicamente definidos que engendram, por sua vez, uma sucessão (Lacan, [1954-55]1985, p. 234), mas estão todas reunidas sob uma mesma rubrica. Outras definições são bem mais restritas e incluem somente a memória evocada no campo de consciência, excluindo o fato de que a influência da experiência passada não precisa ocorrer de modo consciente. Por outro lado, a memória não pode ser limitada à recordação ou à influência do passado sobre o presente, já que ela é indispensável à execução de planos, de projetos e a toda atividade criativa. Designada como memória prospectiva ou de futuro, o termo é quase um oximoro. É difícil uma definição precisa de memória, mais ainda quando ela tem de incluir o futuro.

No episódio da *madeleine*, o narrador testemunha os efeitos extraordinários provocados por uma prosaica experiência olfativa e gustativa: "estremecimento", "invasão de um prazer delicioso", de "uma poderosa alegria", de uma "preciosa essência", "modificação da relação com a vida", "cessação da sensação de mediocridade, contingência e mortalidade", evocação de uma cena infantil que "vem à luz", dando acesso ao "edifício imenso da recordação", o que provoca, no limite, a partenogênese do livro. Um estímulo aparentemente banal sacudiu o sujeito. O episódio mostra, com detalhes, a complexidade da memória e sua imbricação com todas as atividades psíquicas – sensação, percepção, conhecimento, prazer/desprazer, vivência do eu, do espaço e tempo, etc. – isto é, com a existência do sujeito.

Temos capacidade para aprender informações compostas e reproduzi-las mais tarde, de forma voluntária ou não, com considerável fidelidade e de várias perspectivas. Essas memórias compostas de acontecimentos podem ser evocadas a partir da representação de qualquer uma das partes que compuseram o evento. Mais ainda, quando o que é lembrado é emocionalmente relevante, haverá registros multimídia de visões, sons, sensações táteis, odores, sabores e será reapresentado em momentos mais ou menos oportunos. Com o tempo, a evocação poderá perder intensidade, mas também, com a imaginação de um fabulista, poderá ser enfeitada, cortada em pedaços e recombinada em um romance ou em um roteiro de cinema (Damásio, 2011, p. 166-167). A memória não é um aparelho fotográfico; ela modifica, suprime, fantasia os objetos. Em condições normais, ela "falha", não reproduz o objeto como tal. Segundo Jaspers (1979, p. 211), "não há setor em que a fidelidade, a duração e a disponibilidade da memória não tenham limites e oscilações".

Que recursos a mente e o cérebro devem possuir para memorizar? Além das imagens perceptuais em vários domínios sensoriais, é necessária uma forma de armazenar os respectivos padrões de algum modo e em algum lugar, e de manter um trajeto para recuperar os padrões de algum modo, em algum lugar, para que em algum lugar e de algum modo a tentativa de reprodução funcione. Quando tudo isso acontece e "na presença do eu", *sabemos* que estamos recordando alguma coisa e que isso não se confunde com nossa percepção do mundo real, isto é, distinguimos a percepção da recordação. A capacidade de manobrar o complexo mundo à nossa volta depende dessa espantosa faculdade de apreender, registrar, evocar, ligar, diferenciar, subjetivar.

Essa faculdade possibilita inserirmo-nos em uma história, lembrá-la, tomá-la como própria, incluí-la em uma temporalidade vivida, enlaçar presente, passado e futuro sincrônica ("sou isto agora") e diacronicamente ("era isto, serei aquilo e não serei mais"), estabelecer um nexo entre eles ("sou isto porque fui aquilo"; "serei aquilo porque sou isto"), uma continuidade ("eu era isto e continuo sendo eu"), uma unidade ("sou o mesmo em meio a tudo isso") e uma identidade ("eu sou isto, o que fui e o que serei"). Se a memória é uma propriedade universal da matéria viva, a história é o que o sujeito tem de mais singular. É o que possibilita, em meio às mudanças, crises, rupturas, reviravoltas da existência, dar um sentido de continuidade, unidade, identidade.

A memória diz respeito às funções do tempo na realização do sujeito humano (Lacan, [1953-54]1983, p. 22) e não se exerce sem paradoxos. Somos modelados pelo que nos precede, mas não temos acesso total a isso. Não lembramos nada de nossa origem e de nossa infância precoce além do que nos é dito por outros, e temos apenas recordações mais ou menos infiéis de nossas vidas, misturadas com fantasias, ficções, projetos, criações e fragmentos reconstruídos *a posteriori*. O tempo presente é inacessível à experiência, pois basta querer pensar nele e o instante já passou: "meu presente – ou aquilo que era meu presente – já é passado" (Borges *apud* Ansermet, 2003, p. 107). E o futuro se antecipa como uma especulação, já que a única certeza é a da morte (Ansermet, 2003, p. 107).

O sujeito entra no tempo pelo seu nascimento, desdobra-se de instante em instante e acede ao sentimento de duração, mas não pode viver de maneira direta o instante presente, seu passado originário e seu futuro. Há, de um lado, a evidência da duração e da identidade e, de outro, o inapreensível do instante, da origem e do que virá. É em meio a essa "lógica temporal" que o sujeito deve vir-a-ser, tornando-se o autor de seu próprio futuro a partir do ato de sua assunção, que o separa do que o precede, mas o mantém eternamente ligado a ele (Ansermet, 2003, p. 108). O sujeito tem de se "virar" com o seu passado, presente e futuro.

A memória é objeto de estudo de numerosas disciplinas: história, arqueologia, ciências da computação, educação, arte, fisiologia, bioquímica, histologia, anatomia, psicologia, psiquiatria, neurociências, psicanálise... A massa de informações oriundas de campos tão distintos, obtidas por métodos tão variados, forma um quebra-cabeça cujas peças não se encaixam com facilidade. A memória continua a ser um capítulo novo e em grande parte inexplorado (Luria, 1981, p. 245). A psicopatologia da memória, por outro lado, tem a aparência de um capítulo antigo, conhecido, *déjà-vu*. As alterações são descritas, nomeadas e classificadas

das mais diversas formas, mas não são esclarecidas a não ser nos quadros de etiologia orgânica, um terreno comum a neurologistas e psiquiatras, mas que representa a minoria dos "pacientes psiquiátricos". Permanece um fosso entre a massa de informações advindas das várias disciplinas e sua aplicação efetiva no campo da psicopatologia.

Recordar, esquecer, elaborar

A análise das formas complexas da atividade mnêmica teve o interesse despertado firmemente apenas nas últimas décadas. Uma tentativa de resumir tudo o que se sabia acerca do assunto no começo do século XX é apresentado por Luria (1981, p. 245):

> de um lado havia as opiniões de Richard Semon e de Karl E. Hering, que consideravam a memória ou a capacidade de reter traços como uma propriedade universal da matéria; de outro, havia as bem conhecidas opiniões de Bergson segundo as quais há dois tipos de memória – memória corporal e memória mental – e, enquanto a primeira é um fenômeno natural a segunda deve ser considerada como uma manifestação do livre arbítrio, capaz, por meio de um esforço mental de vontade, de evocar certos traços individuais de experiências passadas.

A psicologia clássica considerava a memória ou como um processo de estampagem direta de traços na consciência ou como estampagem das conexões associativas monovalentes formadas por impressões individuais umas com as outras. Freud desde o início ocupou-se do tema, e em textos escritos durante os anos 1990 (*Sobre a concepção das afasias* de 1891, *Projeto de uma psicologia científica*, de 1895, Carta 52, de 1896) e no começo do século XX (A *interpretação dos sonhos*, de 1900) propôs esquemas bem mais complexos, antecipando algumas descobertas científicas de meados/final do século XX. São textos neurológicos e metaneurológicos de um homem de gênio que especulam sobre "objetos" e "mecanismos" não verificáveis empiricamente pelos meios da época e que acabaram por fornecer não as bases de uma neurologia da memória (apesar das semelhanças com os modelos contemporâneos), mas os fundamentos da metapsicologia psicanalítica e da sua concepção da memória inconsciente e do inconsciente como memória. "O que há de essencialmente novo em minha teoria é a tese de que a memória não pré-existe de maneira simples, mas múltipla, está registrada em diversas variedades de signos e de tempos em tempos o material presente sob a forma de traços mnêmicos experimenta reordenamentos segundo novos nexos, uma retranscrição" (Freud, 1976a, p. 317).

Trabalhos realizados na década de 1970 mostraram que a memorização era um processo complexo que implicava uma série de estágios sucessivos que diferiam em sua estrutura psicológica, no volume de traços passível de fixação e na duração de seu armazenamento (Luria, 1981, p. 248). No primeiro estágio, ocorria uma estampagem de pistas sensoriais de caráter múltiplo; no seguinte, a conversão dos estímulos em memória de imagens; no último, a codificação de traços e sua inclusão em um sistema de categorias (Luria, 1981, p. 248). Os sistemas de conexão eram codificados com respeito a diferentes sinais, formando matrizes multidimensionais a partir dos quais o indivíduo escolheria a cada vez o sistema que, naquele momento, iria formar a base para a codificação. Longe de ser um processo simples e passivo, demonstrava-se que o processo de recordação era de natureza complexa e ativa.

Uma pessoa que deseja se lembrar de certa informação "escolhe" uma determinada estratégia de lembrança, os meios necessários, selecionando os componentes sensoriais ou lógicos do material estampado, encaixando-os em sistemas apropriados. O processo de lembrança é uma atividade investigativa complexa e ativa conectada à linguagem (Luria, 1981, p. 249). Investigadores soviéticos no final dos anos 1920, como Vygotsky e Leontiev, analisaram os processos de codificação da memória e evidenciaram o papel da organização lógica ativa no processo de recordação, tendo demonstrado o vasto depósito de códigos disponíveis para a lembrança do material categorizado (Luria, 1981, p. 251), e a "escolha" efetuada pelo sujeito. Para aquém/além das leis gerais, havia uma singularidade na eleição dos meios da recordação.

O problema do esquecimento está intimamente ligado ao da recordação. Se lembrássemos de tudo não haveria espaço para vir-a-ser além do que nos precede. Ficaríamos colados, fixados ao passado, totalmente produzidos pelo que nos determina, sem liberdade. É o caso do personagem de uma novela de Borges que tudo retém. Ele não pode entrar no tempo, fica fora do tempo. Lembrar de um dia toma-lhe um dia. "Minha memória é como um despejo de lixo. Mais recordações tenho eu sozinho que as que tiveram todos os homens desde que o mundo é mundo" (Borges *apud* Ansermet, 2003, p. 110). Uma das funções da memória é, precisamente, esquecer. O esquecimento é parte essencial da memória e também da possibilidade de se adaptar ao mundo. Esquecer decepções, frustrações, desprazeres, perdas, choques é uma condição para a manutenção da vida. Não conseguir esquecer, pelo contrário, pode perturbar profundamente a existência. É o que se verifica no distúrbio de stress pós-traumático, em que a impossibilidade de esquecer o trauma – que não para de se repetir no pensamento, nos sonhos e na recordação – afeta globalmente a homeostasia do sujeito. Produzir o esquecimento – "o doce antídoto do esquecimento" – é o que pede Macbeth ao médico que vem atender Lady Macbeth, acometida de alucinações, ilusões e sonambulismo:

> Cure-a disso
> Podeis vós ministrar a uma mente enferma
> Arrancar da memória uma tristeza enraizada
> Apagar os problemas escritos no cérebro
> E com algum doce antídoto do esquecimento
> Limpar o peito carregado desta matéria perigosa
> Que pesa sobre o coração?
> (Shakespeare *apud* Sims, 2001, p. 55)

O que causa o desaparecimento da recordação ou a impossibilidade de sua evocação? A resposta clássica era de que, com o tempo, ocorria uma extinção dos traços. Mas, algumas vezes, ao contrário, observava-se não o decaimento, mas a exacerbação do traço, como no texto proustiano. Quanto ao esquecimento, constatava-se a influência de fatores inibidores e interferentes sobre os traços por efeito de acontecimentos anteriores e posteriores. Os fenômenos de inibição proativa e retroativa passaram a ser considerados, confirmando, empiricamente, o recalque freudiano. Segundo P. Dalgalarrondo (2000, p. 93), o esquecimento se dá por três vias: 1) Normal ou fisiológico, por desinteresse ou desuso; 2) Por repressão, quando se trata de material desagradável e que permanece no pré-consciente; 3) Por recalque, quando se trata de material insuportável emocionalmente e que fica estocado no inconsciente. Os mecanismos freudianos imperam.

Da mesma forma que a memorização, o processo de esquecimento normal pode ser ativo, complexo, sutil. O esquecimento temporário de nomes, palavras, impressões, intenções é uma manifestação corriqueira da psicopatologia da vida cotidiana, ao lado dos lapsos, erros, descuidos. Em seu conjunto, essas falhas banais e aparentemente imotivadas do funcionamento psíquico são denominadas por Freud de parapraxias. O esquecimento do nome de Signorelli e sua substituição por nomes errados é bem representativo da engenhosa maquinaria do esquecimento.

> Eu viajava em companhia de um estrangeiro de Dalmácia para um lugar na Bósnia-Herzegovina: nossa conversa voltou-se para o assunto de viagens na Itália, perguntei ao meu companheiro se ele já conhecia Orvieto e se já havia visto os afrescos famosos de lá, pintados por... O nome que tentei lembrar em vão foi o do artista que pintou os afrescos magníficos das *Quatro últimas coisas* (Morte, Juízo, Inferno e Céu) na catedral de Orvieto. Em vez do nome que eu procurava – Signorelli –, o nome de dois outros pintores – Botticelli e Boltraffio – me tomaram de assalto, apesar de imediata e decisivamente meu juízo rejeitá-los como falsos. Quando fiquei sabendo do nome correto, reconheci-o imediatamente e sem hesitação (Freud, 1976d, p. 20).

A hipótese de Freud é de que o esquecimento e a substituição por outros nomes não estão sujeitos a uma escolha psíquica arbitrária, mas seguem caminhos e obedecem a certas leis. A falha da memória teria uma explicação de muito maior alcance do que a avaliação usual do fenômeno. Investigando os caminhos associativos pelos quais a reprodução do nome foi deslocada de Signorelli para Botticelli e Boltraffio, conclui que o esquecimento foi devido à perturbação provocada pelos temas que o antecederam: sexualidade e morte e a responsabilidade de Freud no suicídio de um paciente. Esqueceu-se de um nome contra a sua vontade, quando teve a intenção de se esquecer de outra coisa, por sua conexão associativa com o tema. Muito notável o modo de conexão entre o nome esquecido e o tema reprimido: os fragmentos *trafio, bo, herr, elli* são tomados como significantes cuja significação permanece recalcada e retornam nos nomes recordados. São *formações do inconsciente*. O sujeito é efeito deste jogo de recordação e esquecimento mais do que seu agente ou maestro.

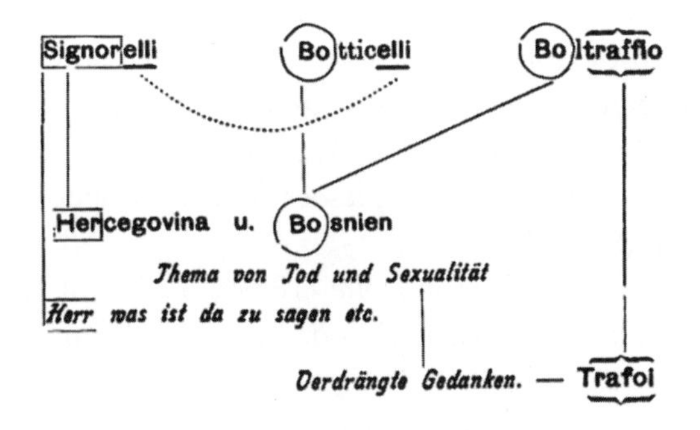

Se as parapraxias, como o esquecimento de nomes próprios, não produzem maiores consequências além de embaraço, riso, surpresa, enigma, em condições patológicas, como a síndrome de Korsakoff, demências, *blackout* alcoólico, intoxicações, evidenciam-se os efeitos devastadores que os diversos tipos de esquecimento podem produzir na vida cotidiana. K. Jaspers descreve um caso de Störring com perda total, isolada, da capacidade de fixação sem distúrbios psíquicos outros senão os resultantes dessa desastrosa perda:

> Um serralheiro de 24 anos sofreu envenenamento por gás no dia 31 de maio de 1926. Examinado em 1930, verifica-se estar conservado o cabedal mnêmico relativo aos fatos que precederam essa data. Daí por diante, nada mais se acresce. Após dois segundos desaparecem quaisquer impressões. Perguntas mais longas são esquecidas antes que se chegue ao fim da frase. Ontem, para ele, é invariavelmente 30 de maio de 1926; o que a isso se opõe deixa-o um instante perplexo, mas de imediato a contradição é esquecida. Sua noiva casou-se com ele após o incidente sem que, no entanto, ele saiba disso; daí responder à pergunta: "É casado?" "Não, mas vou me casar em breve". O paciente vive de todo no presente, mas não no tempo. Cada situação lhe chega à consciência inteiramente isolada, sem influência do passado nem do futuro, cada vivência lhe é repentina e, por isso, atua mais vivamente (Jaspers, 1979, p. 214).

Memória e cérebro

Quais zonas do cérebro contribuem para o processo de memória? Que aspectos da atividade mnêmica são de responsabilidade de quais sistemas cerebrais particulares? Como em outras áreas da medicina, o estudo da patologia esclarece os fatos da normalidade. Neurologistas, psiquiatras, psicólogos e neuropatologistas do século XIX trouxeram grandes contribuições, como demonstrar a relação entre o traumatismo cranioencefálico, as demências e diversas condições clínicas com a perturbação da memória e as relações entre essas condições e lesões de regiões específicas do sistema nervoso central (SNC).

Em *Les maladies de la mémoire* (1881), T. Ribot fez um estudo psicológico detalhado das alterações da memória, formulando a "lei de regressão mnêmica" ("lei de Ribot"): a perda dos conteúdos mnêmicos relacionada a quadros demenciais ou a alterações psicorgânicas se dá no sentido inverso à ordem de sua aquisição. Ocorre primeiramente a perda dos conteúdos recém-adquiridos e depois os mais antigos; os mais complexos e depois os mais simples, os mais estranhos ou inabituais, e só depois os conteúdos familiares. H. Jackson, em 1887, defendeu a ideia de que o distúrbio de memória era parte integrante da deterioração do funcionamento mental orgânico. Korsakoff, em 1890, descreveu uma condição clínica caracterizada por grave transtorno de memória associado à preservação da capacidade intelectual e de julgamento, causada por lesão diencefálica. A. Pick, em 1892, descreveu o caso de um homem que apresentava perda progressiva da fala e demência – o comprometimento da memória surgindo após um período de alteração de comportamento – causadas por atrofia em áreas delimitadas do cérebro, frontotemporais. A. Alzheimer, em 1906, apresentou o caso de uma paciente de 51 anos com quadro demencial com grave prejuízo da memória associado à atrofia cortical difusa.

Investigações sobre a arquitetura cerebral dos processos de memória convergem em atribuir às estruturas límbicas temporomediais, principalmente hipocampo-mamilares, a consolidação dos registros e a transferência de memória de curto e médio prazo para a memória de longo prazo. A interrupção bilateral do circuito hipocampo-mamilo-tálamo-cingular pode determinar a incapacidade de fixação e produzir uma síndrome amnésica tipo Korsakoff. O substrato neural da memória de longo prazo repousa basicamente no córtex cerebral, ou seja, nas áreas de associação neocorticais, principalmente frontais e parieto-temporo-occipitais (Dalgalarrondo, 2000, p. 91).

> A transição do estágio mais elementar, sensorial, da recepção e estampagem de informações para os estágios mais complexos de sua organização em imagens, e, por fim, para os estágios ainda mais complexos de sua codificação em certos sistemas organizados de categorias exige a integridade das zonas corticais secundárias e terciárias mais elevadas. Algumas dessas zonas estão envolvidas na síntese de uma série sucessiva de estímulos apresentados em estruturas sucessivas ou simultâneas, ao passo que outras participam da organização desses traços com o auxílio de códigos de linguagem. No homem, o processo altamente organizado de recordação se baseia em um sistema de sistemas funcionando em concerto no córtex, e estruturas subjacentes e cada um desses sistemas dão a sua contribuição para a organização dos processos mnêmicos (Luria, 1981, p. 251-252).

Os estudos morfológicos e histológicos realizados até meados do século XX pouco acrescentaram à discussão da natureza e da base fisiológica da memória. Investigações exaustivas resultaram na asserção genérica de que a retenção de traços de uma excitação anterior era o resultado da existência de um sistema sináptico (Ramon; Cajal *apud* Luria, 1981, p. 246) e de que ela devia consistir em processos bioquímicos. A pesquisa sobre a fisiologia do reflexo condicionado, devotada aos processos envolvidos na fixação da experiência, não estabeleceu nada mais do que alguns fatores fisiológicos básicos descritos como "abertura de vias" e "reforço das conexões condicionadas" (Ramon; Cajal *apud* Luria, 1981, p. 246).

A procura da base material da memória ganhou novo rumo como resultado do trabalho de Hyden (*apud* Luria, 1981, p. 246), que mostrou que a retenção de um traço da excitação anterior se associava a uma mudança duradoura no conteúdo de DNA/RNA de núcleos. Várias pesquisas confirmaram a hipótese de que moléculas de DNA/RNA eram portadoras da memória e desempenhavam papel decisivo na retenção de traços das experiências anteriores ocorridas durante a vida do sujeito. Outras pesquisas revelaram também o papel da glia que envolve o neurônio na retenção de traços de uma excitação anterior. Investigações ao microscópio eletrônico de neurônios envolvidos no processo de armazenamento de excitação demonstraram que a formação de traços era acompanhada pelos movimentos de diminutas vesículas conjugados a mudanças das membranas (Ramon; Cajal, Eccles *apud* Luria, 1981, p. 247). As evidências atuais dão suporte a duas conclusões básicas: eventos sinápticos, incluindo o aumento de neurotransmissores, são responsáveis pela memória de curto prazo (segundos a minutos); a memória de longo prazo depende de síntese proteica e do aumento no número de conexões sinápticas.

Na década de 1960 multiplicaram-se as descobertas de substâncias produzidas ou circulantes no SNC – noradrenalina, serotonina, dopamina, endorfina, acetilcolina, vasopressina, ocitocina, corticoide – e de suas ações nos sistemas neurais envolvidos na memória. Alterações na liberação de neurotransmissores pelos neurônios do hipocampo, do córtex cerebral e de outras estruturas cerebrais antecedem a alteração da síntese proteica e parecem ser eventos neuroquímicos primários para a formação da memória. Um dos principais neurotransmissores liberados é o glutamato que se liga a receptores específicos, denominados AMPA, NMDA e mRGLU, localizados no neurônio-alvo, provocando a abertura de canais iônicos e a ativação de enzimas que, por sua vez, ativam mecanismos intracelulares que culminam na síntese proteica e no aumento na efetividade da transmissão de informações entre estes e outros neurônios, com os quais o neurônio-alvo se comunica. Tal alteração nas conexões entre os neurônios é denominada "plasticidade sináptica". Todos esses processos estão sujeitos à modulação por outros neurotransmissores liberados por neurônios presentes na própria estrutura ou em estruturas adjacentes, como a amígdala (uma estrutura do cérebro envolvida na percepção e modulação do medo e de outras emoções). Tal gama de alternativas de modulação permite que o processo de formação de memória seja muito variável.

O trabalho da memória implica uma operação de alta complexidade que envolve diversos planos e substratos – cultura, psiquê, aprendizagem, cérebro, células, moléculas. A memória é um fenômeno físico-sócio-cultural-psico-somático. Um estímulo físico – visual/auditivo/olfativo/gustativo/tátil – será interpretado a partir de sua inserção num contexto, registrado, retido, armazenado, codificado e decodificado de forma polivalente a partir da modificação de neurônios, conexões, neurotransmissores, e evocado em uma rede de recordações, imagens, significantes e significados vinculados à história do sujeito. A memória pode, então, ser abordada de múltiplas perspectivas. Abordaremos a perspectiva psicanalítica tanto pela importância de suas concepções como pelo lugar fundamental que a memória ocupa na sua teoria.

Memória freudo-lacaniana

Desde os seus primeiros textos, Freud toma a memória e a linguagem como referências centrais em torno das quais elabora seus modelos de aparelho psíquico. A memória e a linguagem não são simplesmente faculdades ou funções psíquicas, não surgem após a constituição do aparelho; elas formam e constituem o próprio aparelho. Sem a capacidade de reter e armazenar as informações e de ligá-las à linguagem, o aparelho ficaria reduzido a um mero condutor de 'energia' e sequer seria um aparelho composto de partes distintas, limites definidos e de um princípio de funcionamento que não o da mera descarga (Garcia-Roza, 1991a, p. 94). Para ele, toda teoria psicológica digna de consideração teria que fornecer uma explicação para a memória.

O artigo *Sobre a concepção das afasias*, de 1891, embora escrito com a intenção de discutir especificamente um sintoma neurológico, apresenta um esboço de aparelho que articula imagens visuais, táteis, acústicas, olfativas, gustativas e representações da palavra. Nesse aparelho, as "representações de palavras" adquirem seu significado pela relação que a imagem acústica do "complexo representação-palavra" mantém com a imagem visual do "complexo formado pelas associações de objeto". A percepção não oferece objetos, mas imagens elementares que vão constituir as associações de objeto que, por si só, não formam uma unidade, um objeto. É apenas na relação com a representação palavra que esse "um", o objeto enquanto unidade vai surgir. A relação entre as "associações de objeto" e a "coisa" é uma relação sígnica; a relação entre as "associações de objeto" e a "representação palavra" é uma relação simbólica. O aparelho associa não apenas os elementos em si (como a representação da palavra que inclui imagens acústicas, visuais, cinestésicas), mas as associações entre si. Como essas vias são móveis e sujeitas a entrecruzamentos variados, o aparelho se apresenta como uma intrincada trama de caminhos associativos (GARCIA-ROZA, 1991b, p. 52). É um aparelho de linguagem e memória. A memória não se acrescenta secundariamente ao aparelho; desde o começo, está presente. É memória de uma linguagem, de uma escritura.

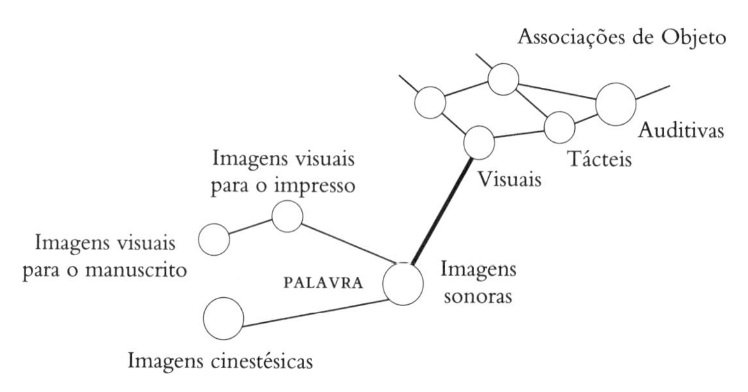

O *Projeto de uma psicologia científica*, de 1895, publicado apenas postumamente e que em vida foi rechaçado por Freud, tem a pretensão de "introduzir a psicologia no quadro das ciências naturais, representando os processos psíquicos como estados quantitativamente determinados de partículas materiais, de modo a torná-los evidentes e incontestáveis" (FREUD, 1976e, p. 395). Propõe um aparelho neuronal capaz de transmitir e transformar sua energia interna, designada Qη. O neurônio é concebido como o suporte material e o elemento constituinte do aparelho, e se distinguem três sistemas neuronais com características específicas, correspondentes à percepção, à consciência e à memória. A base neuronal é a mesma, mas as propriedades dos sistemas diferem. Enquanto o sistema associado à percepção é constituído por neurônios permeáveis, condutores, mas não retentores de Qη, o sistema associado à memória é constituído por neurônios impermeáveis, retentores de Qη. A permeabilidade ou impermeabilidade decorre das resistências das "barreiras de contato" à passagem da excitação Qη. No primeiro caso permanecem inalteradas e não oferecem resistência à passagem de Qη; no segundo, alteradas de forma permanente, oferecem resistência. Cabe ressaltar que a descoberta do neurônio – a base material do *Projeto* – era bem recente,[2] e as barreiras de contato/sinapses só foram confirmadas por microscopia eletrônica em 1954.[3]

Os neurônios não podem servir simultaneamente à percepção e à memória, pois, para que o processo perceptivo possa ocorrer na fluidez que lhe é própria, é fundamental que encontre uma estrutura que permaneça inalterada a cada nova percepção (Garcia-Roza, 1981, p. 95). Os processos de percepção envolvem, por sua própria natureza, a consciência,

---

2 Por volta de 1863, Otto Friedrich Karl Deiters (1834-1863), usando ácido crômico e carmim vermelho, estudou extensivamente muitos tecidos nervosos. Ele também desenvolveu uma técnica de microdissecção para isolar neurônios sob o microscópio. Obteve notáveis imagens claras e completas do neurônio e descobriu que havia dois tipos diferentes de processos de ramificação: um que era do tipo árvore, cheio de ramos bem curtos, que ele chamou de "extensões protoplasmáticas", e outro que era mais como uma fibra longa, com um número muito menor de ramificações, que ele chamou de "cilindro de eixo, axiais". Essa estrutura continuou a ser estudada e recebeu um nome próprio, 20 anos depois, apenas: respectivamente "dendritos" em 1889, por Wilhelm Dele (1831-1904), e "axônios", em 1896, por Rudolph Albert von Kölliker. A célula em si foi batizada apenas em 1891 como "neurônio", por Heinrich Wilhelm von Waldeyer (1836-1921) (cerebromente.org.br).

3 A "junção neuronal", como era chamada, era muito pequena para ser vista por microscópios da época, e o "*gap*" que, certamente, ocorria no ponto de contato não podia ser documentado. Na verdade, a prova morfológica definitiva para isso só veio em 1954, com o trabalho de George Palade, Eduardo de Robertis e George Bennett, que usaram o microscópio eletrônico inventado recentemente para, com suas ampliações, visualizar a ultraestrutura sináptica. Elas mostraram a existência de elementos distintos – pré-sinápticos e pós-sinápticos, uma fenda sináptica e vesículas pré-sinápticas. O problema da natureza da transmissão de um neurônio para outro também foi um ponto de grande discussão entre os neurofisiologistas da virada do século XX. Muitos defendiam a ideia de que a transmissão devia ser elétrica, assim como a propagação de onda ao longo do axônio. Por volta de 1846, Emil du Bois-Reymond propôs a existência de sinapses e que elas poderiam ser elétricas ou químicas... Muitas das experiências que forneceram esses dados foram realizadas no laboratório do fisiologista britânico *Sir* Charles S. Sherrington (1852-1952), que investigou, na década de 1890, a fisiologia de reflexos motores simples e complexos. Sua obra levou ao conceito da ação integrativa do sistema nervoso, complementando a linha de raciocínio, iniciado pelo "pai" da fisiologia, Claude Bernard (1813-1878), no século anterior. Sherrington sustentou que a junção entre os neurônios é a via final da regulação da transmissão no sistema nervoso e lhe deu o nome de "sinapse", que, em grego, significa "fecho" (cerebromente.org.br).

o sistema ω, "o lado subjetivo de uma parte dos processos físicos do sistema nervoso". É o sistema responsável pela qualidade da experiência e tem um estatuto bem problemático num aparelho concebido quantitativamente e destinado a tratar variações quantitativas da excitação. A questão fundamental – como a "quantidade" pode se tornar "qualidade"? – não é respondida apesar dos esforços de Freud. A questão da consciência continuará como um problema em toda a obra freudiana, mas também em toda a psicologia e nas neurociências (Searle, 2010).

O sistema psi é um aparato de memória constituído pelas facilitações/trilhas/trilhamentos existentes entre os neurônios. Há uma trama de caminhos facilitadores em certas direções e dificultadores em outras, os percursos são diferenciados. O que caracteriza a memória é que a diminuição das resistências oferecidas por certas barreiras de contato facilita o percurso em determinadas direções e não em outras, o que dá lugar à repetição dos percursos facilitados. Se a facilitação fosse igual em todas as partes não se explicaria a predileção por um caminho. A memória é formada pelas diferenças entre as facilitações no sistema psi. É a diferença entre as facilitações/resistências que vai decidir a direção do fluxo de excitação. Não é a retenção propriamente dita a responsável pela memória, mas as diferenças nos percursos de excitação. Trilhamento e diferença são os constituintes da memória em psi. Não é uma memória estática, mas diferencial na qual os traços, de tempos em tempos, são submetidos a remanejamentos (Garcia-Roza, 1991a, p. 59).

É uma memória do sistema psi de neurônios, inconsciente, memória de traços. É através dos traços mnêmicos que os acontecimentos psíquicos ficam gravados de forma permanente, sendo reativados por efeito do investimento. Todo traço é traço de uma impressão, momento primário da elaboração mnêmica, anterior à inscrição e posterior à sensação. O traço é a forma como a impressão mantém seus efeitos e se constitui pela elevação das barreiras de contato ao livre escoamento da excitação, dependendo da intensidade da impressão e da repetição. As primeiras experiências deixarão, como produtos duradouros, certas tendências ou caminhos preferenciais. O que está sendo constituído a partir das experiências infantis não é apenas a memória, mas simultaneamente uma tendência ou força, o desejo primário, o que Freud, posteriormente, conceituará como pulsão. É uma memória "desejante", pulsional.

O núcleo do sistema psi está em conexão direta com a fonte endógena de excitação que age de forma contínua. A exposição continua à Q é a mola pulsional do mecanismo psíquico. Como a fonte endógena atua de forma contínua, é necessário que os neurônios tolerem certa passagem de Q em direção à descarga motora, recuperando em seguida à passagem sua impermeabilidade. Cada passagem cria uma facilitação a que o mesmo percurso seja percorrido. O objetivo da descarga motora é o alívio de tensão no sistema psi, mas isso só pode ser alcançado se for eliminado o estímulo na fonte de Q. A simples descarga motora não é suficiente para reduzir a tensão e o sentimento de desprazer.

Somente a ação específica é capaz de eliminar o estado de estimulação na fonte. Essa ação não é realizável pelo organismo humano nos primeiros anos de vida. Ela só pode ser realizada com o auxílio de outra pessoa, a mãe, por exemplo, que oferece o alimento para saciar sua fome, suprimindo assim a tensão. É a eliminação da tensão decorrente de estímulos internos que dá lugar à *vivência de satisfação*. Quando o estado de necessidade se repetir, surgirá um impulso psíquico que procurará reinvestir a imagem mnêmica do objeto com a finalidade de reproduzir a satisfação original. A vivência de satisfação gera uma facilitação entre duas imagens-lembrança. Com o reaparecimento do impulso ou do desejo, o investimento passa para as duas imagens-lembrança, reativando-as. São semelhantes à percepção original, mas alucinadas. A alucinação do objeto não é capaz de reduzir o estado de tensão, já que, na ausência do objeto real, não pode haver satisfação (Garcia-Roza, 1991a, p. 128-133). Isso implica um desapontamento constitutivo: por um lado, a procura do objeto é sempre a de um objeto perdido, e, por outro, seu encontro alucinado é o momento de mais uma perda, uma vez que o objeto alucinado não substitui o original.

A noção de impressão também está ligada à noção de trauma: impressões infantis podem adquirir posteriormente, a partir do entendimento sexual, valor traumático, sendo vivenciadas como recordações. A impressão é reatualizada no acontecimento e tem de ser mediada por algo que a represente, uma lembrança que a ela se ligue e que a presentifique não mais como impressão, mas como símbolo mnêmico (Garcia-Roza, 1991b, p. 53). O símbolo mnêmico é o que articula a impressão infantil e o acontecimento que, *a posteriori*, a reatualiza. Conservada como traço ou representação inconsciente, ela, por si mesma, não constitui lembrança e tem de ser reconstruída, como no Homem dos Lobos. A impressão, em si, é exterior à linguagem, ao sentido, ao significante. É da ordem do signo, do sinal, da marca, supõe uma inscrição. O conjunto das inscrições forma um sistema de signos.

A Carta 52, de 1896, pode ser considerada uma ponte entre o *Projeto*, de 1895, e *A interpretação dos sonhos*, de 1900. Para figurar a memória, a metáfora neurofisiológica dá lugar à metáfora da escrita. É uma metáfora que será retomada e aprofundada em um artigo escrito quase 30 anos depois, "Uma nota sobre o Bloco Mágico" (Freud, 1976c). Juntamente com um novo esquema gráfico do aparelho, Freud recentra sua exposição em torno de noções como "inscrição" (*Niederschrift*), "transcrição" (*Umschrift*) e "signo" (*Zeichen*). O traço começa a se tornar escritura (Derrida *apud* Garcia-Roza, 1991a, p. 200). É uma característica destacada por Derrida que saúda o recurso metafórico freudiano da grafia, da escrita não fonética, notando que, na Carta, a estrutura do aparelho psíquico é representada como uma máquina de escrita, e não uma máquina de fala.

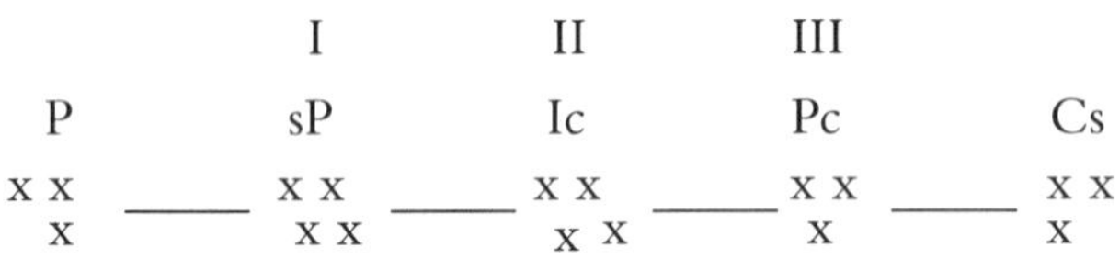

		I		II		III		
P		sP		Ic		Pc		Cs
x x	____	x x	____	x x	____	x x	____	x x
x		x x		x x		x		x

O modelo de aparelho psíquico da "Carta 52" (Freud, 2016, p. 36)

No esquema, a *Percepção* (P) corresponde à impressão do mundo exterior. É a pura transparência à qual vai se ligar a consciência e que não retém qualquer traço. Essas percepções não correspondem a nenhuma experiência, são o dado bruto desprovido de qualidade. As *Percepções* vão dar lugar a uma primeira inscrição, os *signos de percepção* (sP), primeiro registro mnêmico organizado de acordo com associação por simultaneidade e inteiramente inacessível à consciência. O que vai se oferecer como conteúdo do aparelho psíquico são signos que serão inscritos e transcritos. O registro seguinte é o da *Unbewusstsein, inconsciência* (Ic), organizado provavelmente segundo a associação por causalidade e também inacessível à consciência. O terceiro registro é a *Vorbewusstsein, pré-consciência* (Pc), ligada à representação-palavra, correspondente ao eu. Os investimentos provenientes da *Pc* tornam-se conscientes segundo certas regras. Os registros são sucessivos, e a passagem de um para o outro se faz através de uma tradução (reordenamento, retranscrição) do material psíquico (Garcia-Roza, 1991a, p. 204). Nota-se que a percepção e a pré-consciência/consciência se situam em extremidades separadas.

A metáfora da escrita encontra sua formulação mais acabada no texto sobre o bloco mágico, dispositivo cuja folha de cobertura, composta de uma folha de celuloide e um papel encerado, recebe a escrita que desaparece assim que a folha é levantada. A folha de celuloide é comparada à consciência, que recebe as impressões sem fixá-las e que está aberta às novas impressões. A prancha de cera que fica atrás é comparada à memória, por preservar traços indeléveis, que podem ser observados contra a luz, do que foi escrito e apagado na folha anterior. Percepção e memória são concebidas novamente como dois sistemas relacionados, mas separados.

Em *A interpretação dos sonhos* (1900), Freud propõe um modelo de aparelho psíquico que retoma os elementos desenvolvidos nos trabalhos anteriores e que vai servir como sua referência durante mais de 20 anos. É considerada a sua primeira tópica – Inconsciente, Pré-Consciente, Consciente –, aprofundada nos *Artigos de metapsicologia*, de 1914, e modificada apenas em 1923, em *O ego e o id.*

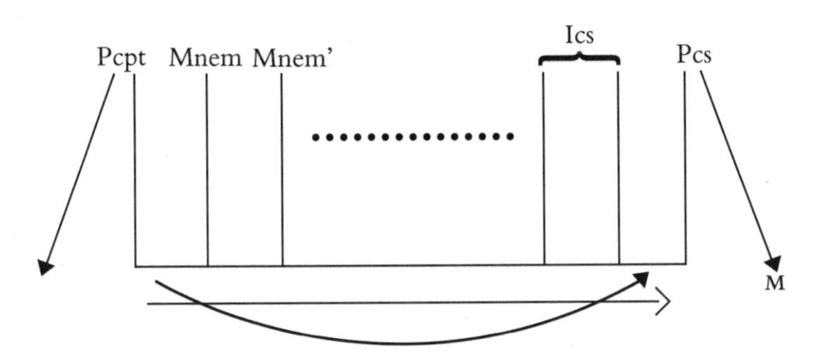

O aparelho é formado por sistemas cujas posições relativas se mantêm constantes de modo a permitirem um fluxo orientado num determinado sentido. Um sistema situado na frente do aparelho (Pcpt) recebe os estímulos, mas não os registra, uma vez que tem de estar permanentemente aberto às novas percepções. As funções de retenção, registro, armazenamento e associação são atribuídas aos diversos sistemas mnêmicos (Mnem) que recebem as excitações do primeiro sistema e as transformam em traços permanentes. Não há um único, mas vários estratos/sistemas de memória, o último dos quais o inconsciente (Ics), que precede e suporta o pré-consciente (Pcs). O Pcs está ligado essencialmente à linguagem e desemboca diretamente na motricidade, no ato e na consciência. O funcionamento do aparelho é assegurado por uma série de sistemas estratificados de memória que precedem o Ics, que, por sua vez, precede o Pcs. Entre esses sistemas há censuras que impedem o livre trânsito das representações. Como no aparelho da Carta 52, a consciência se encontra nas duas extremidades do aparelho.

É um aparelho concebido para explicar os sonhos – formação, organização, expressão, origem –, mas, também, é um aparelho de memorizar, pensar, fantasiar, falar e que articula todos esses elementos. O impulso à formação dos sonhos, o desejo onírico, é localizado no Ics: os desejos infantis que permanecem em estado de recalcamento funcionam como induzidores permanentes de seu conteúdo. O caminho percorrido pelo desejo na formação do sonho parte do desejo inconsciente liga-se aos restos diurnos e se esforça por avançar pelo Pcs e obter acesso à consciência. Durante o dia, o acesso é barrado pela censura imposta pela resistência. À noite, detida pelo sono do Pcs/Cs, sem acesso à motilidade, atraída pelos grupos de lembranças inconscientes, a excitação se movimenta para trás, regressivamente, no sentido da extremidade sensória, atinge o sistema perceptivo e o desejo se realiza de forma alucinatória.

No *Projeto*, Freud elabora uma topografia ou topologia dos traços; na Carta 52, o traço torna-se uma escritura; em *A interpretação dos sonhos*, o texto psíquico revela, enfim, sua textura. A estrutura do aparelho e a textura do texto se tornam indissociáveis, não havendo anterioridade de um sobre o outro. O aparelho se diferencia em seus vários sistemas, atendendo a necessidades cada vez mais complexas de articulação entre as pulsões e as representações. É o texto psíquico que impõe a divisão entre os sistemas psíquicos. Esse texto psíquico não é feito apenas de palavras, mas também de imagens, e é estruturado como uma linguagem. O sonho é uma escritura psíquica paradigmática: não é a encenação de um texto prévio que ele traduz em imagens, mas é o próprio texto escrito com elementos pictográficos originais.

O aparelho descrito em *A interpretação dos sonhos* não faz mais referência a neurônios ou a qualquer suporte material. Seus referentes são ideias, representações, pensamentos, desejos, sonhos, linguagem. Tampouco importa sua localização espacial, mas a estrutura topológica, isto é, a posição relativa que os sistemas ocupam uns em relação aos outros. Acima de tudo, trata-se de uma tópica temporal, em que os processos psíquicos seguem uma determinada sucessão no tempo. Em um artigo de 1915, "O inconsciente", Freud detalha as propriedades desse "lugar psíquico", sua estrutura, seu funcionamento, diferenças e relações com o sistema Pcs/Cs. O núcleo do Ics consiste em representantes pulsionais, impulsos carregados de desejo, que procuram descarregar sua energia. São representados por *representações de coisas,* diferentemente do Pcs/Cs, onde as *representações de coisas* se articulam às *representações de palavras*. Estão submetidas a leis específicas. Diferente da Cs, que se organiza pela razão, lógica, realidade, no Ics não há lugar para a contradição, para a negação, para o tempo. Seus processos são regidos pelo processo primário – deslocamento e condensação – e pelo princípio do prazer.

Os conteúdos do inconsciente não têm acesso ao consciente a não ser por via das "formações do inconsciente", fenômenos lacunares que se manifestam como descontinuidades no discurso consciente, acompanhados por um sentimento de ultrapassagem, surpresa, estranheza: sonhos, parapraxias, chistes, sintoma (Garcia-Roza, 1987, p. 171). A série pode parecer aberrante ao juntar elementos tão díspares, mas, para além de suas diferenças fenomênicas, o modo de produção é semelhante, como Freud demonstrou exaustivamente *em A interpretação dos sonhos, Sobre a psicopatologia da vida cotidiana, O chiste e suas relações com o inconsciente* e nos casos clínicos. O Ics como memória desejante intervém em todos esses fenômenos. Nas parapraxias ou atos falhos, em particular, a própria memória pode ser afetada diretamente, como no esquecimento de nomes próprios.

São esses fenômenos analisados por Freud que dão sustentação à tese clássica de J. Lacan de que "o inconsciente é estruturado como uma linguagem". A fórmula minimalista ressalta a pertinência de uma série de noções freudianas – traço, inscrição, impressão, representação, representação-coisa, representação-palavra – ao campo da linguagem e as reúne em torno das noções de significante (rede de significantes, rede simbólica) e letra. O Ics é estruturado como uma linguagem, como uma rede de significantes, uma rede simbólica que se inscreve no corpo e que dá as trilhas por onde o desejo e a pulsão vão circular na procura da satisfação. Essa rede precede o sujeito, está constituída antes do seu nascimento e se institui como Ics a partir do discurso do Outro como um automatismo de repetição. Se em Freud o Ics é constituído pela tessitura da memória, em Lacan a própria tessitura da memória inconsciente é constituída pela rede significante, pela articulação de letras, seus efeitos de significação e de satisfação (gozo). O significante representa um sujeito (do Ics) para outro significante; as letras/traços são os suportes materiais do significante. De alguma forma, o sujeito repete sempre as mesmas trilhas, aquelas que foram trilhadas na sua memória inconsciente, à procura de um objeto perdido e repetindo o fracasso de encontrá-lo.

Freud não elabora propriamente uma teoria da memória-lembrança, memória-acontecimento, memória da consciência. Não é uma memória da qual se possa oferecer uma descrição fenomenológica, a memória da psicologia ou a memória bergsoniana, apesar dos pontos em comum, como as teses de que o passado se conserva integralmente (embora não seja necessariamente recordado), de que o esquecimento é ativo, de que a memória tem um caráter seletivo e está em contínuo remanejamento. Para Bergson, a memória é referida permanentemente à possibilidade de se tornar consciente como imagem-lembrança; para Freud ela é, fundamentalmente, inconsciente (Garcia-Roza, 1991a, p. 46).

A abordagem freudiana é metaneurológica e metapsicológica. Seu aparelho não precisa ter um correlato anatômico nem ter uma representação consciente:

> deverei ignorar totalmente o fato de que o aparato mental no qual estamos interessados também é conhecido sob a forma de uma preparação anatômica, e deverei evitar a tentação de determinar a localização sob qualquer aspecto anatômico. Deverei manterme em um terreno puramente psicológico, e proponho seguir a sugestão de que concebamos o instrumento portador de nossas funções mentais como algo semelhante a um microscópio ou máquina fotográfica. A localidade psíquica corresponderá a um ponto dentro do aparato no qual um dos estágios preliminares de uma imagem vem a existir. Estas ocorrem em pontos ideais nas quais nenhum componente tangível do aparelho se situa (Freud *apud* Garcia-Roza, 1991b, p. 169).

Freud se interessa pela rede de imagens mais do que pelo aparelho que as projeta, pelo texto mais do que pelo papel onde ele se imprime. Há uma organização simbólica, um sistema, que se apoia e interfere no sistema nervoso, mas que se subordina a leis diferentes das neurobiológicas. Diferente de outros aparelhos do corpo, o aparelho psíquico não nasce pronto quando do nascimento da criança. Ele se forma na relação com outros aparelhos psíquicos e é somente no seio de uma pluralidade de aparelhos semelhantes que poderá se constituir.

Memória na clínica freudiana

Fundamental na constituição do aparelho psíquico e do inconsciente, a memória está implicada direta ou indiretamente em todos os fenômenos e noções da clínica e da teoria freudiana: amnésia infantil, recordações encobridoras, recalque, mecanismos de defesa, sintoma, reminiscência histérica, símbolo mnêmico, sonhos, lapsos, compulsão à repetição, transferência, direção do tratamento... Muitas das ideias de Freud sobre a memória foram incorporadas não só à psicanálise, mas também ao *corpus* da psicologia e da psicopatologia, e são utilizadas de forma corriqueira. A despeito da importância intra e extrapsicanálise, não se encontram verbetes dedicados especificamente à memória ou a temas correlatos, como "recordação", "reminiscência", "rememoração", nem no *Vocabulário de psicanálise*, de Laplanche e Pontalis, nem no *Dicionário enciclopédico de psicanálise*, de P. Kaufmann, nem nos *Scilicets*, o que não deixa de ser surpreendente. Um breve sobrevoo nos temas freudianos demonstra o papel capital da memória e de suas vicissitudes em sua obra.

"As histéricas sofrem de reminiscências", constata nos *Estudos sobre a histeria* (Freud, 1976b). A memória de uma impressão traumática que não pôde, em seu tempo, ser ab-reagida é dissociada da massa de ideias, e seu registro mnêmico passa a agir como um corpo estranho no psiquismo. O acontecimento traumático provoca um aumento na soma de excitação ou afeto, e, se uma reação motora ou verbal foi impossível, a sua memória dá origem ao sintoma. O sintoma é um *símbolo mnêmico* do acontecimento traumático. A rememoração do acontecimento é buscada porque possibilita a ab-reação do afeto que ficou estrangulado. Quando o incidente é recordado, o sintoma, como símbolo mnêmico, desaparece. Essa é a base do método catártico, criado por Breuer e Freud para tratar das *reminiscências histéricas* antes da criação da psicanálise.

No tratamento de Emma, paciente que desenvolvera uma fobia de entrar sozinha em lojas, duas memórias relevantes vieram à tona: 1) aos 12 anos entrou numa loja e viu dois funcionários rindo juntos. Ela então fugiu da loja com a ideia de que estavam rindo dela e que um deles lhe atraía sexualmente; e 2) aos 8 anos ela foi a uma loja de doces e o lojista tocou seus genitais por cima de sua roupa. Apesar desse primeiro acontecimento ela voltou à loja e foi novamente molestada. A risada dos funcionários da loja evocou a memória do sorriso do lojista da memória mais antiga, e seu sintoma, a fobia, atuava como um substituto para a memória recalcada das duas cenas traumáticas e que só foram desveladas no decorrer de seu tratamento.

Com a introdução do método psicanalítico e sua aplicação a um campo clínico cada vez mais extenso, o acento se deslocou. A experiência germinal de Freud centrou-se em torno da ideia de que a reconstituição completa da história do sujeito era o elemento essencial, constitutivo, estrutural do progresso analítico. Preenchendo as lacunas da memória, a psicanálise abriria a possibilidade de o sujeito reintegrar sua história até os seus últimos limites, até uma dimensão que ultrapassava os limites individuais. Daí o acento nas situações da história que aparece em cada caso clínico freudiano. Não tanto um acento colocado no passado, porque a história não é o passado, ou é o passado na medida em que é contado no presente. Com a descoberta das recordações encobridoras, da interferência da fantasia, da impossibilidade de recordar a "verdadeira" recordação, o acento vai recair cada vez mais fortemente na vertente da reconstrução e menos na vertente da revivência. O fato de que o sujeito revive os eventos formadores de sua existência não é, em si mesmo, tão importante quanto o que disso ele reconstrói. Trata-se menos de lembrar a história do que de reescrevê-la (LACAN, [1953-54]1983, p. 22).

A memória freudiana está assentada sobre dois "esquecimentos primordiais": *o recalque primário* e a *amnésia infantil*. O recalque primário é um processo hipotético que consiste na primeira operação do recalque, instituinte da separação entre Ics e Cs. Constitui o núcleo do Ics, polo de atração dos conteúdos que serão submetidos ao recalcamento secundário. A amnésia infantil é o esquecimento da primeira infância. As experiências dessa época, que têm um papel estruturante, ficam registradas na memória de forma permanente e inerradicável, mas não podem ser recordadas, sucumbindo inteiramente à amnésia. Isso em nada diminui sua influência. A experiência analítica convence da verdade de que a criança é pai do adulto, tal a importância dos primeiros anos de vida. Aquilo que a criança experimentou sem compreender, porque não dispunha da linguagem, ela não poderá rememorar, mas, mais tarde, "irromperá em sua vida como impulsos obsessivos, governará suas ações, decidirá de suas antipatias e simpatias e, muitas vezes, determinará sua escolha de objeto amoroso, para a qual é tão frequentemente impossível achar uma base racional" (FREUD *apud* RUDGE, 2013, p. 126). O resíduo das experiências infantis vai se manifestar por meio de uma repetição compulsiva. Diferentemente do que supõe a concepção biológica ou o senso comum, a memória não promove, necessariamente, uma adaptação à realidade. Se ela fosse adaptativa, deveria impedir que se repetissem os passos que levaram ao sofrimento. Seu caráter inconsciente e pulsional é a causa da repetição do sofrimento.

As recordações da infância são fundamentalmente diversas das recordações da vida adulta. Numa analogia com a historiografia, as memórias da idade adulta seriam fixadas durante as experiências, tal como a escrita histórica que é a crônica dos eventos atuais, enquanto as recordações da infância seriam fantasias construídas *a posteriori* e que sofreram amplas deformações, como na tradição oral. Sem acesso ao acontecimento original, só temos transcrições e retranscrições oferecidas por sonho, transferência, lembrança encobridora, sintoma neurótico, construção delirante, alucinação. São as vias de retorno dessa memória exilada que se dão na interseção entre presente e passado, produções novas, cristalizações em que as experiências atuais e o recalcado se encontram a partir de alguma analogia ou elo em que o presente é reforçado com a energia do recalcado.

As *recordações encobridoras* são memórias de acontecimentos aparentemente irrelevantes que se apresentam com uma intensidade sensorial pouco usual em função de seus laços associativos com experiências recalcadas. São inseparáveis das fantasias. Considerando todas as lembranças da infância disponíveis pela rememoração como encobridoras, Freud amplia o alcance da amnésia para todo um período que pode ser designado como nossa pré-história. As experiências recalcadas que se escondem atrás das recordações encobridoras, acessíveis a uma reconstrução em análise, são de uma fase posterior ao momento da amnésia infantil e, retroativamente, projetadas para esse período. Forjadas depois que o recalcamento tornou-se eficaz, as recordações da infância não se caracterizam pela precisão histórica. Para Freud, a reconstituição da história de vida pela memória, capaz de fornecer uma cadeia sequencial de eventos, só está presente a partir de certa idade, entre 6 e 10 anos (Freud *apud* Rudge, 2013).

Quanto aos sonhos, todo o *material onírico* deriva de experiências passadas e é lembrado e reproduzido no sonho mesmo quando não acessível na vida de vigília. Para Freud, nada do que se possui mentalmente se perde e, por isso, conhecimentos e informações inteiramente esquecidos podem ser utilizados nos sonhos. A função da recordação nos *sonhos hipermnésicos,* no entanto, é modesta e se reduz a ser o campo onde podem ser encontrados os significantes com os quais são urdidos não só sonhos, como também sintomas e fantasias. O "material para reprodução", inacessível na vigília, são significantes – palavras em língua estrangeira que não se conhecem, citações, palavras obscenas com as quais não se está familiarizado, etc. – que servem para expressar o pensamento do sonho.

Psicopatologia da memória

Para tentar ordenar os fenômenos da memória e suas alterações, os tratados de psicopatologia utilizam diversas classificações. Fenomenologicamente, divide-se o processo de memorização em etapas:

Fixação	Retenção	Recuperação	Evocação	Reconhecimento
capacidade de acrescentar novos materiais ao armazenamento da memória.	habilidade de armazenar conhecimento que pode, subsequentemente, retornar à Cs.	capacidade de obter o material armazenado na memória.	retorno para o Cs da informação armazenada em um momento selecionado.	é a sensação de familiaridade que acompanha o retorno do material armazenado à Cs.

Em relação ao tempo de aquisição do material memorizado, divide-se a memória em fases ou tipos:

Memória imediata ou de curtíssimo prazo	Memória recente ou de curto prazo	Memória remota ou de longo prazo
Confunde-se com a atenção e é a capacidade de reter o material imediatamente após tê-lo percebido.	Capacidade de reter a informação por um período curto de tempo (minutos, até uma hora).	Capacidade de evocar informações e acontecimentos ocorridos no passado, após meses ou anos.

Distinguem-se também os tipos de memória de acordo com a natureza dos elementos memorizados e segundo o processo neuropsicológico envolvido:

Memória explícita ou declarante	Memória implícita, não declarante, procedural	Memória de trabalho, operante ou executiva	Memória episódica	Memória semântica
O processo de registrar e evocar de forma consciente informações referentes a pessoas e eventos autobiográficos, assim como conhecimentos factuais.	Tipo de memória automática ou reflexa que não depende de fatores conscientes e voluntários e que ocorre de forma lenta por meio de repetições e múltiplas tentativas (andar de bicicleta, datilografar).	Conjunto de habilidades que permitem que informações novas e antigas sejam mantidas ativas a fim de serem manipuladas na execução de uma tarefa.	Corresponde a eventos concretos, geralmente autobiográficos, bem circunscritos; é a recordação consciente de fatos reais.	Refere-se ao aprendizado da palavra e seu significado e é o tipo de memória envolvido no aprendizado e na aquisição de conhecimentos partilhados pelos membros de uma determinada sociedade (memória cultural). Diz respeito ao registro e à retenção de conteúdos em função do significado.

Uma classificação semelhante é apresentada por G. Gabbard (2008, p. 19):

Memória explícita (Consciente)		Memória implícita (Inconsciente)	
Genérica	Episódica	Procedural	Associativa
Envolve conhecimento de fatos e ideias.	Envolve lembranças de incidentes autobiográficos específicos.	Envolve o conhecimento de habilidades, como tocar piano, e o "manual" de relacionamento social com outras pessoas. Para o autor, os esquemas inconscientes aos quais nos referimos são, até certo ponto, memórias procedurais, sempre repetidas numa série de situações interpessoais.	Envolve conexões entre palavras, sentimentos, ideias, pessoas, eventos ou fatos.

Da mesma forma que as classificações dos tipos de memória, as classificações dos transtornos da memória variam amplamente. Abaixo são apresentadas as classificações de P. Dalgalarrondo e A. Sims:

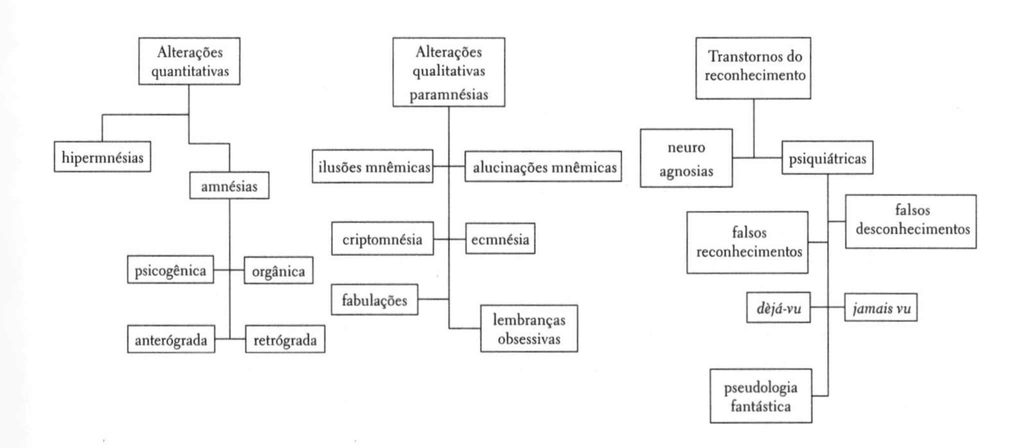

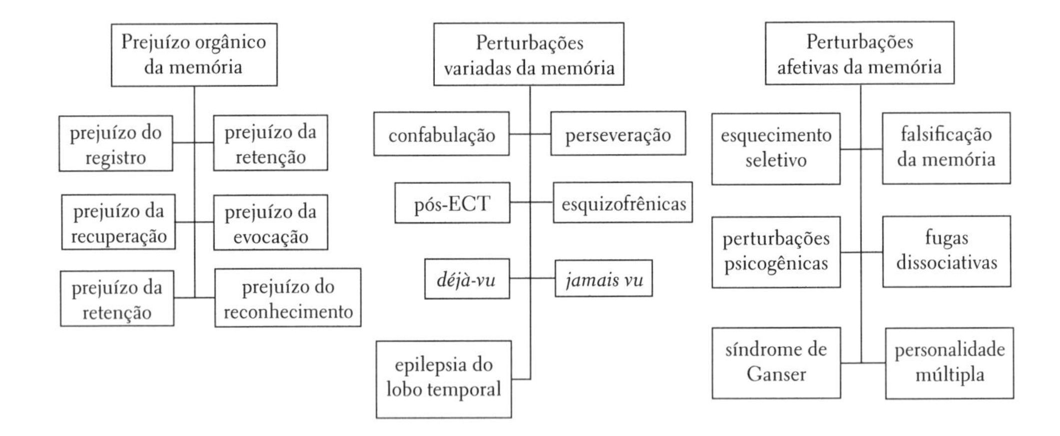

São notáveis as dificuldades dessas classificações. Não há elementos ordenadores bem-fundamentados a não ser nas amnésias orgânicas. Que relação há entre *déjà-vu*, confabulação, perseveração, prejuízo esquizofrênico e distúrbios do lobo temporal? Sims apela para o termo "perturbações variadas", que é uma forma de agrupar o que não se agrupa. Mais do que uma dificuldade pessoal dos autores, há uma dificuldade de organizar o tema exatamente porque a memória se apresenta em várias modalidades e está associada a toda atividade psíquica, variando primária ou secundariamente conforme as variações dessa atividade. O que se lê nos textos de referência é a listagem e a descrição dos transtornos e seu agrupamento em classes diversas, mais ou menos arbitrárias, conforme cada autor. Adentrar e aprofundar a discussão de cada uma das situações descritas implicaria percorrer toda a psicopatologia: transtornos orgânicos, psicogênicos, afetivos, esquizofrênicos, delirantes, maníacos, depressivos, histéricos, obsessivos...

Uma forma comum de abordar esses transtornos é separá-los em orgânicos e psicogênicos, segundo a presença ou ausência de alterações cerebrais ou sistêmicas reconhecíveis. Apesar de muitos autores considerarem errôneo, a princípio, tentar fazer essa distinção, uma vez que em ambas as condições lida-se com o funcionamento anormal do mesmo aparato psicológico e com as tentativas de se adaptar a essa anormalidade, ela continua a ser utilizada, e tanto Sims como Dalgalarrondo a usam.

Faremos uma descrição sucinta dos principais transtornos, juntando termos usados nas duas classificações.

Perturbações orgânicas

Prejuízo do registro

A percepção adequada, a compreensão e a resposta ao material apresentado são pré-requisitos para o aprendizado envolvido na memória. Condições em que há perturbações da consciência, como nas psicoses confusionais, o registro pode não ocorrer. Dois outros exemplos de falha do registro são a *amnésia anterógrada e retrógrada* – em que se perdem os acontecimentos ocorridos depois ou antes de um traumatismo cranioencefálico (TCE) – e a *amnésia palimpséstica*, o *black-out* alcóolico.

Prejuízo da retenção

A retenção pode estar prejudicada na memória imediata, recente ou remota. O prejuízo da memória imediata e recente é um achado precoce em demências tipo Alzheimer e multi-infarto. Há enorme discrepância entre a clareza da memória remota e o prejuízo da recente.

Prejuízo da recuperação

Na síndrome de Korsakoff (diencefálica), alcóolica ou não, ocorre amnésia grave por dificuldade de evocação com falta de crítica, negação da dificuldade e confabulação. Na amnésia hipocampal também ocorre o prejuízo da evocação, mas a crítica está preservada e não há confabulação.

Prejuízo da evocação

A recordação é a reintegração de um evento completo, partindo de uma variedade de componentes, e é uma função da evocação. Alterações da evocação são mais características das falhas psicológicas, como na fuga histérica, na crise de pânico, numa situação de estresse.

Prejuízo do reconhecimento

O reconhecimento é primariamente afetivo, um sentimento de familiaridade, mais do que cognitivo, e pode estar ausente na síndrome de Korsakoff ou experimentado com estranheza nas diversas espécies de despersonalização e desrealização.

Perturbações variadas

Déjà-vu e jamais vu

Trata-se também de transtornos do reconhecimento, quer o evento novo seja vivido como já vivido ou o evento habitual como jamais vivido. São consideradas experiências comuns da vida cotidiana e que podem se exacerbar e adquirir novos significados em condições como a epilepsia do lobo temporal e em estados psicóticos como a esquizofrenia.

Falsos reconhecimentos e falsos desconhecimentos

Falso reconhecimento é quando o paciente confunde uma pessoa com outra, fala com o médico acreditando que é um amigo conhecido. *Falso desconhecimento* é quando ele afirma não conhecer pessoas que conhece, por exemplo, sua esposa. Na síndrome de Capgras, ele acredita que as pessoas são cópias, sósias das pessoas reais, inclusive de si mesmo.

Confabulação

Falsificação da memória que ocorre na vigência de uma síndrome amnéstica de origem orgânica ou tóxica, sem turvação da consciência ou das capacidades cognitivas. Na síndrome de Korsakoff, a confabulacão pode assumir duas formas: 1) embaraço, no qual se demonstra uma preservação da consciência e adequação social; 2) fantástica, no qual as produções imaginárias excedem as necessidades de adaptação. A sugestionabilidade é uma característica proeminente. O material da confabulação é comparável aos sonhos e devaneios.

Perseveração

Uma resposta apropriada a um primeiro estímulo sendo dada inapropriadamente para um segundo estímulo diferente, na presença em geral de turvação de cs e que é um sinal de organicidade.

Perturbação pós-eletroconvulsoterapia (ECT)

Perturbação que ocorre imediatamente após a aplicação de ECT – amnésia retrógrada e anterógrada – e que pode persistir após a interrupção das aplicações.

Prejuízo na esquizofrenia

Várias modalidades de alterações, vinculadas à produção delirante ou à sintomatologia negativa e variando conforme a gravidade e cronicidade do quadro. Ilusões mnêmicas – a um núcleo verdadeiro se associam falsas recordações – e alucinações mnêmicas – criações imaginativas com a aparência de lembranças – podem ocorrer.

Distúrbios do lobo temporal

Fenômenos vinculados à memória, à percepção, aos afetos. Os transtornos de memória incluem os déficits hipocampais de armazenamento e esquecimento acelerado, *jamais vu* e *déjà-vu*. Pode haver estados alterados de consciência, estados crepusculares com prejuízo do registro. É descrita a *evocação panorâmica*, na qual o paciente revive longos períodos de sua vida.

Perturbações afetivas

As emoções perturbam a memória tanto nos estados psicológicos normais como nos patológicos. Esquizofrênicos são inclinados a contar memórias delirantes, ansiosos, memórias ansiosas e depressivos, memórias tristes. A história do paciente é modulada inevitavelmente pelo estado mental (Sims, 2001, p. 61).

Esquecimento seletivo

A memória pode ser considerada como um processo de *esquecimento seletivo*. O esquecimento está sujeito à influência dos afetos. Quais as sensações registradas? O que é conservado? Por quanto tempo? Quais são as informações disponíveis para a evocação? A falsificação sempre ocorre em virtude da interação afeto-memória. "A memória declara que eu fiz isso; eu não poderia ter feito isso, diz meu orgulho; e a memória perde o dia" (Nietzsche *apud* Sims, 2001, p. 61). Por outro lado, alguns eventos catastróficos são lembrados vivamente com os sentimentos de embaraço e humilhação e, em certos tipos de personalidade, como na anancástica e na paranoica, podem ser a base de complexos ideoafetivos patogênicos. Em geral, existe uma tendência de esquecimento e distorção de eventos dolorosos e embaraçosos. A natureza seletiva do esquecimento é uma das evidências da existência do inconsciente e dos mecanismos de defesa do ego (Sims, 2001, p. 62).

Falsificação da memória

Na *pseudologia fantástica,* as recordações falsificadas são grandiosas e fantasiosas. As perguntas são respondidas com fluência – a mentira é fluente –, e o paciente as relata acreditando na história que conta. A pseudologia, em geral, está associada a transtornos de personalidade do tipo histérico ou antissocial e surge, muitas vezes, quando o paciente está enfrentando uma crise como um processo criminal. Há sobreposição com a síndrome de Münchausen (Sims, 2001, p. 62).

Em transtornos de personalidade e também nos transtornos de humor a memória é falseada, distorcida, e eventos e circunstâncias são mal representados. A inexatidão da lembrança é denominada de *paramnésia.* Um paciente depressivo ou maníaco pode falsificar sua história de acordo com a polarização de seu humor; um paciente esquizofrênico pode dar novas significações delirantes a recordações ou recordá-las de forma delirante.

Perturbação psicogênica

Criptomnésia é a experiência de não se lembrar que se está lembrando. Uma pessoa escreve uma melodia fascinante, um livro genial sem se dar conta de que está plagiando em vez de produzir algo original.

Geralmente, experiências desagradáveis e desconfortáveis não são lembradas precisamente. Há um esquecimento do desagradável, defeito da evocação que é um exemplo de um mecanismo de defesa bem-sucedido. Por outro lado, quando predomina o afeto da desesperança, há uma reativação de memórias de fracassos que reforçam a desesperança.

Fuga dissociativa

Na dissociação, há um estreitamento do campo de consciência com subsequente amnésia do episódio. Nos estados de fuga histérica, o sujeito pode viajar para longe dos lugares habituais em um estado de estreitamento de consciência e não se recordar do que fez. A pessoa parece estar em contato com a realidade e normalmente comporta-se adequadamente. Existe, com frequência, perda de identidade ou adoção de uma nova identidade.

Síndrome de Ganser

No texto original de Ganser (1898), eram descritos quatro casos de prisioneiros que apresentavam: 1) para-respostas – na escolha das respostas, o paciente parecia ignorar deliberadamente a resposta correta e selecionava uma resposta falsa que qualquer criança reconheceria como tal; 2) turvação da consciência com desorientação; 3) estigmas histéricos; 4) história recente de TCE ou estresse emocional grave; 5) pseudoalucinações auditivas e visuais; 6) amnésia para o período durante o qual os sintomas foram manifestados. A síndrome de Ganser é vista muito raramente.

Personalidade múltipla

Existem dúvidas consideráveis sobre a autenticidade do transtorno de personalidade múltipla. Geralmente é iatrogênico, suscitado pelo interesse médico no caso, ou simulado, sendo usado por pacientes em processos criminais. Em casos supostamente autênticos há, via de regra, amnésia completa subsequente para uma ou mais das personalidades.

No Livro II, dedicado à nosologia, teremos a oportunidade de discutir cada um dos transtornos mais profundamente.

Referências:

ANSERMET, F. *Clínica da origem*. Rio de Janeiro: Contra Capa, 2003.

BOSI, E. *Memória e sociedade*. São Paulo: Companhia das Letras, 1991.

CHAUI, M. *Convite à filosofia*. São Paulo: Ática, 2000.

DALGALARRONDO, P. *Psicopatologia e semiologia dos transtornos mentais*. Porto Alegre: Artes Médicas Sul, 2000.

DAMASIO, A. *E o cérebro criou o homem*. São Paulo: Companhia das Letras, 2011.

DEROUESNÉ, C.; MADEC, B.; LACOMBLEZ, L. *Encyclopédie Médico-chirurgicale*. Paris: Elsevier, 1999.

EY, H.; BERNARD, P.; BRISSET, C. *Manual de Psiquiatria*. Rio de Janeiro: Atheneu, 2011.

FREUD, S. Carta 112[52]. In: *Neurose, psicose, perversão*. Belo Horizonte: Autêntica, 2016.

FREUD, S. Carta 52. In: *Publicações Pré-Psicanalíticas*. Rio de Janeiro: Imago,

1976a. (Edição Standard Brasileira das Obras Psicológicas Completas de Sigmund Freud, I).

FREUD, S. *Estudos sobre a Histeria*. Rio de Janeiro: Imago, 1976b. (Edição Standard Brasileira das Obras Psicológicas Completas de Sigmund Freud, II).

FREUD, S. *Nota sobre o bloco mágico*. Rio de Janeiro: Imago, 1976c. (Edição Standard Brasileira das Obras Psicológicas Completas de Sigmund Freud, XVI).

FREUD, S. *A psicopatologia da vida cotidiana*. Rio de Janeiro: Imago, 1976d. (Edição Standard Brasileira das Obras Psicológicas Completas de Sigmund Freud).

FREUD, S. Projeto de uma Psicologia Científica [1895]. In: *Publicações Pré-Psicanalíticas*. Rio de Janeiro: Imago, 1976e. (Edição Standard Brasileira das Obras Psicológicas Completas de Sigmund Freud, I).

FREUD, S. *Sobre a concepção das afasias: um estudo crítico*. Trad. Emiliano Rossi. Belo Horizonte: Autêntica, 2013. (Obras Incompletas de Sigmund Freud).

GARCIA-ROZA, A. *Introdução à metapsicologia freudiana*. Rio de Janeiro: Jorge Zahar, 1991a, v. I.

GARCIA-ROZA, A. *Introdução à metapsicologia freudiana*. Rio de Janeiro: Jorge Zahar, 1991b, v. II.

GARCIA-ROZA, A. *Freud e o inconsciente*. Rio de Janeiro: Jorge Zahar, 1987.

GABBARD, G. O. *Psiquiatria psicodinâmica*. Porto Alegre: Artmed, 2000.

GASSER, J. La notion de mémoire organique dans l'œuvre de T. Ribot. *History and Philosophy of the Life Sciences, Napolo, v.* 10, n. 2, p. 293-313, (1988). Disponível em: <http://www.jstor.org/stable/23328902>. Acesso em: 30 mar. 2017.

JASPERS, K. *Psicopatologia geral*. Rio de Janeiro; São Paulo: Atheneu, 1987.

LACAN, J. *O Seminário, livro 1: Os escritos técnicos de Freud*. Rio de Janeiro: Zahar, 1983.

LACAN, J. *O Seminário, livro 2: O eu na teoria de Freud e na técnica psicanalítica*. Rio de Janeiro: Zahar, 1985.

LURIA, A. R. *Fundamentos de neuropsicologia*. São Paulo: Edusp, 1981.

MIGUEL, E. C.; GENTIL, V.; GATTAZ, W. F. *Clínica psiquiátrica*. Barueri: Manole, 2011.

RUDGE, A. M. Paradoxos da memória em psicanálise. *Estudos da linguagem*, Vitória da Conquista, v. 11, n. 1, p. 75-92, jun. 2013. Disponível em: <http://www.estudosdalinguagem.org/index.php/estudosdalinguagem/article/view/301/337>. Acesso em: 30 mar. 2017.

SEARLE, J. R. *Consciência e Linguagem*. São Paulo: Martins Fontes, 2010.

SIMS, A. *Sintomas da mente*. Porto Alegre: Artmed, 2001.

Caráter, personalidade e enlaçamentos subjetivos[1]

Tania Coelho dos Santos, Ariel Bogochvol

Caráter, personalidade, temperamento

Como outros termos utilizados na psicopatologia, "caráter" tem várias significações. Em latim, *character* "é uma marca gravada, sulcada, uma impressão ou símbolo na alma". O Dicionário do Aurélio on-line lista 12 significados: 1) O que faz com que os entes ou objetos se distingam entre os outros da sua espécie; 2) Marca, cunho, impressão; 3) Propriedade; 4) Qualidade distintiva; 5) Índole, gênio; 6) Firmeza; 7) Dignidade; 8) Molde de letra escrita; 9) Sinal, figura ou símbolo usado na escrita; 10) Tipo de imprensa; 11) Sinal de abreviatura; 12) Aspecto. No *Dicionário de filosofia* de Abbagnano (2007, p. 133) é definido como "sinal ou conjunto de sinais que distingue um objeto e permite reconhecê-lo facilmente entre outros. Em particular, o modo de ser ou de comportar-se habitual e constante de uma pessoa à medida que distingue e individualiza a própria pessoa".

O termo "caráter" está indissociavelmente vinculado aos termos "personalidade" e "temperamento" ora confundindo-se, ora diferenciando-se deles. No latim, *temperamentum* é "a disposição do homem de agir de um modo ou de outros segundo a mescla de humores que compõe seu corpo" (Abbagnano, 2007, p. 1100). É uma definição referida à teoria hipocrática dos humores que se propagou na medicina e exerce, até hoje, certa influência. Supõe a existência de quatro humores fundamentais – sangue, fleuma, bile amarela e bile negra – que se combinam no corpo;

[1] Este artigo contou com o apoio técnico da doutoranda Flávia Lana Garcia de Oliveira, responsável pelo extenso levantamento bibliográfico, a quem agradecemos e consideramos como coautora desta pesquisa.

conforme o humor predominante, o temperamento poderia ser sanguíneo, fleumático, bilioso ou melancólico. No Dicionário do Aurélio, "temperamento" tem cinco significados: 1) Têmpera; 2) Compleição, caráter, índole; 3) Qualidade predominante no organismo; 4) Combinação; 5) Afinação de instrumento.

No latim, *personalitas* é "relativo a uma *persona*, personagem numa peça teatral ou máscara que a cobria e a identificava". A personalidade pode ser definida como o modo de ser da pessoa ou como a organização que a pessoa imprime à multiplicidade de relações que a constituem. No Dicionário do Aurélio tem três significados: 1) Caráter ou qualidades próprias da pessoa; 2) Individualidade consciente; 3) Pessoa conhecida devido às suas funções, à sua influência. Na experiência psicológica comum:

> A personalidade é um fato que se mostra a cada um de nós como o elemento de síntese da experiência interior que afirma e realiza nossa identidade, harmonizando nossas tendências, hierarquizando-as, adotando algumas, rechaçando outras, imprimindo um ritmo próprio à sua ação. Apresenta-se sob um modo intelectual – o juízo – que se refere não apenas a uma realidade efetuada, mas a uma realidade intencional. A personalidade não é apenas um fato dado; orienta o ser para o ato futuro mediante ao qual se conformará ou não ao juízo que faz de si mesmo (LACAN, [1932]1985, p. 29-30).

Na linguagem ordinária, "homem de caráter", "sem caráter", "bom caráter", "mau caráter", "de caráter fraco", "de caráter forte", "pessoa temperamental", "de bom temperamento", "com temperamento jovial", "com personalidade frágil", "com personalidade marcante" são expressões que se superpõem e que designam o jeito de ser, o modo de se comportar, o aspecto moral ou o impacto de determinadas pessoas no meio social.

Nos tratados de psicopatologia, a personalidade e o caráter são abordados como *funções psíquicas complexas* ou *compostas*, na medida em que implicam no funcionamento interdependente de várias funções psíquicas "elementares", como volição, afetividade, cognição, consciência do eu, juízo... No *campo psi,* as definições variam amplamente de acordo com a época e a orientação teórica dos autores. Alguns diferenciam os termos radicalmente. Para R. Le Senne, *caráter* refere-se ao conjunto das disposições congênitas e compõe o esqueleto mental do ser humano, e *personalidade* refere-se ao conjunto das disposições mais externas, a musculatura mental, os elementos constitutivos que foram livremente adquiridos no correr da vida. Sistema invariável das necessidades, o caráter se encontra no limite entre o orgânico e o mental. É algo objetivo, congênito, imutável, intrínseco à própria pessoa.

pessoa = caráter + personalidade

Cloninger, na mesma direção, mas com outros termos, distingue *temperamento* e *caráter*. *Temperamento* é o conjunto de fatores ou dimensões associadas à afetividade e à impulsividade que teriam determinação predominantemente genética e estabilidade temporal. O *caráter* agregaria dimensões mais dependentes da experiência, apresentando maior influência do tempo à medida que seus traços se estruturariam ao longo do histórico biográfico. G. Allport (1973, p. 50), partilhando dos mesmos pressupostos, define a *personalidade* como "a organização dinâmica daqueles sistemas psicofísicos que, no indivíduo, determinam as suas adaptações singulares ao meio ambiente, resultado da interação entre o temperamento, o caráter e a inteligência". São autores que ressaltam a dupla filiação – biologia/genética e familiar/social/cultural – da personalidade.

personalidade = temperamento + caráter + inteligência

Kretschmer define o caráter como "a totalidade das possibilidades afetivo-volitivas de reação de uma pessoa, surgidas no curso de sua evolução vital, ou seja, a partir da predisposição hereditária e de todos os fatores exógenos: influências físicas, educação, ambiente e incitações acidentais ou episódicas" (Kretschmer, 1954, p. 385). Considera o caráter um elemento intrínseco da personalidade. Procura estabelecer a correlação entre certos tipos particulares de estrutura corporal, estruturas morfológicas e certos temperamentos. A personalidade inclui o caráter e o temperamento modulados pela forma do corpo.

personalidade = caráter + temperamento (corpo)

Alguns autores utilizam os dois termos – "personalidade", "caráter" – sem definir propriamente um deles. A partir de uma perspectiva psicanalítica, O. Fenichel (1966, p. 522) define o *caráter* como

> a maneira habitual de harmonizar as tarefas impostas pelas exigências instintivas com aquelas que impõe o mundo externo. Tem a função não apenas de proteger o organismo dos estímulos internos e externos mas de reagir, dirigir, frear, filtrar e organizar

os estímulos e impulsos permitindo a expressão direta de alguns e de outros em forma um tanto modificada. Constitui a função daquela parte da personalidade persistente, organizadora e integradora que é o ego.

A denominação de caráter destaca, especialmente, a forma habitual de uma dada reação, sua relativa constância. A personalidade inclui o caráter como formação do ego e outras partes extraego não nomeadas na definição.

personalidade = caráter (ego) + extraego

Jaspers não faz uma distinção entre os termos, utilizando-os como sinônimos. Na sua *Psicopatologia geral,* a partir de uma perspectiva fenomenológica, define a personalidade e o caráter, conjuntamente, como

> a totalidade das conexões compreensíveis e individuais da vida humana, relativamente ao modo como o indivíduo se move, se manifesta, experiencia e reage às situações, bem como suas aspirações, valores etc. A personalidade se delimita como consciência de si mesmo e como sentimento de eu em sua historicidade. Mais do que a marca de um ser definitivo, o caráter está referido àquilo que se realiza no mundo, ao que o indivíduo pode produzir no tempo, o que permite possibilidades e decisões em seu curso existencial" (Jaspers, 1973, p. 511).

personalidade § caráter

Lacan, em sua tese de medicina *De la psicosis paranoica en sus relaciones con la personalidad* [As psicoses paranoicas e suas relações com a personalidade], de inspiração jasperiana, concebe a personalidade como 1) um desenvolvimento biográfico que se define por uma evolução típica e pelas relações de compreensão que nela se leem e que, desde o ponto de vista do sujeito se traduzem pelo modo como vive sua história; 2) uma concepção de si mesmo que se define por atitudes vitais e pelo progresso dialético que nelas se pode detectar e que desde o ponto de vista do sujeito se traduz pelas imagens mais ou menos ideais de si mesmo que deixa aflorar na consciência; 3) uma certa tensão nas relações sociais que se define pela autonomia pragmática da conduta e os laços de participação ética que nelas se reconhecem e que do ponto de vista do sujeito se traduz no valor representativo de que ele se sente afetado em relação aos demais" (Lacan, [1932]1985, p. 39). Apesar de não citada, a noção de caráter está implícita na definição da personalidade.

Há autores que não levam em consideração alguns dos termos. No *Vocabulário de psicanálise* (2010), de Laplanche e Pontalis, no *Dicionário enciclopédico de psicanálise: legado de Freud a Lacan* (1996), de P. Kaufmann e colaboradores, e no índice onomástico de *Psicoterapia de orientação analítica* (2015), de C. Eizirik, R. W. de Aguiar e S. S. Schestatsky da Associação Psicanalítica Internacional (IPA), consta apenas o verbete "caráter", inexistindo personalidade e temperamento. No *Dicionário de psicanálise* de E. Roudinesco e no de R. Chemama não constam nenhum dos termos.

Poderíamos multiplicar as definições – cada uma com um estilo – que não somente nomeiam os termos como também espelham as orientações teóricas de seus autores, seus pressupostos básicos. Representam concepções diversas não somente acerca do caráter/personalidade/temperamento, como também da mente/psiquismo/aparelho psíquico, constituição e desenvolvimento desse aparelho, estrutura, história, causa, determinação biológica, psicológica, social, transtornos.

Essas concepções foram produzidas em diferentes momentos da história da psiquiatria, mas, sincronicamente, convivem sem nenhum consenso. As bases sobre as quais se assenta a noção de *transtornos de personalidade ou de caráter* são controversas, mas delimitam um campo comum: transtornos do modo de ser e existir, de se adaptar ao mundo, de relação consigo e com os outros, do comportamento e da conduta, do estilo de inclusão no laço social. Afetam mais ou menos profundamente as relações – familiares, amorosas, de trabalho, legais –, comprometendo de variados modos os enlaçamentos subjetivos e objetivos da vida pública e privada. Na psiquiatria e na psicanálise, sua delimitação implicou o reconhecimento de que a personalidade/caráter não somente eram afetados pelo transtorno mental (como nas psicoses e nas neuroses), mas que também podiam ser, em si mesmos, transtornos mentais.

Antecedentes psiquiátricos

Observações, descrições e teorias sobre o caráter/personalidade/ temperamento e sobre os comportamentos sociais, normais e anormais, são bem antigas. Para Heráclito (535 a.C.-475 a.C.), o caráter era o destino do homem. Teofrasto (372 a.C.-287 a.C.), discípulo de Aristóteles, descreveu 30 tipos de caracteres morais, com base na maneira habitual de agir: fanfarrões, importunos maldosos, vaidosos, descontentes... As descrições de tipos serviram à literatura, ao teatro, à pedagogia, à psicologia, à psiquiatria, à psicanálise, à criminologia, ao direito, ao cinema, à televisão, à astrologia e à psicologia da vida cotidiana.

Dos estudos dos tipos criminosos por Lombroso e as grandes nosografias psiquiátricas na França e na Alemanha até a psicofisiologia no final do século XIX, a definição dos distintos tipos vai constituir a caracterologia como disciplina no início do século XX, incrementada pelos estudos de psicologia patológica (Henri Wallon), psicologia médica (Kretschmer) e psicologia sexual (Havelock Ellis e Krafft-Ebing). Como em outras áreas, a investigação do "patológico" trouxe esclarecimentos fundamentais acerca da "normalidade".

Na nosografia psiquiátrica, traçada a partir da análise exaustiva e objetiva dos fenômenos, ordenados e agrupados em termos de analogias e diferenças nos sistemas de signos das grandes classes dos processos mórbidos, a noção de *transtornos de caráter/personalidade* teve uma lenta germinação. Na primeira etapa do século XIX, a noção de caráter encontrava-se estreitamente vinculada ao universo geral da loucura e da alienação mental. Pinel, alienista fundador do método clínico, incluiu o estudo do caráter entre os distúrbios das faculdades racionais no alienado: sensibilidade ou percepção, emoções e afecções morais, imaginação, pensamento, julgamento, memória, caráter (Pinel, [1801] 2007). O caráter era valorizado enquanto moral e racional. Esquirol, discípulo de Pinel, aprofundou as descrições clínicas e estabeleceu a série nosológica das monomanias: intelectuais, instintivas ou sem delírio, afetivas ou racionais (Esquirol, [1816] 1976). O caráter era referido à alienação mental como faculdade que poderia ou não ser comprometida dependendo do quadro nosológico.

Partindo dos distúrbios afetivos, do caráter, do comportamento e das manifestações de desequilíbrio nervoso, Morel, em 1857, defendeu a tese da degenerescência hereditária como a causa mais importante das doenças mentais. A partir de uma perspectiva antropológica, considerava a degenerescência um desvio de um tipo primitivo perfeito da natureza humana, transmissível hereditariamente, submetido inteiramente à dominação da lei moral sobre o físico (o que implicava a livre aceitação do indivíduo à "destinação social", "sem queixumes") (Bercherie, 1989; Morel, 1857). A doença mental seria a inversão dessa hierarquia. Sua nosologia agrupava as chamadas "personalidades patológicas" em três espécies das loucuras hereditárias (Bercherie, 1989, p 117). Assim como Morel, Magnan se aproximou dos retardos mentais e dos distúrbios de caráter ou de personalidade para designar a classe dos hereditários-degenerados: idiotas, imbecis, débeis mentais e degenerados superiores. Rediscutiu a noção de degenerescência a partir do evolucionismo, considerando-a um estado patológico no qual os desequilíbrios físicos e mentais do degenerado detinham o progresso natural da espécie. Poderia ser herdada ou adquirida e manifestar-se através de sinais ou estigmas físicos, intelectuais e/ou comportamentais.

Kraepelin incluiu os transtornos de personalidade na primeira edição de seu *Compêndio de psiquiatria* (1883), sob outras denominações (loucura moral, loucura impulsiva...) e desde a quinta (1896) até a oitava (1909-1913), sob o nome "estados psicopáticos degenerativos" e "personalidades psicopáticas". Incluiu no primeiro grupo a *excitação* e a *depressão constitucional*, e no segundo, os *criminosos natos* de Lombroso, os *instáveis,* os *mentirosos* e *escroques patológicos*, os *pseudoquerelantes*, os *irritáveis,* os *impulsivos* e os *excêntricos* (Bercherie, 1989, p. 255). Jaspers incluiu "as personalidades e evoluções anormais – psicopatias" na "alienação degenerativa", uma das três classes de sua classificação, ao lado das "psicoses orgânicas" e dos quadros "processuais" (esquizofrenia). Diferentemente da primeira classe, que incluía verdadeiras doenças e na qual se aplicava o diagnóstico médico, os transtornos incluídos nas outras classes implicavam "uma análise causal ou geneticamente compreensível tão completa quanto possível do ponto de vista fenomenológico" (Bercherie, 1989, p. 270), isto é, em métodos de abordagem diferentes dos habituais, baseados nas ciências naturais.

Schneider (1923), em um trabalho que se tornou clássico, definiu as *personalidades psicopáticas* "como aquelas personalidades que sofrem por sua anormalidade ou fazem sofrer, por influência desta, a sociedade". Advertia que o termo "anormal" só podia ser aplicado pela ciência no sentido estatístico e não ideal e, da mesma forma que Jaspers, acreditava que as personalidades psicopáticas eram desvios da normalidade não suficientes para serem consideradas doenças mentais francas. Os tipos de personalidade anormal ou psicopática que descreveu foram: *hipertímicos, depressivos, inseguros de si, fanáticos, carentes de atenção, emocionalmente lábeis, explosivos, desalmados, abúlicos* e *astênicos*. Não pretendia fazer dessa lista uma tipologia, mas uma pura descrição de tipos ideais encontrados no mundo, e não criou propriamente uma classificação. Notável como uma definição tão genérica das personalidades psicopáticas – sofrem ou fazem sofrer – e uma tipologia "não tipológica" tenham obtido tanto sucesso no meio psiquiátrico.

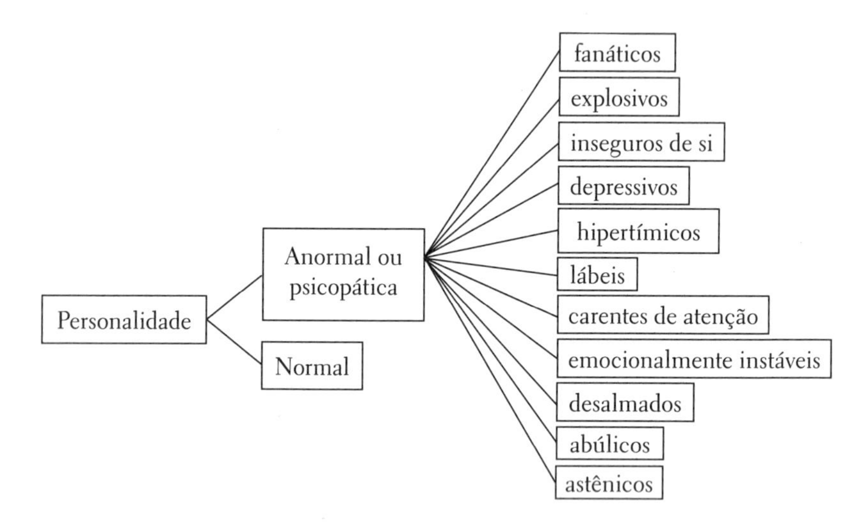

Outros autores tentaram estabelecer uma "tipologia tipológica", não puramente descritiva, baseando-se em elementos ordenadores definidos, escolhidos a partir de pressupostos teóricos. Jung organizou sua tipologia a partir de dois aspectos que ele julgava fundamentais na organização da personalidade: o movimento e a direção da libido, que irão caracterizar duas atitudes básicas – a *introversão* e a *extroversão* – e as funções psíquicas que o indivíduo mais utiliza para se adaptar ao mundo – a *sensopercepção*, o *pensamento*, o *sentimento* e a *intuição* (Dalgalarrondo, 2000, p. 163). A partir de uma combinatória entre os dois planos, propôs oito tipos psicológicos fundamentais que tiveram ampla aceitação no meio psi, a ponto de sua tipologia ser incluída em um texto contemporâneo de psicopatologia e se incorporarem à linguagem cotidiana.

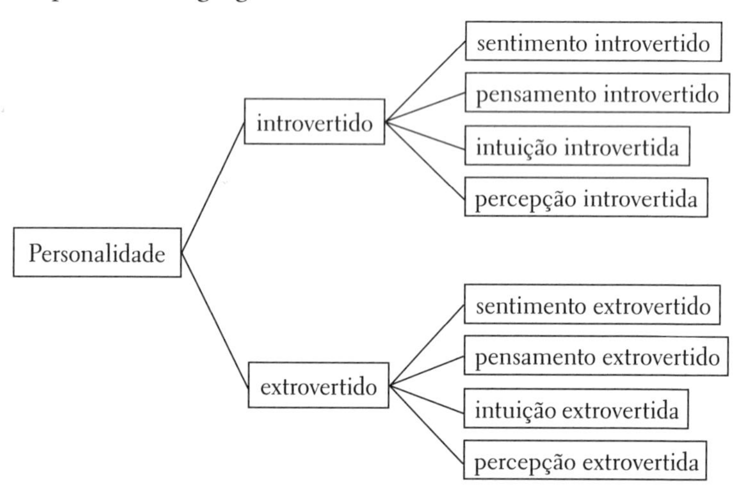

Definindo o *caráter* como "um elemento intrínseco da personalidade, seu aspecto afetivo e volitivo reconhecível na totalidade das reações isoladas às incitações da vida cotidiana", Kretschmer (1963), no estudo monográfico *Do delírio de relação dos sensitivos*, cujo subtítulo era *Contribuição à teoria psiquiátrica do caráter*, tentou substituir as noções empíricas puramente descritivas sistematizando uma caracterologia constitucional dinâmica a partir da valorização da interação do indivíduo com as experiências vividas (Kretschmer *apud* Bercherie, 1989). Considerando "o psiquismo como um desenrolar no tempo em reação à experiência vivida", destacou quatro qualidades do caráter que, se alteradas, poderiam configurar uma predisposição à doença mental: 1) a impressionabilidade ante a experiência; 2) a retenção do vivido; 3) a atividade intrapsíquica de elaboração interna; 4) a expansão, ou seja, a exteriorização e a descarga da força psíquica acumulada. Juntamente a essas quatro qualidades, também balizou o caráter do indivíduo a partir de sua aptidão para reagir, sua capacidade de resistência (natureza estênica) ou sua insuficiência (natureza astênica), além de seu correlato afetivo. Estabeleceu uma caracterologia baseada em uma correlação entre certas estruturas morfológicas e certos temperamentos, em ligações endócrino-humorais e neurovegetativas. Descreveu alguns "biótipos" corporais – *pícnico, leptossômico-astênico, atlético* e *displásico* – e distinguiu os caracteres *ciclotímicos, esquizotímicos* e *viscosos ou gliscroides* (Bercherie, 1989; Kretschmer, 1954).

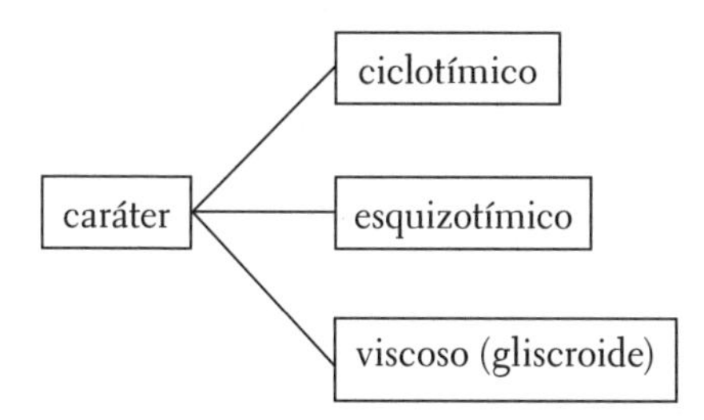

Antecedentes lexicais, psicobiológicos, cognitivos, comportamentais

Em seu alcance geral, a caracterologia tropeça em graves dificuldades. A menor delas não é certamente a de escolher, dentre a grande riqueza de termos que a linguagem oferece para designar as particularidades pessoais, aquelas que seriam essenciais e distingui-las das acessórias. Segundo Klages, (*apud* Lacan, [1932]1985, p. 44) existem quatro mil palavras em alemão para designar características pessoais. Cattel, na década de 1940, reuniu uma lista de milhares de léxicos descritores de características individuais extraídos de dicionários de língua inglesa, eliminou redundâncias e organizou os termos restantes em 171 pares antagônicos que, a partir de uma análise fatorial, foram agrupados em 16 fatores. Essa abordagem léxica prosperou. Cinquenta anos depois, organizados e revisados em sucessivas análises, os 16 fatores foram reagrupados em cinco superfatores ou dimensões relativamente estáveis que, segundo os pesquisadores, eram independentes da amostra, cultura ou época e deram origem ao modelo chamado 5-fatorial ou Big-Five (Tavares; Ferraz, 2011, p. 1052). Nesse modelo, os cinco fatores invariantes cuja combinatória constituiria as personalidades eram designados *neuroticismo, extraversão, conscienciosidade, cordialidade* e *abertura.*

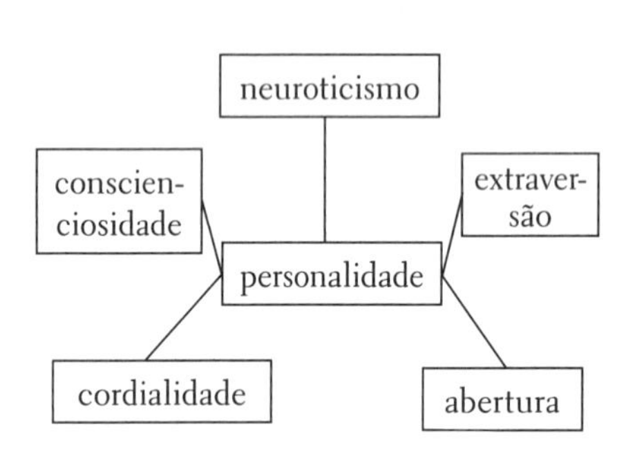

Neuroticismo: traços associados à expressão de afetos negativos e à instabilidade emocional. *Extraversão*: traços associados à expressão dos afetos positivos, busca de interação com o meio e com os semelhantes. *Conscienciosidade*: traços associados aos escrúpulos morais, sentimentos de responsabilidade e preocupação com o futuro. *Cordialidade*: traços associados à afabilidade, tolerância e cooperação. *Abertura*: traços associados à capacidade de aceitar novas ideias e raciocínios não convencionais.

Em paralelo à abordagem léxica, desenvolveram-se durante as décadas de 1960 e 1970 propostas de abordagens psicobiológicas. Gray e Eysenck partiram de um modelo simplificado que supunha a existência de duas instâncias básicas da personalidade, com as devidas correspondências no sistema nervoso central (SNC): um fator de inibição do comportamento – o *neuroticismo* – e um fator de iniciação do comportamento – a *extraversão*. Posteriormente, constataram uma divisão interna do construto da extraversão e criaram um terceiro fator independente: o *psicoticismo* (Tavares; Ferraz, 2011, p. 1052).

Neuroticismo: fator de inibição do comportamento. *Extraversão*: fator de iniciação de comportamento. *Psicoticismo*: traços independentes da expressão afetiva caracterizados por reatividade comportamental e não conformidade.

Tanto o modelo léxico como o psicobiológico foram criticados por não apresentarem uma dimensão representativa da construção e do reconhecimento de uma identidade própria. Apontava-se para a falta de uma ou mais instâncias que, pautadas em aprendizagem simbólica, expressassem a forma particular que cada indivíduo apresenta de conciliar tendências antagônicas, eleger metas, planejar-se em função delas e, como resultante da construção desses conceitos, estabelecer para si uma identidade. O indivíduo também constrói uma percepção/valoração da relação com os outros indivíduos e com uma nova realidade que, por meio do símbolo, transcende a mera percepção dos estímulos sensoriais. Um modelo 7-fatorial, incluindo esses elementos, os *fatores do temperamento*, foi proposto por Cloninger. Os transtornos de personalidade representariam variações quantitativas desses fatores (Tavares; Ferraz, 2011, p. 1053).

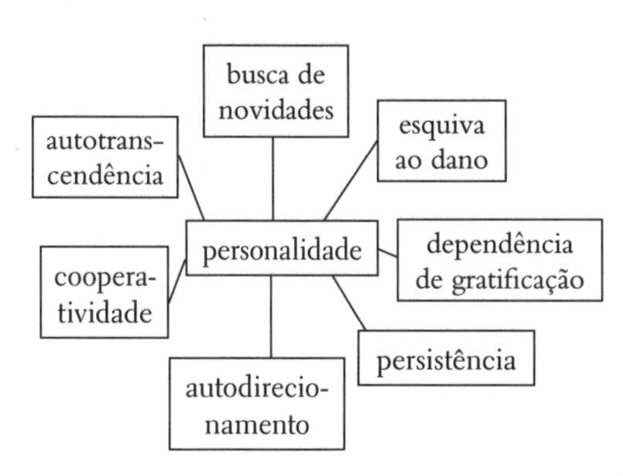

Busca de novidades: tendência de responder intensa e rapidamente aos estímulos novos e potencialmente gratificantes. *Esquiva ao dano*: vulnerabilidade à punição, ameaça e condicionamento por reforço negativo. *Dependência de gratificação*: suscetibilidade ao aprendizado por condicionamento clássico e reforço positivo. *Persistência*: capacidade de persistir em um comportamento há muito recompensado mesmo na ausência prolongada de reforço. *Autodirecionamento*: capacidade de solucionar conflitos internos e percepção de si como um indivíduo autônomo. *Cooperatividade*: capacidade de ser empático e de conciliar diferentes posições em um grupo. *Autotranscendência*: visão de si mesmo como parte integrada de uma realidade ampliada.

Referências freudianas

Freud empregou o termo "caráter" em diversos momentos de sua obra. Na narrativa das histórias clínicas, a consideração do caráter do paciente e dos familiares condensava os fatores que contribuíram para o desencadeamento e a permanência dos processos patológicos, das alterações resultantes do comprometimento psíquico, assim como de suas transformações ao longo do tratamento.

No artigo "Um caso de cura pelo hipnotismo" (1892-1893), relacionou a neurose da mãe e as alterações do caráter do irmão a uma "disposição hereditária para a neurose" da paciente. No caso Emmy von N. (1893), ocupou-se dos precedentes causadores de suas alterações de caráter e se surpreendeu com o escasso efeito do tratamento no caráter, apesar da notável melhora do quadro sintomático. No caso Dora, estabeleceu uma ligação entre o caráter e a identificação paterna. No caso do pequeno Hans (1909), abordou as repercussões da fobia infantil na formação do caráter. No caso do Homem dos Lobos (1918 [1914]), atribuiu as "alterações de caráter" no curso da doença durante a infância do paciente à atitude homossexual em relação ao pai e à sua identificação com os padecimentos de sua mãe.

Quanto à natureza do caráter – sua origem, formação, fixação, transformação, tratamento –, Freud trouxe diversas contribuições. Nos *Três ensaios sobre a teoria da sexualidade* afirma:

> o que descrevemos como caráter de uma pessoa é constituído, em grande parte, com o material das excitações sexuais e se compõe de instintos que foram fixados desde a infância, de construções alcançadas por meio da sublimação e de outras construções empregadas para, de maneira eficaz, conter os impulsos perversos reconhecidos como não utilizáveis. A disposição sexual perversa polimorfa pode, assim, ser considerada a fonte de várias de nossas virtudes, na medida em que, por meio da formação reativa, estimula o desenvolvimento delas (Freud *apud* Santos; Fontoura; Faria, 2015, p. 480).

Em "Caráter e erotismo anal" (1908a), Freud mostra que traços de caráter podem surgir como substituição de uma satisfação sexual direta da zona erógena anal, durante o treinamento esfincteriano. A moralidade, a vergonha e as formações reativas surgiriam após o "período de latência", impondo à satisfação pulsional transformações que têm implicação direta no desenvolvimento do caráter. A ordem, a parcimônia e a obstinação são elencados como os traços que conformam o *caráter anal,* constituindo-se como "prolongamentos inalterados dos instintos originais ou sublimação desses instintos ou formações reativas contra os mesmos" (Freud, [1908] 1996, p. 164). No mesmo ano, em "Moral sexual 'civilizada' e doença nervosa moderna", Freud (1908b) acentua os efeitos nocivos que a abstinência sexual e a excessiva restrição das pulsões podem produzir no caráter, levando a um enrijecimento, e discute a problemática relação entre a satisfação sexual direta e as sublimações necessárias para alcançar com êxito as metas da civilização.

No artigo "A disposição à neurose obsessiva" (1913) traça uma diferença entre sintoma e caráter:

> No campo do desenvolvimento do caráter, estamos sujeitos a encontrar as mesmas forças instintuais que encontramos em operação nas neuroses. Mas uma nítida distinção teórica entre as duas se faz necessária pelo único fato de que o fracasso da repressão e o retorno do reprimido – peculiares ao mecanismo da neurose – acham-se ausentes na formação do caráter. Nesta, a repressão não entra em ação ou então alcança sem dificuldades seu objetivo de substituir o reprimido por formações reativas e sublimações. Daí os processos da formação de caráter serem mais obscuros e menos acessíveis à análise que os neuróticos" (Freud, [1913] 1996, p. 347).

Diferentemente do sintoma, que produz sofrimento e surge como um acontecimento localizado na vida do sujeito, o traço/caráter o acompanha desde sempre, é sua marca, objeto de orgulho e emerge como uma aliança com a satisfação, de forma egossintônica.

sintoma # caráter

Em 1916, no artigo "Alguns tipos de caracteres encontrados no trabalho analítico", descreve três tipos: as *exceções*, os *arruinados pelo êxito* e os *criminosos por sentimento de culpa*. Os tipos são apresentados a partir da peculiaridade de suas posições em relação à satisfação/insatisfação libidinal. Aqueles que reivindicam serem tratados como *exceções* acham que já renunciaram e sofreram o bastante e, por isso, teriam o direito de ser poupados de novas exigências e das limitações impostas pela vida. Em função de um sofrimento experimentado na infância do qual não tem culpa e que é encarado como uma desvantagem injusta, o sujeito reivindica ser indenizado, compensado pela perda sofrida e recusa-se a se submeter a qualquer necessidade desagradável.

Os *arruinados pelo êxito* são indivíduos que adoecem, precisamente, no momento em que um desejo profundamente alimentado na fantasia alcança realização. Como resultado, não conseguem usufruir daquilo que tanto desejaram. Essa reação tem origem no mesmo conflito formador das neuroses. O eu, enquanto expressão da autopreservação e dos ideais da personalidade, entra em conflito com os desejos libidinais, frustrados em sua satisfação real. O eu mostra-se tolerante em relação a um desejo enquanto ele lhe parece inofensivo, quando existe apenas na fantasia e a realização lhe parece distante. No entanto, tão logo tal desejo se aproxima da realização ou se torna realidade, o eu age, armando-se com suas defesas, e se culpa. "São as forças da consciência que proíbem ao indivíduo obter a tão almejada vantagem proveniente da feliz mudança da realidade" (Freud, [1916] 1996, p. 333).

Os *criminosos em consequência de um sentimento de culpa* invertem a noção habitual de que o sentimento de culpa é a consequência da ação proibida. Nesses casos, o sentimento de culpa não surgia a partir do crime, mas era aquilo que o motivava. A culpa inconsciente provinha do complexo de Édipo como resposta às duas grandes intenções criminosas de matar o pai e ter relações sexuais com a mãe. Na tentativa de atenuar a pressão interna, o criminoso, com seu crime, buscava punição. Cometer o delito causaria, acima de tudo, alívio por fixar o crime em alguma ação na realidade.

Depois de reconhecer a existência da pulsão de morte, um princípio do funcionamento psíquico que operava *Além do princípio do prazer* (1920), Freud desenvolve, em *O ego e o id* (1923), uma segunda teoria do aparelho psíquico. Comparando-o com uma vesícula viva com suas defesas contra a estimulação interna e externa, propõe um modelo constituído por três instâncias: o *isso,* o *eu* e o *supereu.* O *isso* é a sede das pulsões, inconsciente, constituído por material recalcado e por elementos originários, herdados. O *eu* se enraíza no isso e é constituído através da identificação aos objetos dos investimentos libidinais abandonados pelo isso, na medida em que o investimento objetal é substituído pela instalação do objeto dentro do próprio eu. O eu é ativo, quer viver e ser amado, e se esforça por mediar as relações entre o isso, o mundo externo e o supereu. O *supereu* também se origina no isso e representa uma formação reativa enérgica contra os impulsos dessa instância. Os pais da criança, e especialmente o pai, eram percebidos como obstáculo a uma realização dos desejos edipianos, de maneira que o eu infantil fortificou-se para a execução da repressão erguendo esse mesmo obstáculo dentro de si próprio. Para realizar isso, tomou emprestada a força ao pai, e esse empréstimo constituiu um ato extraordinariamente momentoso. O supereu retém o caráter do pai. A sua relação com o eu não se exaure com o preceito "Você deveria ser assim (como o seu pai)" mas também compreende a proibição "Você não pode ser assim (como o seu pai), isto é, você não pode fazer tudo o que ele faz; certas coisas são prerrogativas dele". Quanto mais poderoso o complexo de Édipo e mais rapidamente sucumbir à repressão (sob a influência da autoridade, do ensino religioso, da educação escolar), mais severa será posteriormente a dominação do supereu sobre o eu sob a forma de consciência ou de sentimento inconsciente de culpa.

Em 1931, no artigo "Tipos libidinais", Freud esboça uma sistematização utilizando como princípio ordenador o predomínio de uma das três instâncias psíquicas no modo de funcionamento: *erótico*, *narcísico* e *obsessivo*. O tipo *erótico*, em que há prevalência das exigências pulsionais do isso, caracteriza-se pelo temor da perda de amor, levando o sujeito a assumir uma posição de dependência daqueles que podem privá-lo de seu investimento amoroso. O tipo *obsessivo* distingue-se pela predominância do *supereu* e são pessoas que, em vez de terem medo de perder o amor, são dominadas pelo temor de sua consciência. A dependência ocorre mais no nível interno que no externo (Freud, [1931] 1996, p. 226). No terceiro tipo, o *narcísico*, predomina o *eu*. Os sujeitos dessa índole têm uma constituição na qual inexiste a tensão entre o eu e o supereu e também não há a preponderância de necessidades eróticas. Sua personalidade é marcada pelo grande interesse na autopreservação, pela independência, pela não abertura à intimidação e pela grande quantidade de agressividade à disposição no eu. Na clínica, encontram-se, com muito mais frequência, tipos mistos. Os tipos descritos não necessariamente acarretam uma neurose, embora as fixações libidinais em jogo possam elucidar as condições que conduzem às neuroses. "Parece fácil inferir que, quando pessoas do tipo erótico caem doentes, elas desenvolverão histerias, assim como as do tipo obsessivo desenvolverão neuroses obsessivas. As pessoas do tipo narcísico estão particularmente dispostas a psicoses e também apresentam precondições essenciais para a criminalidade" (Freud, [1931] 1996, p. 227).

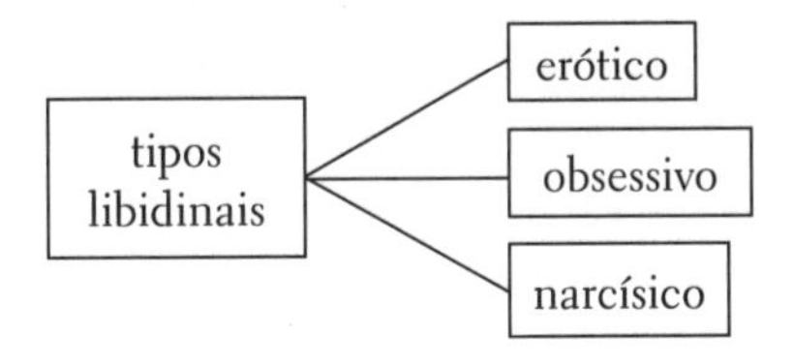

Referências reichianas

Wilhelm Reich, psicanalista do círculo freudiano que, posteriormente, rompeu com Freud, foi quem levou mais longe uma investigação acerca do caráter, destacando sua importância na clínica e como resistência ao tratamento analítico. Constituiu sua caracterologia tomando como eixos conceituais a teoria dos mecanismos inconscientes, a abordagem histórica de seu desenvolvimento e a compreensão dinâmico-econômica dos mecanismos psíquicos envolvidos em sua gênese. Definindo o estudo do caráter como "uma teoria genética de tipos" (Reich, [1930] 2001, p. 149), retomou a hipótese freudiana de que certos traços de caráter podiam ser explicados como transmutações permanentes das forças pulsionais infantis provocadas pelas influências ambientais. Buscou aprofundar a relação entre o caráter e sua base pulsional.

O caráter de uma pessoa é revelado pelo seu *modo típico de reagir* no dia a dia e no tratamento. A característica mais fundamental de uma pessoa são as formas diversas que o *encouraçamento* do ego pode assumir como mecanismo de defesa contra os perigos do mundo externo e as exigências pulsionais recalcadas do id. O caráter é um *mecanismo de defesa narcísico* em face da colisão entre o id e o superego, servindo ao ego como uma proteção que leva o aparelho psíquico a erguer uma barreira, um *para-choque* entre si próprio e o mundo externo ao preço de uma mudança crônica que leva ao seu *enrijecimento.* A *couraça de caráter* e o *caráter do ego* dominam a soma total das influências do mundo externo sobre a vida pulsional através da acumulação e da homogeneidade qualitativa, constituindo um todo histórico. Esses modos de reação que moldam a personalidade específica de uma pessoa são observáveis em seu comportamento característico, como no andar, na expressão facial, na postura e na maneira de falar. A formação do caráter, justamente por ser uma formação consolidada, que preserva modos de resposta estabelecidos e constituídos em um mecanismo automático e independente da vontade consciente, é concebida como uma modalidade de resistência (*resistência do caráter*) à descoberta do inconsciente.

A couraça do caráter é uma "formação protetora" que vem acompanhada do ônus da restrição da mobilidade psíquica da personalidade como um todo. A diferença entre uma estrutura orientada para a realidade e uma estrutura de caráter neurótico depende da flexibilidade do encouraçamento, isto é, de sua capacidade de se abrir ou se fechar para o mundo exterior. O modo de reagir da couraça procede de acordo com o princípio de prazer-desprazer: em situações de desprazer se contrai, nas de prazer se expande. A existência de "brechas na couraça" abre vias de comunicação em um sistema que de outra forma estaria fechado em si mesmo. O autismo e a esquizofrenia figurariam como protótipos clínicos extremos desse pleno fechamento.

A formação do caráter, do ponto de vista econômico-libidinal, precipita-se como "uma forma definida de superação do complexo de Édipo" (Reich, [1930] 2001, p. 152). O cerne da constituição da couraça no conflito infantil é situado entre os desejos genitais incestuosos e a frustração real da satisfação desses desejos. O simples recalque e a formação da neurose infantil seriam outros destinos possíveis para solucionar o conflito edípico. Esses processos alternativos e a formação do caráter convergiriam em sua dinâmica de funcionamento para uma forte oposição entre desejos genitais demasiadamente intensos, de um lado, e um ego relativamente fraco, que, por medo de ser punido, protege-se pelo recalque e pelo represamento das forças pulsionais. Nesse processo, a criança internaliza certos traços de caráter da pessoa responsável pela repressão. Esses traços são dirigidos à própria pulsão, que é recalcada e controlada de algum modo. Ou seja, os agentes repressivos do mundo externo são introjetados e funcionam como árbitros morais no superego. Instaura-se, assim, um conflito indissolúvel entre proibição e pulsão que constitui terreno fértil para as formações reativas graves.

O complexo de Édipo submerge graças à ameaça de castração, mas volta à superfície transformado em reações de caráter que, por um lado, mantêm suas principais características de maneira distorcida e, por outro, constituem formações reativas contra seus elementos básicos. A energia sexual genital fica aprisionada nas satisfações pré-genitais e se constituem em barreiras à função sexual genital. Os fatores decisivos para o enrijecimento do ego não residem no conflito sexual na infância e no complexo de Édipo em si mesmos, mas na maneira como são resolvidos, o que depende em grande parte da natureza do próprio conflito familiar. Com isso, a formação do caráter encontra-se condicionada à fase na qual a pulsão é frustrada, à frequência e à intensidade dessas frustrações, às pulsões contra as quais a frustração é principalmente dirigida, à correlação entre a indulgência e a frustração, ao sexo do principal responsável pela frustração, bem como às contradições nas próprias frustrações. Essas declinações podem acarretar diversas posições de defesa egoicas que se sobrepõem e se fundem, aglutinando reações de caráter que pertencem a períodos diferentes do desenvolvimento da libido. O papel estruturante da colisão entre pulsão e frustração não se desvincula da maneira como esse choque acontece, o que diz respeito à incidência da moral sexual prevalecente nas fases do desenvolvimento libidinal.

Reich trabalha com as categorias de encouraçamento saudável e patológico, que correspondem respectivamente ao *caráter genital* e ao *caráter neurótico*. O que determina a diferença entre a saúde e a doença, assim como os tipos específicos de caráter, são as forças usadas para estabelecer o caráter, às quais se permite satisfação direta. Nesse sentido, a importância recai sobre a qualidade e a quantidade da couraça do caráter e suas modalidades de assimilação da angústia. Diferencia a *satisfação orgástica genital da libido* e a *sublimação* como as modalidades de satisfação próprias ao caráter genital das *satisfações pré-genitais* e das *formações reativas* tipicamente neuróticas. O caráter genital possibilita a regulação da economia da libido, governando adequadamente a alternância entre tensão e satisfação libidinal e conferindo aos indivíduos a capacidade de amar e trabalhar. Reich adverte que esses tipos básicos são encontrados de forma mista na clínica, e a cada caso verifica-se se o caráter se aproxima mais de um ou outro tipo. Quando a disposição da libido para as satisfações é contida, desenvolvem-se sintomas ou traços de caráter neurótico que prejudicam a capacidade social e sexual.

No que se refere à estrutura do eu, no caráter genital há um alto grau de harmonia entre o isso e o supereu. O supereu possui elementos sexualmente afirmativos, não havendo proibições de natureza sexual. A ausência da estase da libido o afasta de tendências sádicas que poderiam recair sobre o ego. Como efeito, há uma correlação íntima entre o eu ideal e o eu real, despojada de qualquer tensão insuperável entre os dois. No caráter neurótico, por sua vez, o supereu destaca-se pela negação sexual, gerando um conflito constante entre o isso e o supereu. Uma vez que o complexo de Édipo não foi dominado, a proibição do incesto – que é a injunção central do supereu – permanece atuante, interferindo em qualquer forma de relação sexual. As exigências positivas do eu ideal elevam-se cada vez mais, ao passo que o eu – impotente e paralisado pelos sentimentos de inferioridade – se torna cada vez menos eficiente.

A forma final do caráter é determinada qualitativamente pela posição específica da fixação da libido, ou seja, pelas fases do desenvolvimento histórico da libido nas quais o processo de formação do caráter foi mais permanentemente influenciado pelos conflitos internos. Além disso, quantitativamente, depende da economia da libido, que se conecta intrinsecamente ao fator qualitativo. Reich apresenta um esquema simplificado dos tipos da formação do caráter, numa tentativa de trazer luz às condições fundamentais que conduzem a tal diferenciação. Dedica-se, a partir de alguns casos clínicos, ao estudo da formação de atitudes de caráter como superação da *fobia infantil*; bem como de algumas formas mais definidas do caráter, como o *caráter histérico*, o *caráter compulsivo*, o *caráter fálico-narcisista* e o *caráter masoquista*.

Por meio do encouraçamento *fóbico*, o eu ganha um fortalecimento à custa de um enrijecimento e de uma restrição de sua mobilidade. A solução fóbica efetua uma cisão da personalidade, ao mesmo tempo que a formação de um traço de caráter consolida uma personalidade específica. O caráter *histérico* caracteriza-se pela atitude sexual inoportuna, a agilidade física com matiz sexual, o coquetismo nos modos de andar, falar e olhar, a timidez e a ansiedade. Nos homens, sobressaem a delicadeza e a cortesia excessivas. No caráter *compulsivo* sobressaem o pedantismo e o perfeccionismo. Vivem de acordo com um padrão irrevogável e pré-concebido, sendo qualquer mudança geradora de angústia. Seu modo de pensar minucioso e repetitivo pode limitar sua capacidade de trabalho por não permitir a espontaneidade do indivíduo. Sua capacidade crítica, nos perímetros estritos da estrutura da lógica, é melhor desenvolvida que a criativa. Além disso, revelam uma acentuada inclinação para reações de piedade e sentimentos de culpa. O caráter *fálico-narcisista* é tipicamente autoconfiante, arrogante, inflexível e enérgico em seu comportamento. Fisicamente, é descrito como um tipo atlético, encontrado frequentemente em pilotos, militares, engenheiros, atletas. O elemento narcísico, em oposição ao elemento da libido objetal, destaca-se na atitude para com o objeto. Apesar de seu irresistível interesse por si próprios, algumas vezes estabelecem fortes relações com as pessoas e as coisas do mundo. O traço mais proeminente do caráter *masoquista* é um sentimento subjetivo crônico de sofrimento que se manifesta objetivamente nas tendências a se queixar, a infligir dor a si próprio, a se autodepreciar e a atormentar as outras pessoas. Além disso, um típico comportamento atáxico, desajeitado, prevalente nos gestos habituais e nas relações com as pessoas, uma "pseudodeficiência mental". Os traços mais relevantes do caráter masoquista são encontrados em todos os caracteres neuróticos (Reich, [1939] 2001).

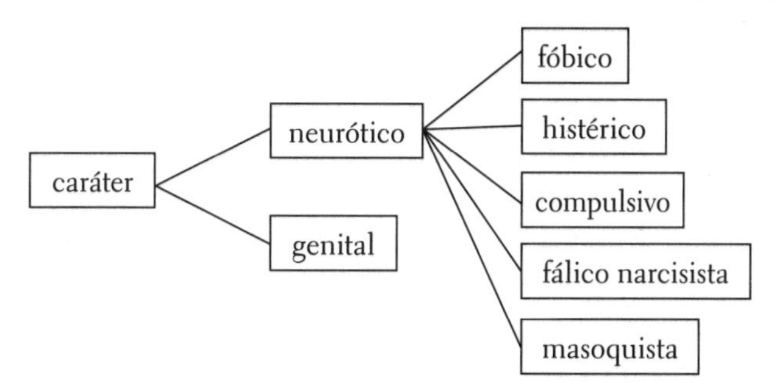

Para Reich ([1930] 2001, p. 179), "o tratamento analítico é aquele que consegue transformar a estrutura do caráter neurótico em uma estrutura de caráter genital". Uma economia saudável da libido seria possível mediante o abandono dos juízos morais e sua substituição pela autorregulação da ação. As necessidades sexuais, biológicas e culturais poderiam engendrar um autocontrole, prescindindo da moralidade.

Referências pós-freudianas e pós-reichianas

A psicanálise se iniciou com a investigação do sintoma neurótico, com fenômenos que são alheios ao eu e não se encaixam devidamente no caráter, que é o modo habitual de conduta. Enfocou e compreendeu o inconsciente antes de estudar os fenômenos conscientes. Começou, então, a entender que não apenas os estados mentais inabituais e de brusca aparição, mas também as maneiras ordinárias da conduta – o modo habitual de amar, de odiar, de se comportar em diversas situações – podiam resultar compreensíveis de um ponto de vista genético. A partir da psicologia do eu, a psicanálise desenvolveu a caracterologia, seu ramo mais jovem (Fenichel, 1966, p. 518).

Otto Fenichel se dedicou ao tema das neuroses de caráter partindo da hipótese de que a resposta neurótica, na modernidade, não se apresentava mais como no tempo de Freud. O que acontecia com as neuroses clássicas era que uma personalidade cabalmente integrada se via repentinamente perturbada pela aparição de atos e impulsos inadequados, mas sua perturbação se restringia ao sintoma e suas ramificações, não afetando a existência como um todo. Por isso, Franz Alexander aludia à função terapêutica do sintoma, já que este se manifestava de forma discreta, circunscrita, não comprometendo a vida de maneira geral, protegendo-a de uma invasão. No lugar de se defrontar com casos de neurose claramente delineados, viam-se cada vez mais pessoas afetadas por transtornos menos definidos, mais incômodos às vezes para as pessoas que rodeavam o paciente do que para ele mesmo. Nas neuroses modernas, não se tratava de uma personalidade uniforme que, em certo momento, era perturbada por um acontecimento, mas de personalidades desgarradas, comprometidas de tal forma pela enfermidade que desaparecia a linha de demarcação entre personalidade e sintoma. A neurose se infiltrava na existência. Tratava-se da mesma questão abordada pela psicopatologia geral no tocante aos transtornos de personalidade, mas tratados de forma psicanalítica.

neuroses modernas = neuroses de caráter = transtornos de personalidade

As neuroses de caráter/caracteres neuróticos, diferentemente das neuroses clássicas, são da esfera do eu, e não do inconsciente. Nas neuroses clássicas, o sintoma é uma formação substituta, constituída por meio do ciframento do desejo infantil, a partir do recalque que incide sobre os elementos universais, parricidas e incestuosos despertados pelo complexo edipiano. Nas neuroses de caráter, os traços são constituídos ou a partir da satisfação direta da pulsão ou a partir de defesas, formação reativa e sublimação. Remetem a uma modalidade de tratamento e satisfação da pulsão diferente das utilizadas no sintoma neurótico. A fórmula segundo a qual "nas neuroses o que havia sido rechaçado volta de uma forma alheia ao eu" deixou de ser válida. Fenichel interroga as razões das mutações que teriam sofrido as neuroses do seu tempo e as localiza na mudança da cultura e, especificamente, da moralidade. O caráter do homem é determinado pela sociedade que impõe frustrações específicas, obstrui certos modos de reação e facilita outros (Fenichel, 1966, p. 519), o que mostra a sua íntima relação com o Outro.

A teoria do caráter é dependente de uma teoria das pulsões e seus destinos, bem como de uma teoria da diferença entre as identificações narcísicas e edipianas. A formação do caráter começa com a constituição do eu, graças ao efeito unificante de uma nova ação psíquica, o amor de si mesmo. O eu exclui de seu campo o autoerotismo originário das pulsões parciais, orienta-se pelo narcisismo, servindo-se das formações reativas e destinando as pulsões à "inversão no contrário" e ao "retorno sobre o próprio eu". O corpo originário, fragmentado pelo autoerotismo, unifica-se por meio desse novo amor, fundando o eu narcísico. A formação do supereu como herdeiro das identificações paternas pós-edipianas confere ao caráter uma dimensão sublimatória. A emergência do caráter está intimamente ligada à inscrição da função paterna que constitui a consciência moral. A renúncia pulsional e as formações substitutivas inserem o sujeito no laço social por meio dos ideais culturais. O caráter se aproxima, então, do ideal do eu.

Em seu conjunto, o caráter reflete o desenvolvimento histórico do indivíduo. As atitudes caracterológicas são compromissos entre os impulsos instintivos e as forças de eu que tratam de dirigir, organizar, postergar e bloquear tais impulsos. A partir de diferenças entre as formas de manejar essas forças e contraforças, Fenichel propõe uma classificação que diferencia os traços de *caráter sublimado* dos traços de *caráter reativo*, retomando, sob outros termos, a diferença reichiana entre caráter genital e caráter neurótico. Numa condição, o eu consegue realizar o impulso de uma forma mais ou menos direta ou sublimada, adaptada às exigências sociais. Noutra condição, o eu adota atitudes de evitação e de oposição – formações reativas – que produzem uma inibição generalizada ou um empobrecimento econômico, limitando a flexibilidade (Fenichel, 1966, p. 527). Discute as várias classificações e conserva a divisão *fóbico, histérico, compulsivo,* acrescida dos caracteres *cíclico e esquizoide*. Descreve também, sem inseri-los em uma tipologia, os *caracteres de acting out,* os *carentes de sentimento de culpa*, *os criminosos*, o *Don Juan do êxito*, *o masoquismo moral.*

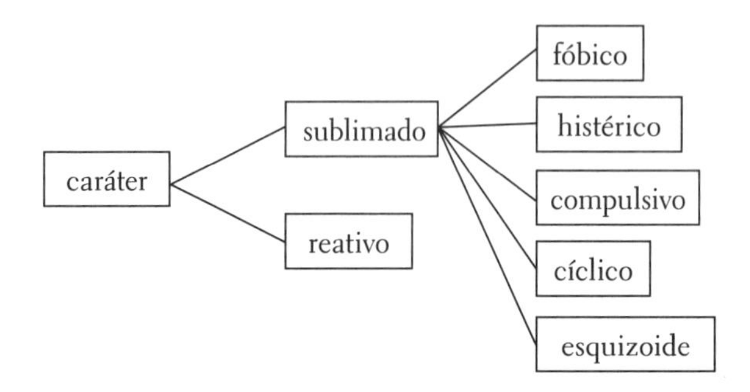

Fenichel discute as necessidades de mudanças da técnica e da terapia analítica frente aos transtornos de caráter. A atitude do paciente em relação ao seu transtorno é diferente da que mostram os neuróticos em relação aos seus sintomas. Uma coisa é tratar algo que afeta a periferia da personalidade, e outra é tratar a própria personalidade. O método psicanalítico se baseia na cooperação de um "sujeito razoável" a quem se demonstra, mediante a interpretação, a existência de derivados do inconsciente que lhe são desconhecidos. Supõe um caráter "cabalmente responsável". E os "caráteres irresponsáveis", eles podem ser tratados pela psicanálise? (Fenichel, 1966, p. 598). A condição é que seu próprio caráter seja tomado como um sintoma.

Referências lacanianas e pós-lacanianas

O sentido do *retorno a Freud* empreendido por Lacan nos anos 1950 era, de início, uma desvalorização da *experiência do real* que, de maneira selvagem, brutal, assolava os freudianos e pós-freudianos e a crítica da *Psicologia do ego* que os aparelhava no embate terapêutico. Lacan pensava restaurar a verdade freudiana restabelecendo o primado da intenção simbólica em psicanálise e renovando-a com a *função e campo da fala e da linguagem* (Miller, 2003).

A diferença entre o caráter e o sintoma ressaltada por Freud culminara, dentro da psicanálise, na consolidação de uma direção de tratamento alternativa à "clínica do sintoma", nomeada "análise das resistências". Mais do que a análise das formações do inconsciente – sonhos, lapsos, chiste, sintoma –, o fundamental era a análise das resistências do eu, os traços de caráter entre elas, que se opunham à análise propriamente dita, inclusive à aplicação da regra fundamental. Para haver análise era necessário trabalhar as resistências que se opunham à análise. Para Lacan, ao contrário, a análise das resistências dera ocasião a um desconhecimento maior do sujeito, levando o neurótico a um beco sem saída na relação imaginária do eu e do outro. O que eles entendiam como resistência do paciente era uma interpretação do sujeito, uma interpretação do momento da análise em que se encontrava.

A experiência de resistência à análise, de índole narcisista, representada pelo caráter, era situada por Lacan no registro do *imaginário*. O eu se fundava na relação narcísica, no estágio do espelho, no imaginário, e o imaginário era um obstáculo à *intenção simbólica*. Cindia, dessa forma, o caráter reichiano entre a intenção simbólica – o desejo, o empuxe à análise – e o eixo imaginário representado pela relação *a-a'*, pelo eu.

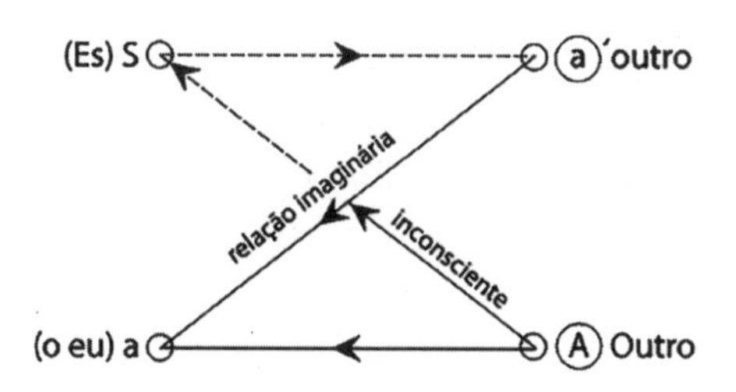

Esquema L (Lacan, 1985, p. 58, tradução nossa)

Os pós-freudianos abordaram o caráter pela vertente da compulsão à repetição e de um inconsciente não reprimido, um inconsciente próprio ao eu e ao supereu, e construíram um quadro de reações caracteriais que se estendiam por toda a existência. Crítico da segunda tópica freudiana, Lacan retomou a primeira, estendendo as noções de inconsciente e do sintoma. Reconheceu no sintoma uma estrutura que não se reduzia a um acontecimento circunscrito, mas que se manifestava no comportamento, nas condutas, nos fatos da existência, nas relações com o outro e o grande Outro, no destino humano. O sintoma não era apenas intrapsíquico, mas tinha também uma inclusão social.

Lacan estendeu a noção de sintoma até englobar o caráter. Para tanto, teve de proceder a uma dupla extensão do significante e do significado (Miller, 2003, p. 173). A cadeia significante era apresentada como o que programava o destino do sujeito, sua existência, organizada na forma de caráter/personalidade. Incluindo os traços de caráter nos sintomas, Lacan desvanecia a diferença entre eles. Em *O seminário, livro 5: As formações do inconsciente*, incluiu a descrição da vida da histérica e do obsessivo porque o conjunto da vida neurótica, sua pantomima, era considerado *formação do inconsciente*, e não resistência à sua revelação (Miller, 2003, 177). A personalidade/caráter do sujeito era estruturada como um sintoma, havia uma equivalência entre o eu/caráter e o sintoma. A noção de *estrutura* – neurótica, psicótica, perversa –, fundamento da sua clínica estrutural, englobava, da mesma forma, o sintoma e o caráter. Essa época é considerada uma era de significantização generalizada, em que Lacan faz um forçamento para inscrever toda a psicanálise na cadeia significante.

cadeia significante – sintoma-caráter
cadeia significante = estrutura = sintoma + caráter

Essas formulações do seu "primeiro ensino" tiveram como efeito um velamento do real. Esse velamento é a origem do conceito de $\mathcal{S}$, sujeito vazio, determinado pelo significante, o negativo do eu, o negativo da relação narcisista, fora do gozo. O sentido do "último ensino" de Lacan, na medida em que privilegia o real, modifica a perspectiva do início. Os fatos da clínica apontavam para algo que era de uma ordem diferente da do magnífico descobrimento freudiano em seu esplendor simbólico. Evidenciavam o real enquanto antinômico ao desejo do analista. A partir da nova perspectiva, tratava-se de circunscrever o gozo como princípio real da resistência, e não mais como imaginário (Miller, 2003).

Miller, a partir do último ensino de Lacan, resgata o tema do caráter por considerá-lo uma referência importante para situar a *experiência do real* na psicanálise. O caráter, como resistência, é uma experiência do real, diferentemente do sintoma, formação do inconsciente, que é uma experiência do simbólico. Enquanto o sintoma encontra-se atrelado às significações (*Beudeutung*) e tem um *valor de sentido*, o caráter aponta para a dimensão da satisfação pulsional (*Befriedigung*) como *valor de gozo*. O que se interpunha e resistia ao tratamento, como o traço caráter, dizia respeito a algo não diretamente referido a um *querer dizer*, pois indicava um modo de satisfação que não mobilizava o sintoma como mensagem do Outro. O caráter comparecia como aquilo que não se deixava ler, arredio ao modelo das formações simbólicas, visto não se apresentar como *alienação* ao campo do Outro. Tinha maior afinidade com a *separação* da cadeia significante. Por isso a interpretação decifradora não se mostrava uma via eficaz de manejo clínico. A interpretação deveria *perturbar* a defesa, incidindo sobre o desarranjo da economia libidinal, e produzir efeito de *sentido real*, "sentido gozado", em detrimento da decifração do retorno do recalcado.

Os três tipos de caráter elencados por Freud em "Alguns tipos de caráter" são posições subjetivas quanto ao gozo e à castração. Nos *arruinados pelo êxito* o gozo se apresenta como impossível de suportar. A reivindicação em ser tratado como *exceção* é a posição subjetiva própria ao neurótico de rechaço da castração. Ele não quer renunciar ao gozo, mas, para poder alcançar a lei do desejo, precisa subtrair algo do gozo. A ação *criminosa* como meio de liberação moral é o contrário da chamada reação terapêutica negativa, evidenciando a relação entre o sentimento inconsciente de culpa e o gozo. O gozo insiste para além do significante tanto no caráter como no sintoma. Em *O seminário, livro 20: Mais, ainda*, Lacan introduziu uma noção que incluía o "mais além" do significante e do inconsciente, o *parlêtre,* em que a função do inconsciente se completava com o corpo como real e não apenas como simbólico ou imaginário (MILLER, 2003, p. 136). A interpretação como perturbação da defesa mobilizava algo do corpo e exigia do analista também um aporte de seu corpo através do tom, da voz, do acento, do gesto, da mirada (FORBES, 1999).

SIMBÓLICO	REAL
Sintoma	Caráter
Repressão	Defesa
Desejo	Gozo
Inconsciente	Pulsão
$\cancel{S}$ujeito	Parlêtre

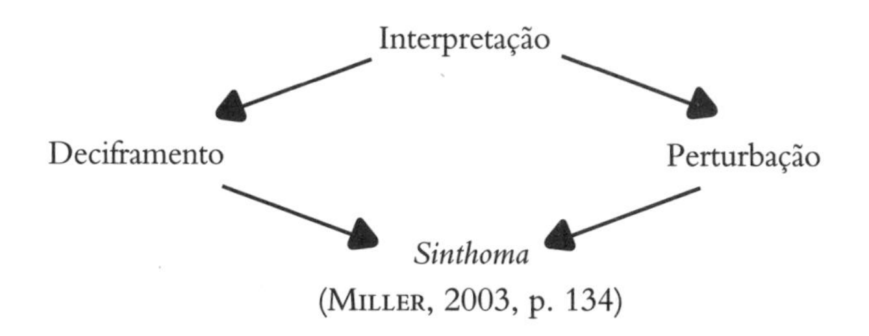

(MILLER, 2003, p. 134)

A partir do trabalho de interpretação – via decifração ou via perturbação da defesa –, uma psicanálise deverá ajudar o analisante a constituir seu *sinthoma.* O *sinthoma* é um ponto de conjunção do sintoma com o caráter, não mais em estado bruto como no início, mas processados e metabolizados pela análise. Como conceito transversal, o *sinthoma* acaba por desafiar a distinção entre sintoma e caráter. É o resto da operação analítica ao qual o analisante deverá se identificar e *saber fazer* (*savoir-faire*) com ele. Para Lacan, o destino do *sinthoma* é tornar-se um pedestal sobre a qual o ser falante ergue-se para parecer belo. É o seu *escabelo*, que lhe permite elevar-se à dignidade ou à coisidade da Coisa.

Era contemporânea

Ao longo do século XX, os sistemas caracterológicos e as tipologias se multiplicaram. Na contemporaneidade, utilizam-se as classificações da Classificação Internacional de Doenças (CID) 10 da Organização Mundial da Saúde, e a quarta edição do *Manual Diagnóstico e Estatístico de Transtornos Mentais* (DSM-IV), da Associação Americana de Psiquiatria (APA). Como em outros setores da psicopatologia, há uma desconexão entre os modelos oferecidos pela psicologia e sua utilização efetiva na clínica. O modelo 7-fatorial, considerado o suprassumo em textos representativos do *mainstream* contemporâneo, não tem nenhuma influência no construto dos códigos atuais de classificação psiquiátrica. Por outro lado, a psicanálise, explicitamente recusada no DSM-IV, é a inspiradora de vários Transtornos de Personalidade ali listados. Para H. Tavares e R. B. Ferraz (2011), "contrariamente aos modelos científicos, os modelos clínicos seguiram o padrão médico e privilegiaram o diagnóstico pautado em categorias", ressaltando, dessa forma, uma disjunção entre o "discurso da clínica" e o "discurso científico".

No CID 10, os Transtornos de Personalidade são definidos como

> tipos de condição que abrangem padrões de comportamento profundamente arraigados e permanentes, manifestando-se como respostas inflexíveis a uma ampla série de situações pessoais e sociais. Eles representam desvios extremos ou significativos do modo como o indivíduo médio, em uma dada cultura, percebe, pensa, sente e, particularmente, se relaciona com os outros. Tais padrões de comportamento tendem a ser estáveis e abranger múltiplos domínios de comportamento e funcionamento psicológico. Cada uma das condições neste grupo pode ser classificada de acordo com suas manifestações comportamentais predominantes. A classificação está limitada a uma série de tipos e subtipos, os quais não são mutuamente excludentes e se sobrepõem em algumas de suas características. Os tipos e subtipos descritos são largamente reconhecidos como formas maiores de desvio de personalidade (Oms, 1993, p. 196).

São descritos e estabelecidos os critérios diagnósticos dos transtornos de personalidade *paranoide, esquizoide, antissocial, emocionalmente instável tipo impulsivo ou tipo borderline, histriônico, anancástico, de evitação, dependente.*

O DSM-IV lista praticamente os mesmos transtornos, acrescentando mais dois tipos – *narcisista* e *esquizotípico*, que, no CID 10, está classificado entre os transtornos esquizofrênicos –, e modifica o nome de alguns. O DSM-IV-TR, por seu turno, divide-os em três grandes grupos ou *clusters* com base em semelhanças descritivas na forma de inclusão no laço social: A, reunindo os TPs *paranoide, esquizoide e esquizotípico,* indivíduos com pouco apreço pelo contato social e, em geral, portadores de crenças idiossincráticas; B, os transtornos *antissocial, narcisista, borderline e histriônico,* indivíduos impulsivos, instáveis e de comportamento errático; C, os transtornos *obsessivo, de esquiva e dependente,* indivíduos ansiosos, com estilo de enfrentamento semelhante e necessidade de controle do ambiente e das relações interpessoais.

Embora as classificações adotem, numa linguagem científica, uma "estrutura categorial politética pautada em critérios operacionais", a inspiração é claramente schneideriana e, da mesma forma que sua tipologia não tipológica, são assistemáticas, sem elementos ordenadores, puramente descritivas, baseadas num consenso ("largamente reconhecidos"), e reúnem um *mix* de Transtornos de Personalidade descritos por escolas de diferentes orientações, muitos deles a partir de concepções psicanalíticas.

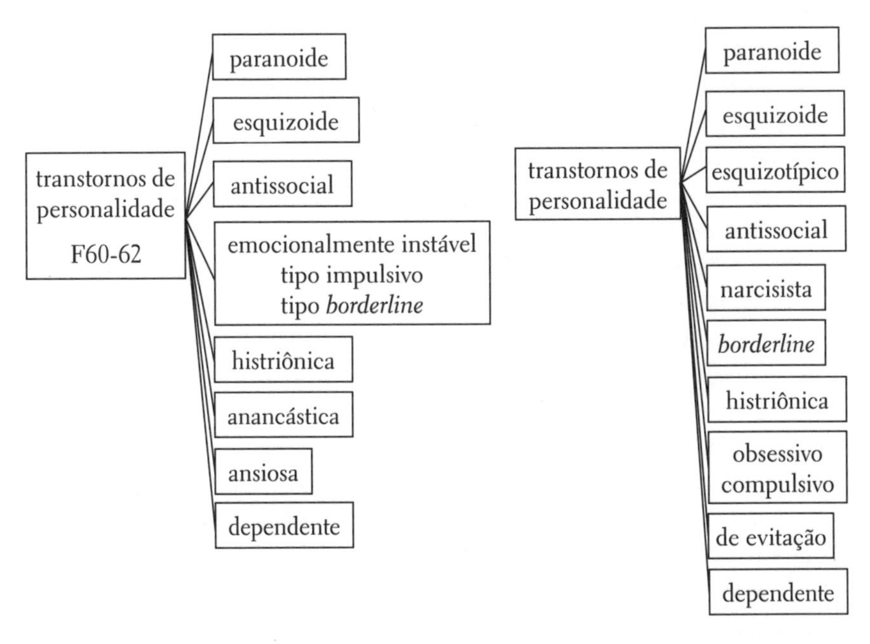

A multiplicidade das tipologias é, por si, indício de seu valor problemático. Muitos tipos coincidem, muitos variam, alguns mudam de significado, novos tipos surgem, outros desaparecem. Mais de dois séculos não foram suficientes para constituir um modelo unificado da personalidade e ordenar os *transtornos de personalidade* em torno de critérios diferentes. As dificuldades não residem apenas na escolha e na combinatória dos traços.

Qualquer pensamento caracterológico ou de tipologias de personalidade é necessariamente ambíguo e limitado, pois ainda que determine "o que se é" – como uma pessoa/personalidade "é", aquilo que é compreensível em uma vida humana, o desenvolvimento da personalidade no tempo –, ele também é marcado pelo incompreensível, pelo não concluído e pelo transcendente (Jaspers, [1913] 1973), uma vez que uma existência não se enquadra em qualquer tipologia. Uma pessoa extrovertida pode, em determinadas circunstâncias, introverter-se, o astênico tornar-se estênico, o obsessivo compulsivo histericar e um histérico parecer organizado e metódico. Há um dinamismo da personalidade impossível de ser captado por caracterologias.

Em relação aos Transtornos de Personalidade, tanto psiquiatras como psicanalistas movem-se num terreno movediço onde encontram uma multiplicidade de referências. Têm de se situar em relação ao discurso contemporâneo, que é tributário de longas tradições, sem abandonar suas referências fundamentais e sem confundi-las. É possível superpor os *introvertidos* de Jung com os *esquizoides* de Fenichel ou do CID 10 e DSM-IV, mas eles respondem a diferentes pressupostos teóricos. Também é possível superpor o *caráter anal* de Freud ao *caráter obsessivo* de Reich, ao TP *anancástico* do CID 10 e ao TP *obsessivo compulsivo* do DSM-IV, como é possível superpor o tipo *narcisista* de Freud ao caráter *fálico-narcisista* de Reich e ao TP *narcisista* do DSM-IV, desde que se considerem suas nuances. Também é tentador superpor as estruturas clínicas lacanianas – psicótica, perversa, neurótica – aos *clusters* A, B e C do DSM-IV-TR, mas eles não se superpõem. Os transtornos incluídos no *cluster* A (*paranoide, esquizoide, esquizotípico*) podem ser associados à estrutura psicótica, e os do *cluster* C (*obsessivo compulsivo, de evitação e dependente*) à estrutura neurótica, mas os transtornos incluídos no *cluster* B parecem uma miscelânea de estruturas (perversa no caso do *TP antissocial*, neurótica no caso do *TP histriônico* e discutível nos TPs de personalidade narcisista e *borderline*). Do ponto de vista do "último Lacan", todos os TPs são modalidades de gozo.

Mais do que fazer uma defesa de suas posições teóricas ou de tentar reduzir a polifonia do campo, psiquiatras e psicanalistas devem se mover criticamente nos vários discursos que se aplicam à psicopatologia dos transtornos de personalidade ou caráter. Isso não é uma necessidade que se impõe apenas nesse setor especial da psicopatologia, mas em todo o campo, na medida em que ele não é unificado. A psicopatologia é composta, desde sua origem jasperiana, por uma multiplicidade de referências, e esse é um traço de nascença que não se modifica, estrutural, independente do predomínio eventual desta ou daquela orientação teórica em psiquiatria.

Na seção do Livro II dedicado à nosologia dos Transtornos de Personalidade, teremos a oportunidade de discutir cada um dos transtornos profundamente.

Referências

ALLPORT, G. *Desenvolvimento da Personalidade: considerações básicas para uma psicologia da personalidade.* 3ª ed. São Paulo: Herder, 1970. (Coleção Cairoscópio).

ABBAGNANO, N. *Dicionário de Filosofia.* São Paulo: Martins Fontes, 2007.

AZEREDO, F. *Caráter e contemporaneidade.* 2003. Tese (Doutorado em Teoria Psicanalítica) – Universidade Federal do Rio de Janeiro, Rio de Janeiro, 2003.

BERCHERIE, P. *Os fundamentos da clínica: história e estrutura do saber psiquiátrico.* Rio de Janeiro: Jorge Zahar, 1989.

DALGALARRONDO, P. *Psicopatologia e semiologia dos transtornos mentais.* Porto Alegre: Artes Médicas Sul, 2000.

DICIONÁRIO do Aurélio. Disponível em: <https://dicionariodoaurelio.com>. Acesso em: 29 mar. 2017.

EIZIRIK, C; AGUIAR, R.W.; SCHESTATSKY, S. *Psicoterapia de orientação analítica.* Porto Alegre: Artmed, 2015.

ESQUIROL, E. *Des maladies mentales considerées sous les rapports médical, hygiénique et médico-légal* [1816]. New York: Arno Press, 1976.

FENICHEL, O. *Teoría psicoanalítica de las neurosis.* Buenos Aires: Paidós, 1966.

FORBES, J. *Da palavra ao gesto do analista.* Rio de Janeiro: Jorge Zahar, 1999.

FREUD, S. A decomposição da personalidade psíquica [1933 [1932]]. In: *Novas conferências introdutórias sobre psicanálise e outros trabalhos (1932-1936).* Rio de Janeiro: Imago, 1974. (Edição Standard Brasileira das Obras Psicológicas Completas de Sigmund Freud, XXII).

FREUD, S. A disposição à neurose obsessiva: uma contribuição ao problema da escolha da neurose [1913]. In: *O caso Schreber, artigos sobre técnica e outros trabalhos (1911-1913).* Rio de Janeiro: Imago, 1996. (Edição Standard

Brasileira das Obras Psicológicas Completas de Sigmund Freud, XII).

FREUD, S. Algumas consequências psíquicas da distinção anatômica entre os sexos [1925]. In: In: *O ego e o id, e outros trabalhos (1923-1925).* Rio de Janeiro: Imago, 1996. (Edição Standard Brasileira das Obras Psicológicas Completas de Sigmund Freud, XIX).

FREUD, S. Alguns tipos de caráter encontrados no trabalho psicanalítico [1916]. In: *A história do movimento psicanalítico, artigos sobre a metapsicologia e outros trabalhos (1914-1916).* Rio de Janeiro: Imago, 1996. (Edição Standard Brasileira das Obras Psicológicas Completas de Sigmund Freud, XII).

FREUD, S. Análise da fobia em um menino de cinco anos [1909]. In: *Duas histórias clínicas (o pequeno Hans e o Homem dos Ratos) (1909).* Rio de Janeiro: Imago, 1996. (Edição Standard Brasileira das Obras Psicológicas Completas de Sigmund Freud, X).

FREUD, S. Caráter e erotismo anal [1908a]. In: *Gradiva de Jensen e outros trabalhos (1906-1908).* Rio de Janeiro: Imago, 1996. (Edição Standard Brasileira das Obras Psicológicas Completas de Sigmund Freud, IX).

FREUD, S. Carta 72 (27 de outubro de 1897). In: *Publicações pré-psicanalíticas e esboços inéditos (1886-1889).* Rio de Janeiro: Imago, 1996. (Edição Standard Brasileira das Obras Psicológicas Completas de Sigmund Freud, I).

FREUD, S. Esboço de psicanálise [1938]. In: *Moisés e o monoteísmo, Esboço de psicanálise e outros trabalhos (1937-1939).* Rio de Janeiro: Imago, 1974. (Edição Standard Brasileira das Obras Psicológicas Completas de Sigmund Freud, XXIII).

FREUD, S. Estudos sobre a histeria [1893]. In: *Estudos sobre a histeria (1893-1899).* Rio de Janeiro: Imago, 1996. (Edição Standard Brasileira das Obras Psicológicas Completas de Sigmund Freud, II).

FREUD, S. Fragmentos da análise de um caso de histeria [1905 [1901]]. In: *Um caso de histeria, Três ensaios sobre a sexualidade e outros trabalhos (1901-1905).* Rio de Janeiro: Imago, 1996. (Edição Standard Brasileira das Obras Psicológicas Completas de Sigmund Freud,VII).

FREUD, S. História de uma neurose infantil [1918 [1914]]. In: *Uma neurose infantil e outros trabalhos (1917-1918)* Rio de Janeiro: Imago, 1996. (Edição Standard Brasileira das Obras Psicológicas Completas de Sigmund Freud, XVII).

FREUD, S. Inibições, sintomas e ansiedade [1926 [1925]]. In: *Um estudo autobiográfico, Inibições, sintomas e ansiedade/Análise leiga e outros trabalhos (1925-1926).* Rio de Janeiro: Imago, 1996. (Edição Standard Brasileira das Obras Psicológicas Completas de Sigmund Freud, XX).

FREUD, S. Moral sexual "civilizada" e doença nervosa moderna [1908b]. In: *Gradiva de Jensen e outros trabalhos (1906-1908).* Rio de Janeiro: Imago, 1996. (Edição Standard Brasileira das Obras Psicológicas Completas de Sigmund Freud, IX).

FREUD, S. O ego e o id [1923]. In: *O ego e o id, e outros trabalhos (1923-1925).* Rio de Janeiro: Imago, 1996. (Edição Standard Brasileira das Obras Psicológicas Completas de Sigmund Freud, XIX).

FREUD, S. Tipos libidinais [1931]. In: *O futuro de uma ilusão, O mal-estar na civilização e outros trabalhos (1927-1931).* Rio de Janeiro: Imago, 1996. (Edição Standard Brasileira das Obras Psicológicas Completas de Sigmund Freud, XXI).

FREUD, S. Um caso de cura pelo hipnotismo [1892-1893]. In: *Publicações pré-psicanalíticas e esboços inéditos (1886-1889).* Rio de Janeiro: Imago, 1996. (Edição Standard Brasileira das Obras Psicológicas Completas de Sigmund Freud, I).

JASPERS, K. *Psicopatologia geral* [1913]. São Paulo: Livraria Atheneu, 1973.

KAUFMANN, P. *Dicionário Enciclopédico de Psicanálise.* Rio de Janeiro: Jorge Zahar, 1996.

KRETSCHMER, E. *Paranoia et sensibilité.* Paris: P.U.F., 1963.

KRETSCHMER, E. *Constitución y carácter: investigaciones acerca del problema de la constitución y de la doctrina de los temperamentos.* Montevideo: Editorial Labor, 1954.

LAPLANCHE, J.; PONTALIS, J-B. *Vocabulário de psicanálise.* São Paulo: Martins Fontes, 2010.

LACAN, J. *Le séminaire, livre XXIII: Le sinthome* [1975-1976]. Paris: Seuil, 2005.

LACAN, J. *O seminário, livro I: Os escritos técnicos de Freud* [1954-1955]. Rio de Janeiro: Jorge Zahar, 1979.

LACAN, J. *O seminário, livro II: O eu na teoria de Freud e na técnica da psicanálise* [1954-1955]. Rio de Janeiro: Jorge Zahar, 1985.

LACAN, J. *De la psicosis paranoica en sus relaciones con la personalidad* [1932]. Coyoacán: Siglo Veintiuno Editores, 1985.

MILLER, J.-A. *La experiencia de lo real en la cura psicoanalítica.* Buenos Aires: Paidós, 2003.

MILLER, J.-A. L'orientation lacanienne. In: *Choses de finesse dans la psychanalyse*. Enseignement prononcé dans le cadre du Département de Psychanalyse de l'Université Paris VIII, 2008-2009. Leçon du 10 déc. 2008.

MILLER, J.-A. *Piezas sueltas*. Buenos Aires: Paidós, 2013.

MOREL, B. A. *Traité des dégénérescences physiques, intellectuelles et Morales de l'espèce humaine et des causes qui produisent ces variétés maladives*. Paris: A Paris chez J. B. Baillière, 1857.

OMS. *Classificação de transtornos mentais e de comportamento da CID-10: diretrizes diagnósticas e de tratamento para transtornos mentais em cuidados primários*. Porto Alegre: Artmed, 1993.

PINEL, P. *Tratado médico-filosófico sobre a alienação mental ou a mania* [1801]. Porto Alegre: Editora da UFRGS, 2007.

PORTOCARRERO, V. *As ciências da vida: de Canguilhem a Foucault*. Rio de Janeiro: Editora Fiocruz, 2012.

REICH, W. A teoria da formação do caráter [1930]. In: *Análise do caráter*. São Paulo: Martins Fontes, 2001. p. 147-264.

SANTOS, M. J. P.; FONTOURA, H. S. P.; FARIA, C. G. Abordagem do caráter em psicoterapia. In: EIZIRIK, C.; AGUIAR, R. W. SCHESTATSKY. *Psicoterapia de orientação analítica*. Porto Alegre: Artmed, 2015.

SCHNEIDER, K. *Las personalidades psicopáticas*. Madrid: Morata, 1923.

TAVARES, H.; FERRAZ, R. B. Transtornos de Personalidade. In: MIGUEL, E. C.; GENTIL, V.; GATTAZ, W. F. *Clínica psiquiátrica*. São Paulo: Manole, 2011.

Semiologia da sexualidade

Maria Josefina Fuentes, Marcela Antelo

O impasse sexual secreta as ficções que
racionalizam a impossibilidade da qual provém.
Jacques Lacan

O acontecimento Freud

Atravessando um momento negro da sua existência, Freud decide que é preciso afastar-se de Viena. Sua confiança na potência elucidativa de uma viagem permaneceu ao longo de toda a sua obra, chegando até a oferecê-la como modelo da experiência inicial de uma análise: "comporte-se como o faria, por exemplo, um viajante sentado no trem do lado da janela" (Freud, [1913] 1981, p. 1669, tradução nossa), e fale. Empreende, em agosto de 1898, uma viagem rumo à sua amada Itália para esquecer sua condição dolorosa. Pretende beber "um ponche feito do Letes; bebo um gole aqui e ali" (Strabioli, 2013, [s.p.]), diz, referindo-se ao rio Lethe, lugar do esquecimento mítico, o avesso da verdade, chamada *aletheia*. Estava em luto pela morte do seu pai, em luto pela função etiológica da sua teoria da sedução infantil por parte dos adultos como causadora dos traumas, recentemente abandonada, "sua neurótica" (Freud, [1897] 1981, p. 3578-3580), como familiarmente a chamava.

Abandonar o trauma sexual, atual, como fator causal das neuroses e adentrar-se na fantasia sexual, no que se diz do que houve, implicava um verdadeiro *breaking point*. Seu mestre Charcot só o tinha deixado à beira do caminho, sem mais orientação que uma suspeita: "amiúde cria-se em suas mentes uma espécie de lenda em que acreditam cegamente e que costumam narrar com candor, com sinceridade, como se fosse a realidade mesma" (CHARCOT, 2007, p. 33, tradução minha).

Impotente na escrita, inibido na solução sublimatória, afetado pelo humor negro, desorientado, encontrava-se no momento exato de começar sua "autoanálise". Ciente de que o paciente que lhe dava mais trabalho era ele próprio, a inquietação de que algo estava por emergir da escuridão o atravessava.

Assim foi. Chega a Orvieto de carruagem e sobe por funicular até o monte onde se ergue a catedral. Longe de adentrar o rio Lethe, depara-se com as duas experiências mais radicais do ser falante, cujos mistérios manterá entrelaçados até o seu fim como enigmas que não se dissipam: a sexualidade e a morte.[1] "Um laço indissolúvel une a morte à sexualidade" – escreve a Pfister (FREUD, 1969, p. 52). O mecanismo psíquico do esquecimento, publicado alguns anos depois, na abertura da sua *Psicopatologia da vida cotidiana*, será então a ocasião para Freud articular a sexualidade e a morte com um não querer saber fundante de não há nenhum saber no real que oriente em relação a essas duas experiências.[2]

A presença do inconsciente no esquecimento do sobrenome do pintor Signorelli, autor dos afrescos que em Orvieto desenham a cúpula da catedral, anuncia um não querer saber sobre o recente suicídio de um paciente, para quem a vida nada valeria sem o sexo.

Freud lê o achado: que alguém prefira a morte à impotência assombra-o e, face a face consigo mesmo, contra si mesmo, descobre a desnaturalização do sexo, seu exílio do domínio das necessidades vitais idealizadas ao final do século XIX. Um lapso o faz topar com o impossível do saber sobre o sexo e a morte, sua mais fiel companheira, aventuras/desventuras que anos mais tarde ganharão nomes olímpicos: Eros e Tânatos.

Freud[3] observa que o homem de cultura tratava do sexo com duplicidade, pudor e hipocrisia, alinhando-se ao discurso dos especialistas que patologizavam suas manifestações. Duplicidade assentada na oscilação entre maldizê-lo e divinizá-lo, pudor de experimentá-lo como

---

1 "Freud chamou "repressão" a um não-saber do sujeito localizado em pontos decisivos, determinantes de suas vivências" (MILLER, 2001).

2 "[...] o sujeito não sabe sobre aquilo que está na origem dos sintomas que suporta (eis aí o inconsciente) porque nada quer saber de que não pode saber que não há saber sobre o sexual" (MASOTA, 1977, p. 29).

3 "[...] *el hombre civilizado actual observa en las cuestiones de dinero la misma conducta que en las cuestiones sexuales, procediendo con la misma doblez, el mismo falso pudor y la misma hipocresía.*" (FREUD, [1913] 1981, p. 1666).

uma satisfação inútil desvinculada dos fins prescritos para a genitalidade e a reprodução, e hipocrisia de dissimulá-lo sob as vestes da falsa moral lapidada na era vitoriana.

Nesse contexto, em que o sexo tolerado se reduzia à procriação, e o ideal que o comandava, à reprodução da espécie humana, as descobertas de Freud produzem acontecimento, instaurando um antes e um depois na história da civilização ocidental. Em interlocução, mas finalmente contrapondo-se, entre outros, ao renomado psiquiatra alemão Richard von Krafft-Ebing, que em 1886 publicou a obra *Psychopathia sexualis*, Freud entra no século XX com os *Três ensaios para uma teoria sexual* (1905), estabelecendo uma teoria da sexualidade humana dissonante e totalmente inovadora em relação aos tratados sexuais que então proliferavam.[4]

Krafft-Ebing, considerando a sexualidade como natural, disseca e taxonomiza o que foge da norma a título de *anomalias das funções sexuais* (Krafft-Ebing, 2000, p. 3), descrevendo através de exemplos clínicos o fetichismo, o sadismo, o masoquismo, a homossexualidade, o travestismo, entre outras psicopatologias do seu tratado, ou seja, aquilo que infringe a procriação, idealizada como a satisfação mais elevada que o sexual poderia proporcionar, isenta do capricho dos indivíduos, livres da volúpia da carne.

No *Manual Diagnóstico e Estatístico de Transtornos Mentais* da Associação Americana de Psiquiatria, em sua quarta edição revisada, do ano 2000, os chamados "transtornos sexuais e da identidade de gênero" – que compreendem inúmeras categorias, tais como transtorno de desejo sexual hipoativo (302.71), transtorno de aversão sexual (302.79), vaginismo (306.51), ejaculação precoce (302.75), transtorno erétil masculino (302.72), exibicionismo (302.4), pedofilia (302.2), frotteurismo (302.89), masoquismo sexual (302.83), sadismo sexual (302.84), travestismo fetichista (302.3), voyeurismo (302.82), transtorno de gênero (302.85), entre tantas outras – ilustram a que ponto a sexualidade foi efetivamente dissecada e patologizada pela medicina contemporânea.

Assim, do mesmo modo como ocorreu com a loucura – cujas vicissitudes foram analisadas no primeiro capítulo deste volume –, ao longo da história da civilização ocidental a sexualidade foi perdendo sua

[4] Nesse sentido, destacam-se a obra do médico e psicólogo inglês Henry Havellock Ellis, que abordou temas relativos à sexualidade e a práticas sexuais, citado por Freud nos *Três ensaios...*, e o polêmico tratado sobre a sexualidade e a mulher publicado em 1903 pelo filósofo austríaco Otto Weininger, *Sexo e caráter*, que ganhou muita popularidade em Viena após o suicídio do autor, ocorrido aos seus 23 anos de idade.

aura trágica e misteriosa para ser, pouco a pouco, engavetada e reduzida a um objeto de conhecimento do discurso da ciência, pedagogizada pelo higienismo, regulada pelas políticas demográficas e normalizada, isto é, patologizada pela medicina e pelos discursos da saúde e do bem-estar que se organizaram ao seu redor.

Michel Foucault indica que o discurso legislador sobre o sexo na cultura ocidental já estava presente nos séculos XVIII e XIX, quando proliferavam os especialistas que tomam o sexo como objeto do saber científico, com a finalidade de domesticá-lo no seio da família burguesa.

A psicanálise, longe de se inserir na *História da sexualidade* como mais um dispositivo na esteira das ciências que viria aplicar o poder através do saber sobre o sexual, patologizando-o por meio de uma norma frente à qual, finalmente, ninguém está à altura, revela que a sexualidade humana repousa sobre uma ausência, um não-saber estrutural e traumático, do qual nada se quer saber (Teixeira, 2010). Profundamente subversiva, a psicanálise já nasce como corte no campo epistemológico, ao mesmo tempo que o desvela, desalojando definitivamente o sujeito como mestre soberano do conhecimento.

Desse modo, a psicanálise não é uma ciência sobre o sexual, uma sexologia, da qual, como dirá Lacan, certamente "não há nada a esperar" (Lacan, 2003, p. 532). Ou melhor, é uma *não* sexologia (Masotta, 1977, p. 29), pois ainda que revele o sentido sexual presente em todas as formações do inconsciente, ainda que tenha localizado a etiologia sexual dos sintomas neuróticos, a descoberta freudiana causa escândalo ao atrelar definitivamente o campo da sexualidade humana ao inconsciente como um impossível, a um limite de toda elucubração do saber, desvelando o obstáculo intransponível estrutural que não se dissipa com nenhuma liberação sexual.

Uma leitura distorcida dos *Três ensaios* que escandalizou a Viena vitoriana custou-lhe, além dos tomates com os quais Freud foi recebido, a crítica de pansexualismo, o que exigiu dele e de seus discípulos a demonstração da permanência do recalque como primário, condição inerente à sexualidade sempre articulada ao inconsciente, e sua preponderância sobre a satisfação. Ademais, como observa Serge Cottet (1989, p. 4), no campo de batalha do dualismo pulsional, Freud sempre introduziu um elemento que ao sexual escapa, culminando com a pulsão de morte que se opõe a Eros. É essencialmente como um sintoma nascido de um conflito psíquico que não se dissipa, quando resta um umbigo do sonho de uma satisfação plena, natural e harmoniosa, que Freud se depara com a sexualidade humana.

O discurso analítico termina por revelar que o sentido sexual é um tecido ficcional que vela a ausência de um saber no real da espécie humana sobre o sexo, "uma venda simbólica para cobrir a ferida da ausência de escrita da relação sexual", segundo enuncia Jacques-Alain Miller.[5] Enfim, uma cornucópia de relatos, mitos e fantasias que se tecem na cultura discursivamente ao redor desse buraco com a insistência e parcimônia de uma Penélope paradigmática e que elucidam, por fim, que "o sexo é um dizer" (Lacan, 1979) que se constrói em torno de um real, ele mesmo dessexualizado. Ou, como ainda dirá Lacan, não há sexualidade fora do discurso – o que implica, por um lado, que já nasça do significante do qual padece e, por outro, que um real do sexo se presentifique como uma ausência traumática no campo da sexualidade humana.[6]

Não há relação sexual; há gozo

O significante não é feito para as relações sexuais. Desde que o ser humano é falante, está ferrado, acabou-se essa coisa perfeita, harmoniosa, da copulação, aliás impossível de situar em qualquer lugar da natureza.
Jacques Lacan

Com esse aforismo fundamental da psicanálise, Lacan escreve a cifra do segredo e do impasse do gozo sexual atrelado ao impossível. Para o ser de linguagem, a relação sexual, na ausência do instinto que conduziria ao parceiro sexuado, é justamente o que não se escreve no inconsciente, e o gozo sexual é marcado pelo impasse de não acessar ao Outro sexuado.

Mas como demonstrar um saber que no real não há para a espécie humana? Como provar o aforismo da ausência de um saber no real relativo à sexualidade quando esse saber é o que falta? É Jacques-Alain Miller quem levanta a pergunta (Miller, 2000, p. 155), assinalando que Lacan procurou investigar como poderia demonstrá-lo, para finalmente manter o termo "demonstração" em reserva, dizendo que "a experiência analítica atesta um real, testemunha um real" (Lacan *apud* Miller, 2000, p. 155). Isto é, testemunha o impossível, o que *não cessa de não se escrever* no inconsciente (a relação sexual que não existe), a partir da contingência, algo que se escreve na história de um sujeito como um encontro, sempre

[5] MILLER, J.-A. *Tout le monde est fou.* Curso de 2006-2007. Inédito.

[6] "*Para decir crudamente la verdad que se inscribe de los enunciados de Freud sobre la sexualidad, no hay relación sexual*" (LACAN, 2014b, p. 578).

traumático, que não estava previamente determinado, mas que a partir de então *não cessará de se escrever* sintomaticamente como um modo de gozo singular que se fixa para um sujeito. Não há relação sexual, mas há um gozo possível para o ser falante: o gozo fálico, o gozo do Outro e o gozo do sentido, segundo a distinção que Lacan faz em *A terceira* (LACAN, 1993, p. 103).

Desse modo, uma observação metodológica se faz necessária: os achados clínicos relativos à sexualidade que analisaremos não são enunciados aqui a título de disfunções psicopatológicas que a psicanálise normatizaria, mas sem distintos modos de gozo, sempre aberrantes, dissonantes do ponto de vista do que seria a "normalidade" dos fins sexuais a serviço da reprodução. Nesse sentido, como já foi dito, a psicanálise é avessa à vocação semiológica patologizante do discurso médico do século XVIII até os dias atuais. "O sexual não é propriamente um transtorno, não é transtornável, porque ele mesmo é o transtorno com que os humanos procuram se defender contra a desordem do real que lhes perturba os corpos" (LAIA, 2013, p. 11), precisa Sérgio Laia.

Em consequência, o real sexual não se apresenta dócil ao conceito, a uma epistemologia, já que o não-saber é determinante. Resiste a que se defina sua etiologia como um discurso sobre a causa (MILLER, 2001), já que esta se duplica quando o primeiro momento do trauma é coberto com o recalque e se extravia nos seus efeitos. E, ademais, a própria ontologia, o discurso sobre o ser do sexual, sofre sérios abalos sísmicos quando se pretende capturá-lo, já que está constituído pelo "não há".

Os extremos enumerados não implicam que a psicanálise deva desistir de conceitualizar, pois não existiria sem eles. Pelo contrário, o real do sexo obriga a um *bem dizer* que constitui a mola da própria experiência da análise. Para uma ciência do singular, uma ciência do *não-todo*, os conceitos que Freud já pensara como provisórios e mutantes aproximam-se a "não-conceitos", a signos que possam incluir o significante e o objeto.

Um exemplo preciso é oferecido por Serge Cottet: "Assim, o velho conceito de libido será admissível se contribui à extensão do sexual fora dos limites do genital; porém, ainda necessita ser absolutamente distinguido, na sua compreensão, de toda energia espiritual e de voltar a centrá-lo na "luxúria",[7] tal como Lacan o faz no em *O seminário, livro 2: O eu na teoria de Freud e na técnica da psicanálise.*

---

[7] "*No es el significante el más apropiado para captar la singularidad, el envoltorio formal del síntoma, el fracaso de la relación sexual*" (COTTET, 2013, p. 3).

Do mesmo modo como na experiência da loucura, a ética da psicanálise consiste em restituir à palavra a cada um, à sua opacidade e singularidade rebeldes aos quadros nosográficos e as tabelas classificatórias. A psicanálise como tratamento pela palavra protagoniza de um tipo de laço inédito até então, que possibilita ao sujeito dar consistência ao seu modo único de atravessar pelo inevitável do impasse sexual, onde pedalamos no vazio, do muro do sexo, do barco sexual onde nos embarcamos todos, cada um a sua maneira, num universal singular.

A pulsão parcial nos desfiladeiros do significante

[...] a pulsão é precisamente essa montagem pela qual a sexualidade participa da vida psíquica, de uma maneira que deve se conformar à estrutura de hiância própria ao inconsciente

Jacques Lacan

Na espécie humana, o que falta no real é a inscrição do objeto sexual ligado à ordem biológica da necessidade e da reprodução. Contrariando o senso comum da época, Freud se deparou com a ausência do instinto sexual, aquele que se manifestaria como "uma atração irresistível de um sexo pelo o outro, cuja finalidade seria constituída pela cópula sexual ou, ao menos, por atos que a ela conduziriam" (Freud, 1981c, p. 1172, tradução nossa).

Para dar conta dessa ausência, Freud, em 1915, define o conceito de pulsão (*Trieb*), como limite entre o somático e o psíquico, "um representante psíquico dos estímulos procedentes do interior do corpo que chegam à alma, e como uma magnitude da exigência de trabalho imposta ao psíquico como consequência de sua conexão com o somático" (Freud, 1981d, p. 2041, tradução nossa).

Assim, afastada da natureza, a pulsão implica o campo simbólico da linguagem, o representante psíquico que Lacan identificou como significante, aportando da linguística estrutural de Saussure os operadores de leitura para o seu retorno a Freud. Por outra parte, a pulsão não se reduz à sua representação, envolvendo o corpo erógeno como lugar da satisfação.

No campo da sexualidade, Freud se depara com sua natureza perversa-polimorfa, aberrante do ponto de vista do que seria o ideal de reprodução da espécie, uma vez que a pulsão, parcial, não obedece a tal finalidade, não agarra o objeto total que por fim saciaria o apetite da satisfação. Tem por objetivo *(Ziel)* a pura satisfação obtida no percurso de caráter circular,[8] que parte de uma zona erógena corporal (*Quelle*), dirige-se ao objeto *(Object)* para contorná-lo e retornar à zona erógena, onde reiniciará o trajeto, uma vez que a pressão (*Drang*) da pulsão, sua exigência de satisfação, é constante, não se dissipa com nenhum objeto, mas se satisfaz paradoxalmente, não se satisfazendo com objeto algum.

O objeto é finalmente um oco, um vazio que pode ser ocupado por qualquer um: "é aquele", diz Freud, "através do qual a pulsão pode atingir seu alvo. É o que há de mais variável na pulsão, não há nada que lhe seja originariamente ligado, mas algo que lhe é subordinado apenas em consequência de sua apropriação para seu apaziguamento" (Freud, 1981d, p. 2042, tradução nossa).

Lacan cria o conceito de objeto *a* para se referir ao objeto essencialmente perdido, oco da pulsão, mas também para designar o objeto da pulsão que se aloja nesse vazio, no lugar da causa ausente, que se recupera sob os auspícios da perda como um objeto extraído do próprio corpo.

A fim de ilustrar a que ponto a perda inaugural se impõe ao organismo para nascer como humano, habitado pela linguagem, Lacan inventa o mito da lamela em contraposição ao mito de Aristófanes sobre o amor do *Banquete* de Platão, segundo o qual cada um procura sua cara metade. Lacan evoca a figura da membrana do ovo que contém o feto e que se rompe com o nascimento, como a placenta que cai e que se perde na vida que nasce, enlaçando toda procura pelo objeto perdido à morte que inexoravelmente a acompanha.

Desse modo, o circuito pulsional é eterno retorno, fundamento da repetição, em torno de um objeto perdido inalcançável. Em sua última teoria das pulsões, em 1920, Freud insiste em diferenciar a representação da pulsão no inconsciente do próprio movimento pulsional que insiste em se fazer representar. É o argumento central da teoria da repetição, baseada na pulsão de morte como o que resta aquém da inscrição no inconsciente e que se satisfaz, paradoxalmente, no terreno obscuro do *Além do princípio do prazer*. "Como se espantar que seu último termo seja a morte? Já que a presença do sexo no vivente está ligada à morte!" (Lacan, 1973a, p. 162).

---

[8] No capítulo XIV, "A desmontagem da pulsão", de *O seminário, livro 11: Os quatro conceitos fundamentais da psicanálise*, Lacan desenvolve um trajeto pulsional circular a partir dos quatro elementos que diferenciam a pulsão do instinto, isolados por Freud em *A pulsão e seus destinos*.

Lacan insiste, em *O seminário, livro 11: Os quatro conceitos fundamentais da psicanálise*, que as pulsões são parciais, pois só podem representar parcialmente a sexualidade no inconsciente, para finalmente dizer que a pulsão, a rigor, não representa a sexualidade como uma relação com o Outro sexual, pois não há como representar a relação sexual no inconsciente (Miller, 2000, p. 169). Mas, na impossibilidade de acessar o Outro sexo cuja representação não existe, resta ao sujeito a relação com o objeto *a* que o neurótico aloja no Outro, dando-lhe consistência, da qual se extrai seu gozo.

Subjacente à experiência de prazer e sofrimento, algo do qual não se sabe se satisfaz. Segundo Jacques-Alain Miller (Miller, 2005, p. 13), é precisamente o que Lacan chamou de *gozo* para qualificar a satisfação inconsciente na qual o sujeito não se reconhece. Daí seu caráter "acéfalo", uma montagem sem sujeito, onde *Isso* goza apesar dos propósitos civilizatórios do Eu. O gozo encontrado por Freud no sintoma como um modo de gozar do sofrimento é paradigmático.

Com a noção da estrutura da linguagem, do Outro como tesouro do significante preexistente a chegada do bebê humano – o registro Simbólico que Lacan elabora com os elementos da linguística estrutural –, Lacan articula a pulsão à palavra, à demanda do Outro que se ocupa dos cuidados da criança.

Carente de um saber sobre objeto instintivo que apazigue sua necessidade, para ter acesso ao objeto que o sacie, o bebê terá de pedi-lo ao Outro, que decodificará seu grito designando aquilo que lhe falta, de modo que a necessidade biológica se transforma, ao passar pelo Outro da linguagem, em demanda já articulada em significantes.

A essa operação Lacan chamou de "alienação" (Lacan, 1985a, cap. XVI e XVII), indicando que, longe de uma justaposição entre as necessidades biológicas do corpo e as palavras que as exprimiram, ocorre uma disjunção entre o corpo e a linguagem que implica uma dupla perda. Por um lado, ao entrar no império da linguagem, o sujeito já nasce alienado no campo do Outro que o representa, dividido como efeito do significante que só representa um sujeito para outro significante, lança-o na cadeia infinita de representações. Por outro, o significante não recobre toda a intencionalidade da necessidade, deixando um resto no campo do vivente que permanece como uma falta real aquém da representação.

Com a segunda operação de causação do sujeito, a "separação", Lacan indica que o objeto perdido não pertence nem ao sujeito nem ao Outro; é aquilo que o sujeito supõe ser o objeto do desejo do Outro.

Isso permite um aparelhamento para a pulsão através da montagem da fantasia, na qual o próprio sujeito se oferece como o objeto imaginário que complementaria o Outro, fazendo-se *sugar*, *evacuar*, *ver*, *ouvir*, segundo a modalidade da demanda pulsional em circulação.

A pulsão parcial assim aparelhada pela linguagem na dialética da alienação-separação retira o sujeito da pura satisfação autoerótica, característica de toda pulsão cuja satisfação em última instância se restringe ao próprio corpo, como na imagem da boca que beija a si mesma, evocada por Freud.[9]

Gozar do próprio corpo

A essa satisfação que o sujeito encontra em seu próprio corpo, experimentada precocemente pela criança – como no exemplo dado por Freud de chupar o próprio dedo –, Lacan chama de "gozo autístico", fazendo objeção ao termo "autoerotismo", uma vez que a experiência do gozo é sempre intrusiva, implica uma alteridade perturbadora. Nesse sentido, "o que há de mais hétero" – diz Lacan – é "o encontro com a própria ereção, que não é, absolutamente, autoerótica" (Lacan, 1998b, p. 10). É justamente a emergência angustiante do gozo masturbatório que mobiliza defesas, como a fobia no caso do pequeno Hans, comentado por Lacan.

O autismo do gozo que prescinde do Outro tem como correlato no Imaginário o narcisismo, reconhecido por Freud em 1914 (Freud, [1914] 1981, p. 2017-2033), no qual o amor de si mesmo é a tal ponto preponderante que o sujeito não precisa de ninguém para tomar a sua imagem como objeto de satisfação. Com "Estádio do espelho" (Lacan, 1998a, p. 96-103) Lacan demonstra que a imagem própria que dá unidade ao corpo envolve uma alteridade perturbadora, pois é sempre construída a partir da realidade alienante do espelho cujo suporte é o Outro. Assim, o júbilo da criança frente à própria imagem totalizante antecipa sua derrota: a imagem, que não lhe obedece, contrasta com a experiência do corpo fragmentado aquém da imagem especular.

O caráter autístico do gozo presente em toda pulsão, que se satisfaz na zona erógena, e a natureza do amor que não se desvencilha do amor

---

[9] O estágio sexual mais antigo segundo Freud é o autoerotismo, termo que toma de Havelock Ellis. Nele sua única meta é a satisfação das zonas erógenas, como no exemplo dado por Freud nos *Três ensaios*. Essa ideia já se faz presente na Carta a Fließ, n. 125, de 1899.

narcisista ilustram a que ponto "o parceiro fundamental do sujeito jamais é o Outro. Não é o Outro nem como pessoa, nem como lugar da verdade. Ao contrário, o parceiro do sujeito, o que a psicanálise sempre percebeu, é algo dele próprio" (Miller, 2000, p. 156). Ou, ao menos, algo que ele perdeu, como o objeto *a*, parceiro fundamental do sujeito inserido na dialética da alienação-separação ao Outro.

A demanda oral

Não é preciso evocar nenhum processo orgânico de maturação da libido, pois é demanda do Outro que intervém no campo pulsional determinando a passagem de uma modalidade de organização da libido para a outra. É no campo do Outro que o sujeito encontra não apenas as imagens para recobrir o despedaçamento corporal, mas também os objetos do desejo do Outro materno.

Na fase oral, a "sexualização"[10] do corpo, como disse Freud nos *Três ensaios*, se dá através da zona erógena da boca, e o alimento – o seio como objeto perdido no desmame, arrancado do organismo da mãe – serve de suporte material em torno do qual a pulsão fechará seu circuito.

A demanda oral é sexual, explica Lacan (Lacan, 1992a, cap. XIV), pois, para além da satisfação da fome, o que está em jogo é a demanda de ser alimentado, que complementa a demanda suposta ao Outro de *deixar-se alimentar*. É o canibalismo, pois o sujeito se alimenta não do pão, mas do corpo do Outro que se pretende absorver por completo. Entre essas duas demandas há uma hiância, causa para o desejo de não se deixar esmagar pelo Outro devorador, pelo angustiante *fazer-se sugar*.

A anorexia representa o extremo da recusa de não se deixar alimentar para resguardar o desejo próprio, reinstaurando uma falta onde ela vem a faltar, contrariamente às necessidades vitais do organismo, despertando o "apetite do nada", presente na boca que se fecha até o fim às custas da própria vida. Inverte-se a relação de dependência ao Outro materno: não é a menina que fica à mercê da onipotência do Outro, mas a mãe é quem depende do desejo da filha para que ela sobreviva. Ao passo que a bulimia representa outra manobra do sujeito para instaurar a falta do desejo, que consiste na repetição do "encher-esvaziar", presença-ausência do alimento, que também encontra na satisfação mortífera seu deleite.

[10] A rigor, para Lacan, o gozo pulsional é "assexuado", pois é marcado pela impossibilidade de estabelecer a relação sexual com o Outro sexo.

A partir da metáfora luminosa de Freud, da boca que se beija a si mesma, Lacan evoca também a ligação da pulsão oral com a fala, por onde a pulsão se infiltra, fazendo-a calar: "uma boca fechada em que se vê, na análise, indicar-se ao máximo, em certos silêncios, a instância pura da pulsão oral, fechando-se sobre sua satisfação" (Lacan, 1973a, p. 164, tradução nossa).

O silêncio do dizer da boca cosida, que pode chegar ao mutismo, indica também a vizinhança com a anorexia, que não é apenas do apetite, mas também anorexia mental, recusa do sujeito em se fazer representar pelo deslizamento significante.

A demanda anal

A erotização do orifício anal se dá a partir da demanda dirigida à criança pelo Outro que se ocupa dos seus cuidados, de reter e expulsar o excremento na hora certa, ou seja, que satisfaça a expectativa do Outro de entregar o objeto que assim se torna precioso. As fezes perdidas na evacuação passam a representar, como observa Freud, o presente ofertado à mãe, através do qual a erotização do corpo se produz na disciplina da necessidade da limpeza anal.

É nesse campo que se instala a oblatividade anal, onde se entrega "tudo para o Outro", oferta típica do obsessivo, cuja consequência, como diz Lacan, é que "o desejo, literalmente, vai à merda" (Lacan, 1992b, p. 204). O sujeito se designa no próprio objeto evacuado, fazendo do Outro sua lixeira. A impotência do desejo se manifesta na dependência passiva neurótica que outorga ao Outro o comando, satisfação do sadismo e masoquismo anal que, além do princípio do prazer, extraem prazer na dor e no sofrimento.

A primazia do falo e os impasses do desejo sexual

A fase genital de organização da libido seria aquela na qual as pulsões parciais se unificariam sob a primazia dos órgãos genitais, orientados para a finalidade do coito com o parceiro sexuado. É o que Freud propõe nos *Três ensaios*, contrariamente ao que afirma na nota posterior, "A organização genital infantil" (Freud, [1923] 1981, p. 2698-2700), em que explica que na fase fálica, crucial à organização libidinal, meninos e meninas têm de se confrontar com a castração, com a realidade sexual do inconsciente, que interpreta a diferença sexual a partir de um único representante, o falo, com o qual a designa em termos de castração. Retifica que há primazia não dos órgãos genitais, mas do falo.

Se a pulsão genital existisse, seu objeto seria o Outro sexo. Contudo, a sexualidade é marcada pelo impasse de que a pulsão não lhe dá acesso: "A mulher não existe", segundo o aforismo com o qual Lacan designa o furo da não-relação sexual, uma vez que o representante no inconsciente para o sexo feminino, conforme a descoberta freudiana, falta para ambos os sexos.

A libido, única, é posta a serviço tanto da função masculina como da feminina, e a psicanálise, afirma Freud (Freud, 1981i, p. 3165), trata de investigar de que maneira, da disposição bissexual do ser humano, surge a mulher, já que a natureza não responde por esse advir, e a relação com a mãe, longe de acenar como um porto seguro para as bases da feminilidade, é, na maioria dos casos, o "germe da paranoia da mulher" (Freud, 1981i, p. 3078), o temor surpreendente de ser devorada, morta pela própria mãe, expressão do ódio que a menina lhe dirige por tê-la feito castrada.

Contrariamente a algumas analistas que aportavam à psicanálise os ideais do movimento feminista, como Karen Horney – que defendia a existência de uma identificação inata à mãe como base da feminilidade –, Freud, irredutível, reafirma que não há no inconsciente o alicerce de identificação da mulher ao seu sexo anatômico. O feminino permanece como "um *dark continent*" (Freud, 1981i, p. 2928), um impossível cujo enigma Freud mantém até o final de sua obra.

Com efeito, na ausência do instinto sexual e de um saber prévio sobre o sexo, as crianças elaboram as *Teorias sexuales infantiles* (Freud, 1981c, p. 1262-1271), ficções sobre a diferença sexual, o coito e o nascimento, baseadas no desconhecimento da vagina como representante do sexo feminino. Uma teoria infantil consiste em crer que todos têm o pênis e que, diante da constatação da diferença sexual anatômica, o menino falseia sua percepção imaginando que o órgão ainda pequeno crescerá na menina. Para ela, a constatação da diferença sexual também é perturbadora, e a inveja de ter o órgão a domina.

É o que põe em marcha o complexo de Édipo para ambos. A menina abandona a mãe, também castrada, como seu primeiro objeto de amor, por tê-la, ademais, privado do órgão. Dirige-se ao pai na procura do falo para finalmente também abandoná-lo e buscar substitutos fálicos – seja no parceiro que a toma como objeto de amor; seja no pênis do homem com o qual se satisfaz no coito; seja no filho que lhe restitui na maternidade o falo desejado.

Entretanto, o *Penisneid* pode permanecer como uma ferida aberta na mulher que renuncia à feminilidade, como indica ainda Freud ao se referir às vicissitudes da "Sexualidade feminina" (Freud, 1981i, p. 3077-3089). No complexo de masculinidade, que em alguns casos resulta na homossexualidade feminina, a mulher se identifica imaginariamente com a mãe não castrada, fálica, ou com o pai detentor do falo, para evitar a castração, transferindo as bases da relação com a mãe à parceira sexual. Pode ocorrer, ainda, a inibição sexual e o repúdio ao ato sexual na falta do consentimento com a castração feminina. A menina, diz Freud (Freud, 1981i, p. 3167), que se excitava com o clitóris e relacionava o prazer da masturbação aos desejos orientados ao seu objeto de amor, a mãe, permite que a inveja do pênis arruíne seu gozo.

Não sem efeitos, o *Penisneid* pode permanecer como um real irredutível na análise das mulheres (Freud, 1981j, p. 3339-3364), rochedo da castração que conduz ao beco sem saída da depressão, porém bastante frequentado, da triste constatação de nunca estar à altura do ideal fálico.

O menino, uma vez que concebe a ausência do órgão em consequência da diferença sexual anatômica (Freud, 1981k, p. 2896-2903), abandona a mãe como objeto de amor para resguardar seu estimado órgão ameaçado, identificando-se àquele que o tem, o pai, a quem imagina ter escapado do perigo.

Desse modo, o complexo de Édipo em Freud consiste nesse terreno sobre o qual se erguem as identificações masculinas e femininas a partir da incidência do complexo de castração para ambos os sexos. Mas é finalmente Lacan quem desfaz os equívocos da querela em torno do falo e da castração que se instalou na psicanálise nos anos 1920 – quando Freud foi criticado por fazer da mulher um homem castrado. Em 1958, define o complexo de castração como um nó estruturante no devir sexual que instala no sujeito "uma posição inconsciente sem a qual ele não poderia identificar-se com o tipo ideal de seu sexo, nem tampouco responder, sem graves incidentes, às necessidades de seu parceiro na relação sexual" (Lacan, 1998c, p. 692). Situa o falo no seu devido lugar: nem objeto parcial, nem fantasia, menos ainda o órgão, o falo é o significante da falta que sustenta o sujeito como desejante, marcado pela castração que obstaculiza a relação sexual, com o qual ambos têm de se confrontar para assumir uma posição sexuada. É também o significante que, na neurose, articula-se ao objeto *a*, ordenando os objetos pulsionais com a castração que esvazia o gozo do corpo e orienta o sujeito a buscar no Outro o objeto faltante do desejo, o falo.

Lacan (1998c, p. 175-176) interpreta o complexo de Édipo e o complexo de castração de Freud a partir das leis do significante, mostrando com a "metáfora paterna" o fundamento estrutural da linguagem que responde pelo mito edipiano. Trata-se da substituição do significante enigmático do Desejo Materno pelo significante do Nome-do-Pai que lhe confere uma significação: a mãe, também castrada, deseja o falo. Desse modo, articula o Desejo Materno à lei da proibição do incesto, o desejo atrelado à lei do significante que retira a criança da posição de *ser* ela mesma o falo, o objeto condensador do gozo materno, e castra a mãe, arrancando-lhe o filho como objeto. Ao mesmo tempo, o significante fálico como produto da metáfora designa um objeto para o desejo articulado aos objetos *a*, já que a causa do desejo é a falta.

Lacan assinala que o problema da castração não está apenas no dilema de *ter* o falo; é preciso que o sujeito conceba primeiramente que não o *é* o falo materno para que possa assumir uma posição sexuada na relação com o parceiro. Se não há relação sexual, há relação ao falo, a partir da qual Lacan situa uma dissimetria entre *ser* e *ter* o falo na comédia dos sexos, como duas formas de suprir a relação sexual que não há.

A sustentação da posição viril no homem como detentor do falo lhe exige a renúncia a *ser* o objeto materno, pois o falo como suporte da lei do incesto é justamente o que lhe proíbe ser esse objeto. Desse modo, para que o desejo sexual no homem encontre a satisfação, o órgão deve ser transformado em significante da falta, marcado pela castração. Ademais, a detumescência do pênis no gozo sexual materializa o problema do homem na copulação, que se confronta diretamente com a falha do órgão que desaparece com o gozo sexual – razão de sua angústia, diz Lacan (Lacan, 2005), ligada ao temor de perder o poder. Nesse aspecto, longe de ser um privilégio em relação à mulher, como o *Penisneid* levaria a supor, ser o portador do órgão é fonte de embaraço, e a impotência sexual pode emergir como sintoma dessa problemática.

Quanto à mulher, "é pelo que ela não *é* que ela pretende ser desejada, ao mesmo tempo que amada" (Lacan, 2005, p. 701), segundo a estratégia da mascarada feminina,[11] que consiste em se presta a ser o falo desejado pelo homem, servindo-se dos semblantes do feminino para lhe causar o desejo. Trata-se de *pare-ser* mulher quando "A" mulher não existe, o que exige uma invenção de cada uma para dar consistência ao que não

[11] Segundo o termo criado pela psicanalista Joan Riviere, no célebre artigo "Womanliness as a masquerade" de 1929, em que explora as vias de uma feminilidade sedutora com a qual uma mulher pode ser desejada, ao mesmo tempo que situa a feminilidade mesma como uma máscara. Cf. Riviere (1991).

há. No corpo daquele a quem demanda o amor que ela pode encontrar o significante do seu próprio desejo, o falo.

Ainda em relação à problemática da castração e do falo, Lacan (Lacan 1995, p. 153-166) analisa o fetichismo a partir das premissas de Freud em seu artigo de 1927 (Freud, [1927] 1981g, p. 2993-2996). O fetiche, isto é, a fixação em algum objeto como condição do desejo, tal como o sapato, as roupas, etc., que pode chegar à renúncia ao coito ou à necessidade de incluí-lo nele, é um símbolo da ausência do pênis, aquele que a criança atribuiu à mãe e que se recusou a perdê-lo diante da constatação da castração materna. O mecanismo de defesa consiste na denegação que conserva a percepção da ausência do pênis e a repudia, pois o objeto de fetiche mantém a última percepção antes da visão traumática da ausência do pênis na mãe e a encobre com o próprio objeto, que funciona como um véu em que se projeta, no plano imaginário, o falo simbólico. Conserva-se assim a ausência simbólica da castração, mas denegada na presença do objeto imaginário que a encobre.

No travestismo, quando o uso de vestimentas femininas é condição do desejo sexual no homem, o sujeito se identifica à mãe que tem o falo, protegendo-a com a roupa que a encobre. As roupas também desempenham a função de véu, mas a posição do sujeito é diferente daquela do fetichista, pois enquanto este está na frente do objeto que funciona como anteparo, o travesti encontra-se atrás do véu identificado à mãe fálica. Lacan indica ainda que em todo uso da roupa, há algo semelhante ao travestismo, pois não se trata somente de esconder o que se tem, mas também de esconder o que falta.

No exibicionismo transitório, trata-se de buscar o falo não no corpo do outro, como na homossexualidade masculina, em que a castração materna também é rejeitada, mas no próprio corpo, exibindo o órgão, ou seja, mostrando o que existe, como uma resposta frente à dificuldade de simbolização do falo. Lacan fornece dois exemplos: um homem que, após sua primeira relação sexual com uma mulher, exibe seu sexo diante da passagem de um trem internacional; e outro, um homem pequeno, casado com uma mulher grande, diante da notícia de que vai ser pai, mostra seu órgão para as mocinhas do parque. Ambos, explica Lacan, mostram, como no *acting out*, o órgão imaginário aludindo ao falo simbólico, aquilo que o homem deve entregar à mulher na relação sexual e no filho que nela pode gerar.

Ainda que Lacan tenha utilizado inicialmente o termo "perversão" para se referir à estrutura cuja defesa é a denegação da castração – em contraposição à neurose, que a recalca, e a psicose, cuja defesa é a foraclusão –, ao final do seu ensino estende o termo, não sem deboche, ao se referir à *père-version,*[12] isto é, a versão paterna, quando perversamente orientado, de como acasalar a mulher, visto que *A mulher não existe.* "Um pai só tem direito ao respeito, senão ao amor [...] se estiver *père-vertidamente* orientado, isto é, feito de uma mulher objeto *a,* a que causa seu desejo".[13] É o que lhe dá a garantia de funcionar como pai e transmitir ao filho como fez da mulher um sintoma, isto é, um meio de gozar, não do corpo do Outro como tal, mas de uma pequena mostra corporal, um fetiche, o objeto *a* que nela o aloja, segundo o objeto da sua fantasia que lhe assegura o circuito da pulsão parcial.

O gozo fálico e o gozo feminino

A formalização das fórmulas da sexuação (Lacan, 1985b, p. 103) nos anos 1970 sobre a sexualidade, efeito da passagem de Lacan pelo feminino, instaurou um novo divisor de águas na história da psicanálise, quando finalmente Lacan abriu a caixa de pandora do enigma da mulher para enfrentar um real que concerne ao ser falante como tal.

Se *A mulher não existe* é por que não há um conjunto que possa designá-la. Sem essência nem existência, seguindo a tese freudiana, não há um conceito que a identifique a um traço específico nem ao seu corpo. As mulheres devem ser tomadas num conjunto aberto, uma a uma, enquanto a posição masculina encontra seu alicerce em uma identificação que dá fundamento ao conjunto dos homens.

Seria um equívoco encontrar no complexo quadro da sexuação – elaborado a partir da lógica aristotélica dos silogismos e de sua formalização feita por Frege – os dois lados que por fim caracterizam o homem e a mulher na espécie humana. Ao contrário, ao indicar uma posição sexuada masculina diferente da posição feminina, longe de uma ontologia que definiria os dois sexos, Lacan localiza o impossível da sexualidade para o ser falante, pois não há como simbolizar a diferença sexual que, no entanto, apresenta-se; o Outro sexo resta como um real indizível para ambos. Assim, toda identificação sexual repousa sobre esse impossível, e não há "gênero" normatizante que convenha para a relação sexual.

---

12 Termo empregado por Lacan em 21 de janeiro de 1975, no seminário *RSI,* que em francês produz o equívoco entre "versão do pai" e "perversão".

13 LACAN, J. Aula do dia 21 de janeiro de 1975. In: *RSI.* Inédito.

"O homem, uma mulher, não são mais do que significantes" (Lacan, 1985b, p. 54) que não traduzem o real, ele mesmo, dessexualizado; gays, transexuais, homossexuais, etc., qualquer que seja a identidade que se pretenda, são sempre modos de fazer fracassar a relação sexual que não existe, (d)efeitos de uma simbolização impossível de qualquer nome que nunca recobre o transtorno do real do sexo em questão.

Recusando-se a tratar "os problemas da assunção do sexo em termos de papel" (Lacan, 1998c, p. 689) – como pretendia a clínica do gênero nascente nos Estados Unidos nos anos 1950 –, Lacan elabora a teoria da sexuação a partir de três tempos lógicos. O primeiro, mítico, é o instante de ver a realidade do sexo biológico anatômico do bebê, contingente, que é desde sempre interpretada pelo Outro parental. O segundo momento é aquele no qual incide o discurso sexual do Outro da linguagem que diferencia meninas e meninos a partir dos significantes que variam e marcam uma história singular inserida em um dado contexto cultural, mas, sobretudo, que invariavelmente carregam o "erro comum" estrutural do discurso: só há um significante para designar a diferença sexual, o falo, que introduz de entrada a criança na realidade discursiva, que é a dos semblantes. Somente ali encontrará as representações imaginárias e simbólicas, o tecido de ficções para *pare-ser* homem, mulher, ou quais forem os semblantes com os quais se inventam as identificações. O terceiro tempo consiste na maneira como cada ser falante, na relação ao Outro sexo, inscreve-se na função fálica, que é essencialmente uma função de gozo.

Não sem razão, foi a partir da análise das mulheres que Lacan concebeu um gozo distinto daquele que havia formalizado em seu ensino. O gozo pulsional aparelhado pela linguagem, como se viu, implica a intervenção da lei paterna na neurose que orienta o sujeito a buscar o objeto *a* no campo do Outro por meio do significante fálico que sustenta esse desejo. É o que Lacan passa a designar como gozo fálico, destacando que se trata não apenas do falo como suporte das identificações fálicas, mas também de uma função de gozo que produz seu esvaziamento no corpo por meio da extração do objeto *a*, e materializa a não-relação sexual. "O gozo fálico é o obstáculo pelo qual o homem não chega, eu diria, a gozar do corpo da mulher, precisamente porque o de que ele goza é do órgão" (Lacan, 1985, p. 15).

A partir da afinidade das mulheres com o objeto "nada", modalidade do objeto *a,* com o qual também se goza, Lacan reconheceu a presença do gozo feminino, segundo revela Éric Laurent (Laurent, 2001, p. 10-25).

O nada oral, como visto, no "apetite pelo nada" anoréxico; o nada anal, quando se trata de "dar nada" ao Outro; o nada do olhar do "não se fazer ver"; o nada da pulsão evocante no "não se fazer ouvir", ou, ainda, quando a mulher encarna o comando absoluto do supereu para que o homem, sem que ela tenha de lhe "dizer absolutamente nada", requintado capricho feminino, faça exatamente aquilo que ela lhe cobra.

A mulher é *não-toda* inscrita no gozo fálico – do que em 1958 Lacan já suspeitava: "convém indagar se a mediação fálica drena tudo o que pode se manifestar de pulsional na mulher" (Lacan, 1998c, p. 739). Ela experimenta, *mais, ainda*, um gozo Outro, louco e enigmático, não interditado pela lei da linguagem nem localizado em relação ao corpo próprio. Esse gozo dito feminino, sem limites e fora da linguagem, produz-se no real onde o inconsciente não cifra o gozo, onde falta no Outro o significante que represente *A* mulher que não existe.

Despersonalização, angústia, sensação de ser despossuída do corpo, arrebatamento sinalizam a presença desse gozo experimentado ali onde ela está ausente de si mesma, onde é *Outra* para o homem como para ela mesma. Deduz-se também do coito, em que ela pode encontrar seu real parceiro na solidão: o gozo suplementar do qual o homem é apenas o conector. Ou vislumbra-se na satisfação do êxtase da mística que renuncia ao mundo não por uma paixão masoquista, mas por amor a *Outra* coisa à qual a "verdadeira mulher", se ela existisse – como Medeia traída por Jasão, disposta a abandonar seu bem mais valioso, seus filhos –, também faz alusão.

Localizar o gozo feminino na "obscuridade do órgão vaginal" (Lacan, 1998c, p. 736) em contraposição ao gozo clitoridiano, fálico, foi o equívoco dos pós-freudianos que consiste em procurar o significante dA mulher que não existe no órgão genital feminino. Por outra parte, à luz do gozo feminino que pode ser experimentado sem que nada se saiba disso, abre outra perspectiva à problemática da frigidez feminina, "relativamente bem tolerada por ela" (Lacan, 1998, pág. 702), quando se trata de obter Outra satisfação.

O gozo feminino não é exclusividade da mulher, é condição do ser falante como tal. Mas se foi nelas que Lacan localizou sua presença, é porque, nos homens, a angústia frente à perda do poder que o falo lhes confere protege-os desse gozo real, frente ao qual todo semblante se desnuda como falácia e com o qual eles também têm de lidar, nem que seja através dela, não sem efeitos, na tão *difamada* mulher.

On la dit-femme (Lacan, 1985, p. 114). Com o equívoco produzido em francês entre "*on la dit femme*" (nós a dizemos mulher) e *on la difamme* (nós a difamamos), Lacan designa, ao mesmo tempo, a impossibilidade estrutural de encontrar justa palavra que poderia designar a mulher, já que o discurso é por estrutura falocêntrico, cujo segregacionismo é redobrado na misoginia que rejeita o gozo do Outro, estranho e enigmático, mas que finalmente concerne ao próprio sujeito que, para afastá-lo, localiza-o no objeto maligno degradante.

"Um homem se faz O homem por se situar a partir do Um-entre-outros, por entrar entre seus semelhantes" (Lacan, 2003, p. 558). Ele acredita mais nos semblantes que sustentam sua identificação fálica e que seu narcisismo trata de assegurar, uma vez que conta com a exceção fundante do conjunto ("O" homem seria aquele que teria escapado à castração, como o pai da horda primitiva do mito freudiano de *Totem e tabu*, que funda o conjunto dos homens "todos castrados", isto é, submetidos à função fálica). São as mulheres, mais próximas do real desse gozo, que acreditam menos nos semblantes da cultura, cuja impostura, notadamente na histeria, não se cansam de denunciar. Não faltam exemplos na história da civilização ocidental do perigo que elas representam para eles, mas não menos do que para elas mesmas, já que uma *Outra* mulher sempre pode emergir dos escombros do real.

Ele nunca alcança, ainda que ela se preste a *pare-ser* objeto de sua fantasia, pois ela é *não-toda* dele: "Não disse que a mulher é um objeto para o homem. Muito pelo contrário, disse que era alguma coisa com o que ele não sabe jamais lidar" (Lacan, 1998b, p. 11) – insiste Lacan. Ela é a hora da sua verdade por encarnar, na dialética do falo, o Outro absoluto, o gozo real muitas vezes impossível de suportar.

A ser *não-toda* o ciúmes masculino costuma fazer objeção. Também a fantasia do desejo masculino (Lacan, 1998c, p. 740) do pretenso masoquismo feminino – que deu margem ao preconceito de alguns analistas pós-freudianos, cujos equívocos Freud já havia esclarecido depois de analisar a fantasia estranha, mas bastante comum nas mulheres, da sua própria filha.

Em torno dos devaneios sobre o "Bate-se numa criança" (Freud, 1981l, p. 2465-2480), Anna Freud encontra a satisfação masturbatória que finalmente a análise com pai elucida: apanhar do pai equivale a ser tomada como seu objeto do amor, e, se a mulher apanha, é para ser amada como um objeto fálico. Mas, além disso, com a retomada posterior do "Problema econômico do masoquismo", após a conceitualização da pulsão de morte, Freud concebe um masoquismo feminino como uma formação secundária, um meio de "tornar inofensivo este instinto destruidor"

(Freud, 1981m, p. 2755), que protege a mulher do masoquismo erógeno primário, atrelado à pura pulsão de morte.

Éric Laurent (2001), comentando o caso, percebe que tal fantasia só se sustenta a partir da suposição de um gozo no Outro paterno presente no enunciado: "você me espanca". Ou seja, é a *père-version* suposta ao pai Freud, que desejaria se satisfazer sadicamente batendo na filha, o que dá sustentação a essa fantasia.

Ademais, mostra "não haver limites para as concessões que cada uma faz a *um* homem: de seu corpo, de sua alma, de seus bens" (Lacan, 2014b, p. 538) – como diz Lacan. Ou seja, para conquistar o amor uma mulher é capaz de qualquer coisa, cuja perda Freud (Freud, 1981h, p. 2833-2883) já havia assimilado à angústia de castração no homem. Não há limites nas concessões feitas por uma mulher, e se ele a devasta, tanto melhor para Outra satisfação, nem sempre desejável, que uma mulher arrebatada ali pode encontrar.

O gozo sentido

O inconsciente não é que o ser pense [...] o inconsciente é que o ser, ao falar, goza, e, eu acrescento, não quer saber de mais nada. Eu acrescento que isso quer dizer – não saber de coisa alguma.

Jacques Lacan

O *gozo-sentido* (*jouis-sens/jouissance*) é um dos vários neologismos que Lacan inventa a partir do gozo. É um exemplo de um "não-conceito" que deve ser lido como num pentagrama que se desenha entre a dimensão imaginária e a dimensão simbólica da existência. No gozo (*jouissance*), também se escuta "eu gozo" (*je jouis*), "eu ouço eu" (*s'ouis-je*) e, *last but not least*, o "*gozo-sentido*" (*jouis-sense*), que Lacan desgrana no seu seminário *RSI*.

A linguagem, que supre a ausência da relação sexual, implica duas vertentes (Lacan, 2014b, p. 542): a vertente do sentido que na palavra fascina e conglomera, e a vertente do signo que separa do Outro. A vertente do signo revela a linguagem como um aparelho de gozo, uma satisfação do *blá-blá-blá*, constituinte de *lalíngua* singular formada por acasos que atravessa cada corpo que fala. Um aparelho que frente ao não-sentido do que não há não cessa de produzir sentido. Mas, como Lacan adverte, o que Freud descobre no inconsciente é bem diferente, pode-se dar um sentido sexual a tudo o que se sabe (Lacan, 2014b, p. 542).

A questão é que "a partir do sentido se goza (*se jouit*)..." (Lacan, 1985, p. 37-46), cadeias significantes de *gozo-sentido* (*jouis-sens/jouissance*) (Lacan, 1975, p. 543) enodam-se no corpo do eu e do semelhante sob o modo da identificação e segregam seu mal-estar interminável, figurado por Lacan com o famoso tonel das Danaides, que por estar furado na base nunca podia ser preenchido. Lacan assinala, contrariamente, que o signo, que representa algo para alguém, "produz gozo através da cifra que os significantes permitem" (Lacan, 2014b, p. 578), na exclusão do gozo do sentido. O exemplo que ele dá são os matemáticos que cifram e cifram gozando, mas de uma satisfação não atrelada ao sentido: "eis o que faz o desejo do matemático, cifrar, mais além do *jouis-sens*" (Lacan, 2014b, p. 578).

A psicanálise apontando o furo do saber funciona com um desmancha-sentidos que vela o não-há um "sentido no sentido".[14]

Referências

CHARCOT, J.-M. Parálisis histérico-traumática masculina. In: CONTI, N.; STAGNARO, J. C. *Historia de la ansiedad: textos escogidos*. Buenos Aires: Editorial Polemos, 2007.

COTTET, S. Ouverture. *Révue de la Cause Freudienne*, n. 17, p. 4, oct. 1989.

COTTET, S. Un bien-decir epistemológico. In: *Virtualia: Revista de la Escuela de la Orientación lacaniana*, Buenos Aires, n. 26, p. 3, julio 2013.

FOUCAULT, M. *História da sexualidade*. Rio de Janeiro: Graal, 1999. v. 1: *A vontade de saber*.

FREUD, S. La iniciación del tratamiento. In: *Obras completas*. Traducción de Luis Lopez-Ballesteros. 4. ed. Madrid: Biblioteca Nueva, 1981a.

FREUD, S. Los orígenes del psicoanálisis. In: *Obras completas*. Traducción de Luis Lopez-Ballesteros. 4. ed. Madrid: Biblioteca Nueva, 1981b.

FREUD, S. Tres ensayos para una teoría sexual. In: *Obras completas*. Traducción de Luis Lopez-Ballesteros. 4. ed. Madrid: Biblioteca Nueva, 1981c.

FREUD, S. Los instintos y sus destinos. In: *Obras completas*. Traducción de Luis Lopez-Ballesteros. 4. ed. Madrid: Biblioteca Nueva, 1981d.

FREUD, S. Introducción al narcisismo. In: *Obras completas*. Traducción de Luis Lopez-Ballesteros. 4. ed. Madrid: Biblioteca Nueva, 1981e.

[14] LACAN, J. Aula de 20 de novembro de 1973. In: *O seminário, livro 21: Les non-dupes errent*. Inédito.

FREUD, S. La organización genital infantil. In: *Obras completas.* Traducción de Luis Lopez-Ballesteros. 4. ed. Madrid: Biblioteca Nueva, 1981f.

FREUD, S. Fetichismo. In: *Obras completas.* Traducción de Luis Lopez-Ballesteros. 4. ed. Madrid: Biblioteca Nueva, 1981g.

FREUD, S. Inhibicion, sintoma y angustia. In: *Obras completas.* Traducción de Luis Lopez-Ballesteros. 4. ed. Madrid: Biblioteca Nueva, 1981h.

FREUD, S. Análisis terminable y interminable. In: *Obras completas.* Traducción de Luis Lopez-Ballesteros. 4. ed. Madrid: Biblioteca Nueva, 1981j.

FREUD, Sigmund. Pegan a un niño. In: *Obras Completas.* 4. ed. Madrid, Editorial Biblioteca Nueva, 1981l.

FREUD, S. Nuevas lecciones introductorias al psicoanálisis. In: *Obras completas.* Traducción de Luis Lopez-Ballesteros. 4. ed. Madrid: Biblioteca Nueva, 1981i.

FREUD, S. El problema económico del masoquismo. In: *Obras completas.* Traducción de Luis Lopez-Ballesteros. 4. ed. Madrid: Biblioteca Nueva, 1981m.

FREUD, S. *Algunas consecuencias psíquicas de la diferencia sexual anatómica.* Madrid: Biblioteca Nueva, 1981k.

KRAFFT-EBING, R. *Psychopathia sexualis.* São Paulo: Martins Fontes, 2000.

LACAN, J. ...O peor. Reseña del seminario 1971-1972. In: *Otros escritos.* Buenos Aires: Paidós, 2014a.

LACAN, J. A significação do falo. In: *Escritos.* Rio de Janeiro: Jorge Zahar, 1998a.

LACAN, J. Conferência em Genebra sobre o sintoma. *Opção Lacaniana: Revista Brasileira Internacional de Psicanálise*, São Paulo, n. 23, dez. 1998b.

LACAN, J. Diretrizes para um Congresso sobre a sexualidade feminina. In: *Escritos.* Rio de Janeiro: Jorge Zahar, 1998c.

LACAN, J. La tercera. In: *Jacques Lacan: intervenciones y textos 2.* Buenos Aires: Manantial, 1993.

LACAN, J. Le moment de conclure: une pratique de bavardage. *Ornicar?*, Paris, n. 19, 1979.

LACAN, J. *Le séminaire, livre 11: Les quatre concepts fondamentaux de la psychanalyse.* Paris: Seuil, 1973a.

LACAN, J. *Le séminaire, livre 20: encore*. Paris: Seuil, 1973b.

LACAN, J. O estádio do espelho como formador da função do eu. In: *Escritos*. Rio de Janeiro: Jorge Zahar, 1998d. p. 96-103.

LACAN, J. *O avesso da psicanálise*. Rio de Janeiro: Jorge Zahar, 1992a.

LACAN, J. Observação sobre o relatório de Daniel Lagache. In: *Escritos*. Rio de Janeiro: Jorge Zahar, 1998e.

LACAN, J. *O seminário, livro 4: A relação de objeto*. Rio de Janeiro: Jorge Zahar, 1995.

LACAN, J. *O seminário, livro 8: A transferência*. Rio de Janeiro: Jorge Zahar, 1992b.

LACAN, J. *O seminário, livro 10: A angústia*. Rio de Janeiro: Jorge Zahar, 2005.

LACAN, J. *O seminário, livro 11: Os quatro conceitos fundamentais da psicanálise*. Rio de Janeiro: Jorge Zahar, 1985a.

LACAN, J. *O seminário, livro 20: Mais, ainda*. Rio de Janeiro: Jorge Zahar, 1985b.

LACAN, J. Prefácio a: O despertar da primavera. In: *Outros escritos*. Rio de Janeiro: Jorge Zahar, 2003.

LACAN, J. R.S.I séminaire du 8 avril 1975: Rectifier le non-rapport sexuel? *Ornicar?*, Paris, n. 5, p. 37-46, hiver 1975.

LACAN, J. Televisão. In: *Outros escritos*. Rio de Janeiro: Jorge Zahar, 2003.

LACAN, J. Televisión. In: *Otros escritos*. Buenos Aires: Paidós, 2014b.

LAIA, S. A mensuração da sexualidade no DSM V e a incomensurabilidade do gozo para a psicanálise de orientação lacaniana. *Opção Lacaniana Online*, nova série, n. 4, j. 2013. Disponível: <http://migre.me/w6zRT>. Acesso em: 17 fev. 2017.

LAURENT, É. Seminário: sintoma e repetição. *Opção Lacaniana: Revista Brasileira Internacional de Psicanálise*, São Paulo, n. 31, p. 10-25, 2001.

LAURENT, É. Positions féminines de l´être: du masochisme féminin au pousse à la femme. Publications du Cours a l'Université Paris VIII, Département de Psychanalyse, Séction Clinique. *La cause freudienne*, n. 90. Paris: ECF, jun. 2007.

MASOTTA, O. *Lecciones introductorias al psicoanálisis*. Barcelona: Editorial Granica, 1977.

MILLER, J.-A. A teoria do parceiro. In: *Os circuitos do desejo na vida e na análise*. Rio de Janeiro: Contra Capa, 2000. p. 153-207.

MILLER, J.-A. Cómo se inventan nuevos conceptos en psicoanálisis. *Virtualia*, 3 oct. 2001. Disponível em: <https://goo.gl/uZxzZY>. Acesso em: 17 fev. 2017.

MILLER, J.-A. *Os paradoxos da pulsão: de Freud a Lacan*. Rio de Janeiro: Jorge Zahar, 2005.

RIVIERE, J. Womanliness as a Masquerade. In: *The Inner World and Joan Riviere. Collected Papers: 1920-1958*. Edited by Athol Huges. London: Karnac Books, 1991. p. 90-102.

STRABIOLI, A. La memoria dei soggiorni di Sigmund Freud a Orvieto e l'incontro con gli affreschi del Signorelli. In: *Conferences Atti del Seminario Interdisciplinare e della Mostra di Arte Video e Bookshop*, Orvieto, 21 apr. 2013. Disponível em: <https://goo.gl/OORS1V>. Acesso em: 22 fev. 2017.

TEIXEIRA, A. De Irma a Emma: a solução do sonho na dissolução do sentido. *aSEPHallus*, v. 5, n. 10, maio-out. 2010. Disponível em: <https://goo.gl/VqaH2O>. Acesso em: 17 fev. 2017.

Os autores

Adriano Amaral de Aguiar

Psiquiatra, psicanalista, professor do Internato em Saúde Mental e Medicina de Família da Faculdade de Medicina da UFRJ e supervisor da Residência em Psiquiatria do Instituto de Psiquiatria da UFRJ. Mestre em Psicologia (UFF) e doutor em Saúde Coletiva (UERJ). Membro da Escola Brasileira de Psicanálise e da Associação Mundial de Psicanálise. Autor do livro *A psiquiatria no divã.* Entre as ciências da vida e a medicalização da existência.

Analícea Calmon

Psicanalista. Doutora em teoria psicanalítica (UFRJ), professora e supervisora de estágio do curso de graduação em Psicologia da UFBA. Coordenadora da Residência em Psicologia Clínica e Saúde Mental (UFBA-HJM-SESAB). Membro da Escola Brasileira de Psicanálise e da Associação Mundial de Psicanálise

Ana Lydia Santiago

Psicanalista, Analista Membro de Escola (AME) pela Escola Brasileira de Psicanálise, membro da Associação Mundial de Psicanálise. Doutora em Psicologia Clínica (USP), mestre em Psicanálise (Université Paris 8). Professora do Programa de Pós-Graduação em Educação: Conhecimento e Inclusão Social da FAE/UFMG. Autora de *A inibição intelectual na psicanálise* e *O que esse menino tem?*.

Angélica Bastos

Psicanalista, professora Associada do Programa de Pós-Graduação em Teoria Psicanalítica do Instituto de Psicologia da UFRJ. Membro da

Escola Brasileira de Psicanálise e da Associação Mundial de Psicanálise. Bolsista de Produtividade em Pesquisa do CNPq.

Antônio Teixeira

Psicanalista, professor do Departamento de Psicologia e do Programa de Pós-graduação em Teoria Psicanalítica da UFMG. Médico psiquiatra (UFMG), mestre em Filosofia Contemporânea (UFMG) e doutor em Psicanálise (Université Paris 8). Membro da Escola Brasileira de Psicanálise e da Associação Mundial de Psicanálise. Membro conselheiro da Sociedade Internacional de Psicanálise e Filosofia. Autor de *O topos ético da psicanálise* e *A soberania do inútil.*

Ariel Bogochvol

Psicanalista, psiquiatra, médico da Secretaria de Estado da Saúde de São Paulo, professor e supervisor do Programa de Residência Médica em Psiquiatria da Faculdade de Ciências Médicas da Santa Casa de São Paulo, coordenador do Núcleo de Ensino e Pesquisas de Psicopatologia e Psicanálise), membro da Escola Brasileira de Psicanálise e da Associação Mundial de Psicanálise.

Cristiana Miranda Ramos Ferreira

Psicanalista, doutora e mestre em Psicologia pela UFMG, especialista em saúde mental e clínica, supervisora de saúde mental. Supervisora clínica de saúde mental na Prefeitura de Belo Horizonte (PBH), correspondente da Escola Brasileira de Psicanálise.

Francisco Paes Barreto

Psicanalista e psiquiatra. Analista Membro da Escola (AME) da Escola Brasileira de Psicanálise e da Associação Mundial de Psicanálise. Autor de *Reforma psiquiátrica e movimento lacaniano, Ensaios de psicanálise e saúde mental, O bem-estar na civilização.* Medalha de Honra da UFMG, pela relevância da atuação profissional e social.

Frederico Feu de Carvalho

Psicanalista, membro da Escola Brasileira de Psicanálise e da Associação Mundial de Psicanálise. Mestre em Filosofia e doutor em Estudos Linguísticos pela UFMG. Autor de *O fim da cadeia de razões: Wittgenstein, crítico de Freud.*

Gilson Iannini

Psicanalista. Professor do Departamento de Filosofia da UFOP. Doutor em Filosofia (USP) e mestre em Psicanálise (Université Paris 8). Editor da coleção Obras Incompletas de Sigmund Freud. Autor de *Estilo e verdade em Jacques Lacan.*

Heloisa Caldas

Professora Adjunta do Instituto de Psicologia da UERJ, docente do Programa de Pós-Graduação em Psicanálise da UERJ, doutora em Psicologia pela UFRJ, psicanalista, Analista Membro da Escola (AME) pela Escola Brasileira de Psicanálise e membro da Associação Mundial de Psicanálise. Autora de *Da voz à escrita: clínica psicanalítica e literatura.*

Leny Magalhães Mrech

Psicóloga, socióloga e psicanalista. Professora Livre Docente da Faculdade de Educação da USP, com mestrado e doutorado pelo Instituto de Psicologia da mesma universidade. Livre Docência realizada na Faculdade de Educação da USP. Coordenadora do Núcleo de Pesquisa de Psicanálise e Educação da FEUSP. Membro da Escola Brasileira de Psicanálise, da Associação Mundial de Psicanálise e da Clínica Lacaniana de Atendimento e Pesquisas em Psicanálise. Autora do livro *Psicanálise e educação: novos operadores de leitura.* Organizadora do livro *O impacto da psicanálise na educação* e coorganizadora dos livros *Psicanálise, transmissão e formação de professores* e *Psicanálise, educação e diversidade.* Autora de inúmeros artigos de psicanálise e educação, com destaque para as questões relativas a crianças autistas.

Marcela Antelo

Psicanalista em Salvador, Bahia, Analista Membro da Escola (AME) pela Escola Brasileira de Psicanálise e membro da Associação Mundial de Psicanálise. Psicóloga pela UBA (Buenos Aires)/UFBA, mestre em Filosofia pela UNMdP (Argentina)/UFBA, doutora em Comunicação pela UPF (Barcelona) com tese sobre *A inquietante estranheza do cinema.* Atualmente coordena as bibliotecas do Campo Freudiano no Brasil e do Núcleo de Psicanálise e Audiovisual do Instituto de Psicanálise da Bahia.

Marcelo Veras

Psicanalista, psiquiatra pela UFBA, mestre em Psicanálise pela Université Paris 8, doutor em Psicologia pela UFRJ, membro e ex-diretor da Escola Brasileira de Psicanálise, membro da Associação Mundial de Psicanálise. Autor do livro *A loucura entre nós*.

Marcus André Vieira

Psicanalista da Escola Brasileira da Psicanálise, psiquiatra, doutor em psicanálise (Université Paris VIII), professor adjunto do Departamento de Psicologia da PUC-Rio, autor, entre outros de *Mães* (Subversos, 2015) e *A paixão* (Zahar, 2012).

Maria Josefina Fuentes

Psicanalista, membro da Escola Brasileira de Psicanálise e da Associação Mundial de Psicanálise. Graduada em Psicologia, mestre em Psicologia Clínica e doutora em Psicologia Escolar e do Desenvolvimento Humano pelo IPUSP. Autora do livro A*s mulheres e seus nomes: Lacan e o feminino*.

Ondina Maria Rodrigues Machado

Psicanalista, membro da Escola Brasileira de Psicanálise e da Associação Mundial de Psicanálise, mestre em Psicanálise e Saúde Mental pelo IPUB/UFRJ, doutora em Teoria Psicanalítica pela UFRJ, docente e coordenadora da Unidade de Pesquisa Clínica e política do ato do Instituto de Clínica Psicanalítica do Rio de Janeiro. Professora da Pós-Graduação em Psicanálise do Serviço de Psicanálise em Atenção à Infância e à Família do Hospital Zacarias da Santa Casa de Misericórdia do Rio de Janeiro. Organizadora dos livros *Psicanálise na favela* e *Violência: sintoma social da época*.

Ram Mandil

Graduado em Medicina, mestre em Filosofia e doutor em Estudos Literários pela UFMG. Professor adjunto da Faculdade de Letras da UFMG e pesquisador do Núcleo de Pesquisas em Literatura e Psicanálise. Autor de *Os efeitos da letra: Lacan leitor de Joyce*.

Romildo do Rêgo Barros

Psicanalista, psicólogo, Analista Membro da Escola (AME) pela Escola Brasileira de Psicanálise (Seção Rio de Janeiro) e da Associação

Mundial de Psicanálise. Possui diploma de psicólogo clínico da Université Paris 7 e Diploma de Estudos Aprofundados (DEA) em Psicanálise na mesma universidade. Autor de *Compulsões e obsessões: uma neurose de futuro* (Civilização Brasileira); coautor, com Marcus André Vieira, de *Mães* (Subversos) e de *Ódio, segregação e gozo.*

Sérgio Laia

Psicanalista, Analista Membro da Escola (AME) pela Escola Brasileira de Psicanálise, membro da Associação Mundial de Psicanálise. Doutor em Letras e mestre em Filosofia pela UFMG. Professor Titular IV do Mestrado em Estudos Culturais Contemporâneos e do Curso de Psicologia da Universidade FUMEC. Pesquisador com projeto aprovado pelo CNPq e pelo ProPIC-FUMEC.

Tania Coelho dos Santos

Psicanalista, membro da Escola Brasileira de Psicanalise, da École de la Cause Freudienne e da Associação Mundial de Psicanalise. Pós-doutora no Departement de Psychanalyse de Paris-VIII. Professora Associada IV no Programa de Pós-Graduação em Teoria Psicanalítica da UFRJ e pesquisadora do CNPq nível 1C. Membro da Associação Universitária de Psicopatologia Fundamental, presidente do ISEPOL e editora de *aSEPHallus: Revista de Orientação Lacaniana.* Autora dos livros *Quem precisa de análise hoje?* e *Sintoma: corpo e laço social.*

Ilka Ferrari

Psicanalista e docente da PUC-MG, onde se graduou em Psicologia. Doutora pelo Programa de Clínica y Aplicaciones Del Psicoanálisis da Universidade de Barcelona. Pós-doutora pela Universidade de Barcelona e membro da Escola Brasileira de Psicanálise e da Associação Mundial de Psicanálise.

Jésus Santiago

Psicanalista, graduado em Psicologia pela UFMG e doutor em Psicanálise pela Universidade de Paris 8. Professor associado do Departamento de Psicologia da UFMG e membro da Escola Brasileira de Psicanálise e da Associação Mundial de Psicanálise. Autor de A droga do toxicômano, entre outras publicações.

Este livro foi composto com tipografia Bembo Std e impresso
em papel Off-White 80 g/m² na gráfica Rede.